天国の「おバカさん」からご招待

ネラン塾へようこそ

まえがき

1962（昭和37）年から1966（同41）年までの約5年間、東京・お茶の水の中央大学正門前に、一人のフランス人カトリック宣教師が開く私塾があった。まだキリストを知らない大学生に、キリストとの出会いの場を提供する〝私設課外教場〟の名は、宣教師の名前「ジョルジュ・ネラン」を冠《かむ》って「ネラン塾」。宣教師ジョルジュ・ネランは、生涯の友となった作家・遠藤周作が「おバカさん」と呼び、同名の作品中で主人公に据えた人物である。学生運動が猖獗《しょうけつ》を極めて学園紛争が多発し、キリスト教の世界では第二バチカン公会議の実りが、少しずつ日本の教会にも浸透し始めた、そんな時代だった。

都内各大学の門前や最寄り駅前で有志がチラシを配り、学生に入塾を呼び掛けた。「中大カトリック研究会」のメンバーらは、ネラン神父が同大カト研の指導司祭を務めていた縁もあり、手弁当でチラシ配布を引き受けた。

学生たちに本物の「生き甲斐」を与えるのがネラン塾の目的だった。半年間を1期として、年間2期制。望めば複数の期をまたいで在籍できる仕組みだ。各期に120人の学生が、お茶の水の雑居ビル5階に集まり、毎週ネラン神父の講義とテーマ別討論に各1回、取り組んだ。
既存の小教区聖堂や教会施設を使えばいいのに、という周囲の声に、ネラン神父は答えた、「今、教会は学生たちに宣教していますか？　教会敷地内に迷い込んでくる子羊を待っているだけではありませんか。それでは学生の心を掴むことはできない。だから、既存の枠に囚《とら》われない『場』を創る必要があったのです」。

延べ10期、約900人の学生が「ネラン塾」の塾生となり、その中の102人が洗礼を受けた。都内の大学に通う学生たちに対するネラン神父の宣教は、一定の成果を挙げているかに見えた。が、10期目の終了をもって、ネラン塾は閉鎖された。塾長・ネラン神父は閉塾の理由をこう説明した、「学生と私の歳の差が開き過ぎた。もはや彼らの兄貴分でなく、父親の世代になってしまった私が何を語っても、学生たちの心には響かない」。

10年ほどの充電期間を置いた後、ネラン神父は東京・新宿の歌舞伎町に酒場を開設する。名付けて「宣教スナック・エポペ」。フランス語で〝叙事詩〟〝冒険絵巻〟を意味するこの店名には、サラリーマンと酒を汲み交わしながら真の生き甲斐について語り合いたいというネラン神父の願いが込められていた。

還暦の身でバーテンダースクールに通い、ネラン神父はカウンターの中に立って毎晩シェーカーを振った。歌舞伎町の外れに借りたマンションが、神父のねぐら。定休日の日曜にはそこのダイニングルームがミサ会場となり、酒席の語らいで興味を持ったサラリーマンたちが神妙な表情でミサに参加した。宣教対象は学生からサラリーマンへと変わったように見えるが、そうでもない。かつてネラン塾に通った学生たちが卒業してサラリーマンとなり、エポペで友情を深めるようになっていたのだ。

神父が盛り場にスナックを開いたことはメディアで好意的に取り上げられ、各地から信者が訪れた。しかし彼らがカウンター越しに〝神父様〟と呼び掛けると、ネラン神父はそのたびに目を剥《む》いて抗議した、「〝神父様〟と呼ばないで！『ネランさん』と呼んでください。『様』の乱用は封建時代の名残《なごり》、聖職者至上主義の悪しき風習です。それが日本人に教会を誤解させ、宣教の妨げとなっていることに、どうか気づいてほしい」。

日本有数の歓楽街に6坪ほどの店を構えた宣教スナック「エポペ」が20年も経った頃から、ネランさんはサラリーマン信徒に檄《げき》を飛ばし、サラリーマン仲間への宣教を信徒自らが積極的に行うよう、ハッパをかけ始める。

自らが老境に達したことを自覚したネランさんは、宣教の主役の座をサラリーマン自身に譲ろうと決心したのである。

スナック「エポペ」は35年間続いたが、その後半期に差しかかった1997年、ネランさんはB6判16頁の小冊子を編み、かつての教え子たちに配った。しかし、『ユートピア——72人クラブの定款』と題するこの冊子を手にした教え子たちは、戸惑った。まるで判じ物のように難解な文章、何を言いたいのか分からない構成……　塾生OB・OGや、エポペで受洗の恵みに与《あずか》った常連客の多くは『ユートピア』を書棚の奥に仕舞い込み、ネラン神父が帰天した2011年以後も、この冊子について語り合うことをしなかった。

出身者の多くが後期高齢者となったネラン塾OBの中から、「『ユートピア』を読み直そうではないか」という声が挙がり始めたのは、ほんの数年前のことだった。そして2022年7月、ネラン塾のOB・OGたちは、手元にある『ユートピア』を持ち寄り、オンライン・ミーティング形式で〝読み直し〟の機会を持つことにした。

その集いは今、ネラン神父の薫陶を受けた教え子たちにとって、師の遺稿を読み直す機会ともなっている。師の帰天後10年以上も、教え子らが机の引き出しや書棚の片隅に埋もれさせていた師の遺稿が、こうして再び陽の目を見ることになった。

人によっては半世紀以上も読み返すことのなかった「ネラン神父の遺稿」を手にした教え子た

ちは、再読、三読しながら大きな衝撃に見舞われた。〈「キリスト教の核心はイエス自身」「折が良くても悪くても宣教しなさい」と、ネラン師からあれほど熱心に説かれた日々があったのに、社会人となってからの自分はほとんど何も実践してこなかった〉ことへの痛悔が教え子たちを襲ったのである。

同時に、ネラン神父の教えが今なお活き活きと生きていること、自分たちの子や孫の世代にとっても貴重な示唆に富んでいることに、教え子たちは気づいた。

こうして、「師の遺稿を体系的に編んでみよう」「そしてそれを後代に伝えたい」という願いが一つになり、本書となって結実した。この「実」を味わい、心の糧とされるのは、ネラン塾やエポペに集った教え子たちよりずっと若い世代のはずだ。しかし、教え子たちと、本書を手にした読者の皆さんを貫く思いは一つ、〈おバカさんの置き土産を原動力として、イエスの道を歩もう〉である。私たちは、生かされている限り、この本を開いておられる皆さんと共に歩きたい、今は永遠のいのちを得て憩う〝おバカさん〟に見守られながら。

二〇二三年三月　ネラン師帰天13周年の記念日に

ネラン塾ＯＢ・ＯＧ会　会員一同

【編者註】

①序章および第Ⅰ章中に収載した「ネラン塾討論資料」は、第1期から第10期までの間、各討論の実施に先立って塾生に配布されたプリント資料ですが、複数の期で取り上げられた同一課題については、プリント表記内容を一つにまとめました。

②各章に収載した「塾生の意見」は、各テーマについて、各期の在塾生の間で交わされた主張・意見の中から主なものを集約して紹介したもので、発言者の氏名は特定の塾生を指すものではありません。

なお、ここで紹介されている意見のうち「三人の学生による議論」によって構成されている意見は、ネラン塾の閉鎖前後の時期に、ネランさんと塾生らによってまとめられ、『われら人生を論ず』（春秋社刊／1969年）として書籍化されました。このたび同書の全文引用を許諾された㈱春秋社様に感謝いたします。

③各章の章建てと遺稿の配分は、ネラン塾OB・OG会に設けられたネラン師遺稿編集部会の判断です。また同部会の判断により、ネランさんが同一テーマについて複数の考察を執筆しておられる場合、趣旨を損なわない範囲で要約し、または個別の考察を1タイトルの下《もと》に見出し付きで並示しました。各原稿の表記・表現は原則として原文のままとし、すべての原資料は巻末に表示しました。

ネラン塾へようこそ

目次

第Ⅱ章　立ち止まって「内面」を見つめよう

終章　世界へと羽ばたく貴君を見送る――

序章

ネラン塾から、大学生の貴君へ

「大学」と学生生活

身を置く環境を眺め直す

「大学」に関する主張と疑問

我々は大学生である。試験地獄を経て、入ってみた大学だが、そこには、いろいろな意味で理想との食い違いが多くあったのではなかったろうか。

そもそも大学とはいったい、何か。

自分にとってどういう意味を持っているのか。

大学の自治が必要な理由は？　そして、現代の大学はこれでいいのか。

我々自身にとって最も身近な存在である大学について、改めて考え直してみる値打ちは、いま、確かにあると思われる。

そこでまず、次の5つの主張や疑問に貴君はどう答えるか。項目のそれぞれについて、貴君の考えを聞かせてほしい。

一 ある学生の主張 「大学の理念」という言葉は確かに耳触りが良い。しかし、最高学府としての大学はいかにあるべきなのか。学問研究の場？ 真理探究の殿堂？ それならば、あらゆる外的規制を超えて大学には何よりもまず、自由と自治が必要である。就職予備校、花嫁・花婿探しの場に成り下がってはいけない。貴君の意見は？

二 ある学生の疑問 「大学への不満」をよく耳にするが、発言の主はいったい何が不満なのか。その不満を生む原因は何か。マスプロ教育の方法？ 企業化した大学経営？ 教科内容の問題はどうか。不満の解決策として、何をなすべきか。貴君の意見は？

三　ある学生の疑問

君は何のために大学に入ったか。そして、何を目指して卒業に向かっているのか。貴君の意見は？

四　ある学生の疑問　大学生である我々のなすべきことは、まずは何か。学問？　人格の完成を目指す？　それとも、よき友情を結ぶことか。スポーツや娯楽に打ち込むことは、目的からの逃避ではないか。貴君の意見は？

五　ある学生の疑問　「エリート教育」をどう思うか。国家や文化に対する大学の役割をどう考えるか。「教育の機会均等」は、大学において必要であるか。「女子大生亡国論」をどう思うか。課外活動や学生運動をどう受け止め、どう実践しているか。貴君の意見は？

「学生は特権階級」という見方をどう思う？

　同年齢層の2割に満たない大学生は、その年齢層のなかで特別な地位を占めている。社会という共同体における「学生」の位置・姿に目を向けてみよう。もちろんそれは、貴君自身を見つめることでもある。

一　いま、貴君の前に「学生は特権階級か」という問いがある。「大学生は特権を持っている。たとえば、生産性がないのに長い休暇を得ることができ、自由な時間を与えられて気楽な日々を送り、種々の割引を享受している」というわけだ。

　これについて、2種類の見解が用意されている。貴君はどちらに与《くみ》するか。A・Bのどちらかを丸で囲み、貴君がそう考える理由を述べなさい。

A　社会はエリートの卵にそのような配慮をしているのだから、学生はそれに応える責任を自覚すべきである。

B　今日のマスプロ教育の下では、一握りのエリート候補生に対する特権を社会が許容しているとは言えない。アルバイトをすれば誰でも大学に行ける。

二　「大学の目的」と学生運動について、次の問いに答えなさい。

A　大学の目的は「社会における有能な働き手を養成することにある」と思うか、それとも「学問研究を通した人格陶冶にある」と思うか。

B　「学生運動」について、貴君は次の①、②どちらの考えに与《くみ》するか。どちらかに丸を付けたうえで、補足すべきことがあれば貴君の考えを述べなさい。

①政治に関心を持つのはよいが、大学は政治の場ではない。したがって学生運動に政治を持ち込むのは誤りである。デモなどのから騒ぎは、エネルギーのはけ口に過ぎない。

②象牙の塔に籠るのは現実からの逃避である。学生こそ現実を判断し、理想に向かって、自由な立場からの行動により、明確な意思表示をすべきである。

■塾長からのアドバイス

「やれ！ やれ！」

この言葉は、重層的な意味を持つ

ネラン塾では1期12週間を費やして、都内の大学に籍を置く学生が参集し、互いに議論したり、冗談をとばし合ったりしながら「塾生」として過ごす。「やれ、やれ」というフレーズは最近、塾のスローガンになった感があるが、この言葉を吟味してみよう。

まずネラン塾を見つけ、その門を叩いた学生は、「やれ、やれ」という言葉に励まされる。すなわち、いったん塾に通う決心をしたからには、最後まで（すなわち6ヵ月後の期末まで）出席し続けよ、ということである。

「やれ、やれ」はまた、〈塾生自身の行動で塾を活気づけよ〉という意味でもある。討論などは自己の考察を深める手引きに過ぎないが、それに参加しなければ、塾は生きてこない。討論に加わり、講義に耳を傾けることのほかに、コンパをやることも、喫茶店でコーヒーカップを手にしながら気になる人物を斬ることも、ダンスやウクレレに興じてみることも、塾を活気づけることになる。

さらに「やれ、やれ」は、自分自身をやる（＝与える）ことをも意味する。塾生諸君は、人生の意味や人間の価値を求めて、塾に籍を置く。その望みに応える上で、「諸君は各々『かけがえのない存在』であり、『絶対的価値を持つ存在』である」と断言するのは容易であるし、また正しくもある。

しかし、そのような断言だけで人生の意味を実感できるとは言えない。むしろ、「人間の一人ひとりが尊重されるべき存在である」という価値観を得ることは、「隣の人」を知ることから始まる。各々がかけがえのない存在であるというのは、とりもなおさず、隣りの塾生が全くの凡人に見えても、よく見れば味があり、魅力のある人物だという真実を発見できるということなのだ。席を同じくする隣の塾生についてそういった真実を発見することが、塾生諸君の第一の課題である。

もちろん、塾に集う各々がかけがえのない存在であることは、当然、貴君自身もかけがえのない存在であるということを意味する。すでに持っていた優越感をも劣等感をも捨てて、「真の自分の価値」を認めることを勧めたい。自分の考えること、自分の感じることは、隣の人にとっても価値がある。だからこそ隣りの人にそれを伝えなければならないのだ。それは〈自分を友だちにやる〉ことにほかならない。

もしいま貴君が『ネラン塾は自分に何をやってくれるか』を考えているのなら、それは逆であり、『塾友のために自分は何をやるべきか』をこそ考えるべきなのだ。友だちは貴君を、貴君自身を待ち望んでいる。だから、私は貴君に言う、「君、やれ！　やれ！」。

ルオーの描く「人格者」の姿に学びなさい

ところで、若者が「豊かに生きたい」と望むのは、正しい。そして、生き甲斐を積極的に探そうとする態度は、もっと正しい。人間は死ぬべきものなのに、「そこになお生きる理由がある」と断言する人、死を凝視しても絶望することなく、「死に打ち勝つ方法がある」と確信する人は、人が生涯をかけて得るべき貴重な知恵を、すでに得ている。そしてさらに、死に対する勝利者がキリストであることを知っている人は、最も貴重な真理を掴んでいるのである。

「たとえ苦難に遭《あ》っても、人間は幸福を得るために存在しているのであり、幸福の追求は徒労ではない」と信じて行動する人は、真の人間像を持ちその道を歩んでいると言える。そしてここでも、完全な幸福を与えるのがキリストであることを発見した人は、一層幸いである。

愛することが最高の行為であると思う人は、決して誤っていない。通常、献身的な愛に駆られて自分にまさる対象のために己れを尽くす人を、周囲の人々は尊敬する。そして、献身的な愛の泉がキリストであることを心得た人は、愛の神髄を極めているのである。

研究室や図書館で自然のリアリティーを把握しようとする学者、「超高層ビル」の設計図を凝視する技師、イロハを教える小学校の先生は、より良い社会を造り、人間の幸福を積極的に築き上げる人として尊敬される。が、「そのより良い社会を建設する彼方に、神の国の発展がある」と理解した人こそ、本当に人生を達観しているのである。

人間を信頼し、「人間には無尽蔵の宝がある」と信じるのは、人格者の特徴である。人を賛美する者は賛美される。が、その人間味を教えるのは、人の子たるキリストである。ルオーは、哀れな者をも支配者をも、さらにはキリストをも描いた。不思議なことに、王にせよ乞食にせよ、その姿は、実によくキリストの姿に似ている。道化さえも、キリストの尊厳を帯びているのである。

生き甲斐をその手に

前提は「真理の把握」

ネラン塾に通う学生の大部分は生き甲斐を求めている。ところで、生き甲斐を得るにはまず、真理の把握が前提となる。というのは、〝偽り〟の上には何の人生観も、何の価値観も築き上げることができないからである。

もちろん、生き甲斐を支えるその真理は、冷い知識ではなく、文字どおり生き生きとしたヴィジョンでなければならないが、そのヴィジョンも〝空想〟や〝嘘〟であってはならない。真実に立脚したところにしか、生き甲斐は生まれない。

だが、我々は常に「先入観」という障害にぶつかる。「あれはプラトンの思想だからすばらしい」とプラトンのファンは言い、「これはマルクスの詭弁《きべん》だ」とマルクス嫌《ぎら》いは言う。食わず嫌いと言うべきだ。

我々は真理がどの口から出るかを、初めから知っているわけではない。「聖書の文句は、聖書の文句であるがゆえに意味深いものだ」とは言えないし、「キリスト教的な思想は、キリスト教的だからつまらない」と断言するのも愚かである。本当のことは本当なのだ。真実性は、自ら顕《あら》われる。

マルキシズムのシンパは、その反対者に『ブルジョア的』というレッテルを貼り、右翼の者は、マルキストに『アカ』という衣を着せる。あるいは、伝統的な見方に向かって『古くさい』と決めつけ、新しい見方に対しては『単なるムードに過ぎない』と否定し去る。そのようなやり方はあまりにも容易な軽蔑であり、軽卒な独断である。

「キリスト教は異質のもので、日本人に合わない」と言う人がいる。「真理」は普遍的なものであるから、キリスト教が日本人に合わないとすれば、それは普遍的ではないことになり、無価値なものとなる。果たして「日本人に合わない」のか。〝食わず嫌い〟だけなのかも知れないではないか。「人を有効に訓戒しその人の誤りを示そうとするには、彼が事物をどの方面から見ているかに注目しなければならない。なぜならそれは、普遍性の方面では真なのだから」とパスカルは言う。それは貴重な教訓である。相手の立場からものをみれば、その見方は真になるというのだ。相手の見方を軽蔑したり嘲《あざけ》ったりする者は、必ず真理の一面を見失うのである。まして、相手に対して怒りに燃える者は、自分の弱さを露呈することとなる。

真理を素直に受け入れようとしない者が生き甲斐を得るはずはない。生き甲斐の基礎になる真理は、我々の探していないところに、否、我々の探したくないところにあるのかも知れない。求めようと思うなら、先入観なしに求めるべきである。塾生には、その態度を貫いてほしい。

いくつかの決断が「生き甲斐」発見の基礎となる

さて、我々が求める「生き甲斐」は、天から降りてくるものではない。基礎の上に建てられるものであって、各々が自分でその基礎を据えなければならない。その基礎とは、「判断を下す」「問題に答える」「価値を量る」など、いくつかの決断である。

第一に、判断を下す必要がある。『こころ』という小説は名著と言われるが貴君はどう思うか。正直に言って、そういう定評に賛成するか否か。『ゲルニカ』はピカソの作品であるが、本当に傑作であるかどうかは、貴君自身が判断すべきである。そして、野党と与党、教養科目と専門科目、日本国憲法第九条と自衛隊、アフガン戦争の是非などについても、貴君に判断を求めたい。

その場合、貴君はあくまでも自分自身で判断しなければならない。「事情を十分に知らない」と言って判断を避けるのは、卑怯である。知っている限り、その限りにおいて是非することはできるし、その判断力は人間が本来備えているものである。

次に、我々に迫ってくる問題に答えるべきである。なぜ勉強するか、民主主義は正しいか、愛とは何か、科学は真理を言い尽くせるか、平和を守る方法は何か、人間の幸福とは何か——などという問題である。

塾生なら、より真剣に、それに直面しなければならない。完全な解決はできないかも知れないが、ある点を捨て、ある点を取ることによって、一つの線が必ず浮かんでくる。少なくとも、考える努力なしに、それらの問題を避けてはいけない。しかも、それらは〝判断〟や〝応答〟にとどまることなく、「決断」にまで至るべきである。というのは、行動を支配するのでなければ、真の判断とは言えないからである。

愛に対しての、金に対しての、学問に対しての我々の行動は、それらについて我々の決断を表わす。言葉はどうであろうと、真の考え方を示すのは行動である。1人の女性が本当に好きならば、会ったり、手紙を書いたりするに違いない。1つのサークルに参加するつもりなら、実際に出席するであろう。結局、決断することは「身をもって飛び込む」ということである。

決断すれば、辛いことに直面したり、ためらいを感じたり、危険に巻き込まれたりすることがあるかも知れない。だから、我々は決断に直面するときには迷う。しかし、手を拱《こまぬ》いて見ているだけでは、現代人として失格である。自らコトに当たらなければ、真の人間にはなり得ないし、生き甲斐を感じられるはずもない。

貴君の日常生活を望見すれば

1960年代に学生たちの動きを注視しながら思った

安保体制の在り方が問われ続けた1960年代、学生デモはアイク訪日を阻止した。「現状、米大統領は訪日を中止した方が良かった」と誰もが思った。学生たちの行動は、世論に支持されたのである。ところで、それは日本経済にどういう影響を及ぼしたであろうか。自民党にもアメリカにも、学生層の動きを否定的に利用するという誇大妄想的な態度が見られた。デモの原因は岸首相の反民主主義などではなく、安保条約であろう。その安保条約が民主主義のルールに則《のっと》って議論されたならば、学生デモ頻発《ひんぱつ》という状況にはならなかったかもしれない。ともかく、安保条約がデモの直接的な誘因であったことは否定できない。

安保条約の是非は客観的な検討によるべきなのに、実際には主観的、ないし感情的な対立が先行した。未成熟な民主主義国が招いた不幸な流れというべきであろう。

反対を唱える側にも問題はあった。安保条約に反対するとしても、米国とその代表に対する敬意そっちのけの反感を伴ってはなるまい。しかも賛否双方の中に同胞を「敵」と呼ぶ声さえ聞こえたことは「真実の愛」の不在を物語っていて、とりわけ悲しく思われる。

安保改定を巡る日本国内の動きを振り返って、気になる点を抜き書きしてみよう。

＊新安保条約は悪いのか。確かにそれ自体も疑念の一つではある。しかしそれよりも自民党の政策全体が、もっと大きな危険を含んでいた、と言った方が正しかろう。再軍備、警察権強化、神道復帰推進などは、国粋主義や軍国主義への地均《じなら》しではないか。学生はその危険を見抜いて一掃しようと努めたのである。

＊デモは示威運動か、それとも保守派が言うように〝革命の前触れ〟と看做《みな》すべきか。政府が求めた〝静かなデモ〟は存在し得たのか。実際のデモが実力行使を含んでいたことは間違いない。デモ推進者が主張する「安保反対の意思表示には、表現の自由の範囲内で或る程度まで暴力が許されている」を認めると仮定して、それはどの程度まで？　その答えに対してはさらに「なぜ『その程度まで』と決めるのか」との問いが派生する。極端な話、岸首相が本当に悪いのなら、暗殺

してもいいのか。他方、6・15デモのとき、もしも20人の樺美智子さんがいたら、岸退陣は必然的なものになっていたであろう。

これらの疑問は次のテーゼと、さらなる疑問を生む。すなわち——

「合法・非合法は善悪の判断の基準ではない」

「暴力も革命も、現体制が人間の尊厳を著しく損なっている場合は、人類愛の実践行為として許され得る」(安保反対闘争はそれに該当するか)

「事態の拡大に際し、大学教師らは無為無能な人間のように見えた。学生の側にも体制側にも『指導者』が皆無であったことが、安保闘争の悲劇である」——

結果として、以後、言論の自由を制限する法体系が張り巡らされる恐れがあった。また学生が自分の力を過信して政治志向を強めるばかりか、首相打倒をコトとするようにならないとも限らなかった。

ともあれ、利権漁《あさ》りとウソと賄賂と派閥争いに狂奔する腐りきった政治に対して、学生は己の利を顧みず国と国民の幸福のため、そのあるべき姿を求めて努力し、しかも可能な限り秩序正しく行動して、立派な態度を見せた。身を棄てて毅然たる態度に終始した学生の勇気や節制は、高く評価されてよい。そんな彼らに、真の幸せとは何か、生涯を掛けるに相応《ふさわ》しい生き甲斐とは何かについて、決定的な気づきを与えるのが、ネラン塾の役割となった。

第Ⅰ章

価値観を、問い直してみないか！

進化――または進歩

人類進化の起源と到達点を探る

次に示す五つの考え方のそれぞれについて、貴君の意見を述べなさい。

「進歩」という概念について、貴君はどう考えているだろうか。

人類は進歩したか

一　北京原人から現代人に至るまで、人間は進歩し続けたか。少なくとも技術面では進歩してきたと言える。だが、精神的にはどうであろうか。徳の高い人物が過去のどの時代より多く現代に輩出しているか？　優れた芸術品が数多くつくられるようになったか？　とにもかくにも人間の知識は博《ひろ》く豊かになった。一応、身の安全を確保できる社会ともなった。――

右の認識について、貴君はA、B二つの見解の、どちらに与《くみ》するか。選択したうえで、その理由を述べなさい。

A　人類は進歩していく。その理由は——

・すべての人々の知識が時代を追って深まっている（教育、報道、読書、旅行などがそれに貢献する）

・社会制度がよくなってくる（法の整備、身の安全、医療の拡充、人権意識の向上、余暇利用法の充実など）

・前2段に見るとおり、人々は心身ともより豊かに生きられるようになっている。

・「人間は進歩する」とは本来、人間が持つ確信であり、人間活動の原動力である。しかもそれは、「人間性のかけがえない価値」にほかならない。

——などである。

B　人類は進歩と退歩を繰り返し、結局「進歩」を問うことに意味はない。その理由は——

・医学や医療技術は進歩しても、病気は残る。あるいは〝新しい病気〟が現われる。

・戦争はなくなるどころか、むしろひどくなっている。

・人々の道徳が進歩したかは大いに疑問である。

・美しい芸術作品が増えたとは言えない。

・現代人の知識は、量としては増えたが、質的な「深化」には至っていない。

——などである。そもそも進歩には基準となる尺度がない。よって、人間が進歩すると思うのは

〝盲信〟に過ぎない。

二　進歩が認められるとすれば、それは自然界の進化の一部と言えるか。「進化」や「進歩」をどう定義づけるかを含め、貴君の考えを述べなさい。

三　現代人は病気・苦しみ・死・飢餓・無知・戦争……といった悪に挑戦する。「その努力は勝利の途上にある」と言ってよいか。仮に、対面する敵に打ち勝つことができるとして、「それはそのまま『人類の幸福』に通じる道」と言えるか。

四　現代人は、将来の進歩・進化に希望を繋《つな》いでいる。それは理に適《かな》う望みか、錯覚か。

「進歩＝西洋化」への賛否

五　明治時代以降の日本には、「進歩」と「西洋化」を同義と捉える考え方が潜んでいる――という指摘がある。果たして進歩とは西洋化のことだろうか。

これについてＡ・Ｂ二つの見解を示すので、妥当と考える方を○印で囲み、併せて貴君の考えを記しなさい。

Ａ　日本にとって「進歩する」とは即ち「西洋化する」ことである。明治維新がそうであったし、他にも多くの事例を挙げることができる。

・衣食住の各分野において、「進歩＝西洋化」は既に明らかとなっている。

・科学技術面で言えば、湯川・朝永の物理学も元は西洋の産物に他ならない。日本の自慢のタネ――日章丸、新幹線、トランジスター――などはすべて西洋的産物ではないか。

・社会制度についても同様。憲法、人権意識、労働組合制度また然り。社会保険制度もその方向に進んでいる。

・音楽もまた西洋音楽が隆盛を極めている。

・日本語だけは確かに日本独自のものであると言えるだろう。しかしそれは今や、進歩の邪魔となっているのではないか。一日も早く、世界基準の言語体系に統一すべきだ。

B　日本がいかに西洋化しても、日本には日本の精神とそれを反映した精神文化がある。日本の進歩にはそれを生かすべきだ。西洋化は本来の日本精神を歪め破壊する〝望ましくない方向〟である。

・日本語廃止論などは、日本社会の進歩と何の関係もない。
・科学の進歩は、西洋だけの占有物ではない。世界のものであり、日本のものでもある。
・「日本の精神を生かす」と言っても、万葉集や芭蕉に拘泥《こうでい》するという意味ではない。日本の伝統に従って、新しく日本的なものを創り出すことこそが進歩となる。
・茶道・書道・剣道などが顕わす日本の精神性、日本人の考え方、感じ方を重視しなければ、日本は本当の「進歩の道」を歩むことはできない。
・なんでもかでも西洋の思想を呑み込もうとした人たちは、実際にはそれを呑み込めなかったし、「世界に通用する日本」づくりにも「日本の西洋化」にも失敗した。
・一例を挙げれば、インドや中国の精神文化である仏教や儒教を日本人は受け入れた。しかし、西洋の産物である現代キリスト教は、日本でその宣教に成功しているとはいえない。日本の精神と合わないからではないか。

■塾生の意見

「人類の進化・進歩」肯定論と否定論

竹内　きょうは、人類ははたして進歩したかという問題を考えてみたいと思う。しかし、その前に、自然の進化ということに簡単に触れておきたい。君達は、自然の進化を認めるか。

梅田　進化論はすでに定説ではないか。

松尾　学者の学説をそのまま受け入れるべきだと考える。それとも、君は進化論を疑問視するわけか。

竹内　いや、進化論という定説に疑問をはさむつもりは毛頭ない。しかし、進化の決定的な証拠がないということを指摘したいと思う。まず、実験室ではそのような進化を起こすことができない。そして、何万年も前の現象、あるいは何万年もかかったその現象に目撃者のいるはずもない。要するに、進化しつつある自然を誰も見たことがないということだ。

梅田　もちろん、それはそうだが、間接的な証拠なら十分にある。

竹内　現在も進化が続いているかどうかという点については、学者はどういう意見なのか。

松尾　僕の知っている限り、学者間に見解の一致を見ない。進化は現在も続いていると思う人もあり、止まったと考える人もある。

竹内　その見解の相違は、進化の直接の経験がないということに端を発している。

その上、進化の説明となると、これがまたはなはだ物足りない。例えば、自然淘汰といった学説で進化を説明しようとしても、とうてい説明し尽くせるものではない。進化論のこういった証拠不足の事実を、自然科学者はもちろん認めるのである。

梅田　やはり、君は進化論そのものを疑っている。

竹内　違う。むしろ、そういう事情があるにもかかわらず、進化論はやはり正しいと思う。ただ、この定説に達するには飛躍があるということを示したかったのだ。

松尾　少し考えれば、こう言える。化石が発見される。その化石からその時代を推定することができる。そこまではいい。が、異なった時代の化石どうしをつながっていると判断するのは、人間の解釈であり、推測であって、決して証明されたものではない。紛れもない仮説なのである。飛躍と言えば飛躍なのだ。

梅田　しかし、この仮説は理性にかなう。他の説は考えられないし、進化論に立たない限り自然科学は成り立たない。

竹内　だから、飛躍とは言っても、飛躍することとは、この場合、合理的なのである。
　ところで、もう一つの点を指摘しておきたい。学者は、それを進化と呼び、変化とは言わない。進化とは、すなわち、時間の経過につれて、後の状態が前の状態よりもよくなることだとする定義に、賛成であるか。

梅田　異論なし。

竹内　進化だと判断するのは、まさしく価値判断である。前の状態と後の状態とを比較して、その差異を見出すのは、確かに科学の役割であるが、その差異を進化と称するのは、科学者自身の価値観による判断なのである。

梅田　人間は、科学者として、価値観をもってはいけないのか。

竹内　そうは思わない。そして、科学者の価値観を誤りだなどと言っているのではない。ただ、進化論は学説であるには違いないが、しかしそれが人間の価値観を含んでいることを忘れてはならない。

松尾　学者自身はそれを意識しているか。だいたい、彼らは竹内君の見方を否定するのではないか。けれども、学者は学説を学説として使う。その基礎である価値観を究めるのは、学者の方の役割ではないだろう。

竹内　それはそうかもしれないが、少なくとも、われわれには、学者の提供する知識を考える権利もあり、義務もある。したがって、自然の進化を定説として受け入れるとなると、次のような三つの疑問が当然出てくる。

1　進化があれば進化の始まりがあったと考えていいか。

2　進化があればその到達点があると考えていいか。
3　進化があるとすれば、進化させる力とはどのようなものか。
この三つは、自然に湧き上がる問いではあるが、それはしばらくおいて、本論である人間の進歩という方へ移ることにしよう。
では、北京原人から現代人に至るまで、人類は進歩してきたか。
梅田　北京原人は確かに人間か。
竹内　北京原人は人間ではないと称する向きがあれば、ネアンデルタール人にしてもかまわない。あるいは、その時代についてのわれわれの知識はあまりに乏しすぎるので何も言えないというのであれば、その幅を短縮して、三千年前の人間と現代人との間には進歩があったか、という形に変えよう。
松尾　答えは観点によって異なる。例えば、知識はふえたが体力は衰えたとする。そう考えると、一方では進歩、もう一方では退歩だと言えるのではないか。人間は進歩してきたかと問われても、そう一概に答えられるものではない。
竹内　それでは一例をあげよう。僕は、自分が少年時代から見て進歩した、と判断する。それは単に、背丈が伸びたとか、知識が増したとかいうことではなく、僕全体が進歩したということではないのか。
松尾　普通、成長したと言うだろう。
竹内　ここでは、進歩の代わりに成長ということばを使ってもさしつかえない。ともかく、成長したのは僕自身なのだ。それと同様の意味で、あらゆる面にわたって人間そのものが進歩したと言えるのか言えないのかと、僕は今聞いているのだ。
梅田　人間が進歩してきたのは自明だ。

松尾　自明ではない。竹内君は人間そのものが進歩してきたかと聞いているわけだが、人間そのものはむしろ変わらないものではないか。

竹内　人間そのものという表現は適当でないかもしれないが、こう考えてみよう。鎌倉時代を研究し、当時の人々の共通性を探って、鎌倉時代の人間という一つのタイプを見出すことができる。そして、その鎌倉期の人間と現代人とを比較して、そこに進歩を認めうるか、つまり、現代人は鎌倉時代の人間よりも優れているのかどうか。

松尾　僕は、現代人が優れているなどとは思わない。

梅田　しかし、松尾君は、自然の進化を認めるのだろう。

松尾　認める。

梅田　だから、人間は類人猿に発し、北京原人、そしてネアンデルタール人などを経て現代人になった。それは進歩ではないか。そして、その人間の進歩が自然の進化の一部分であり、しかも、いわば大成功をおさめた進化だと言うことができる。自然の進化と人間の進歩とのつながりを示すために、竹内君は、まず進化論をもってきたのだろう。

竹内　違う。むしろ、自然の進化と人間の進歩とを区別してかからなければならないと考えているほどだ。自然の進化は人間を取り扱うとしても、動物としての人間しか研究対象にとらないのに対し、人間の進歩の方は「人間としての人間」を重視するからである。もちろん人間の進歩が自然の進化の続き、あるいはその一部分であるとも考えられるが、しかしなお、自然の進化と人間の進歩とはやはり別のものなのだということ、つまり、進化が止まっていても人間だけ進歩していくと考えることも可能であり、進化が継続しておりながら、人間は進歩しないと考えることも可能だということを銘記する必要はあろう。

いずれも仮説であって定説ではないのである。だから、進化論と切り離して、人間が進歩してきたかどうかを考えることにしよう。

この問題に答えるには、人間の技術面と精神面とを区別したらいいと思う。技術面における進歩は明らかだが、精神面となると、にわかに断じ難い、という形のそれがまず浮かんでくる。

梅田　なるほど技術の進歩はあまりに明白であるし、その点は否定すべくもない。しかし、技術面と精神面という区別は妥当なのだろうかという疑問を、僕はどうしても感じてしまう。そもそも、人間の精神はその行動に表われる。技術の進歩を認めることは、すなわち人間の進歩を認めることである。だから、僕には人間の進歩は自明なのだ。

松尾　僕も、技術面と精神面という区別はおかしいと思う。それは、人間そのものの分裂につながるのではないか。むしろ、進歩と呼ばれる技術の革新が真の進歩であるか否かをこそ問わねばならないのだ。

竹内　僕の区別の立て方はかなり反論を呼んだ。しかし、そこに何らの人間論をも入れるつもりはないのであって、その区別を方法としてしか使わない。つまり、だれもが認めるところから出発したいと思うのだ。それが自然でもあり理性にも適う方法だとは思う。技術の進歩は万人の等しく認めるところなので、そこから出発しよう。そして、技術以外の面にも進歩があるかを検討してみよう。特に、人間性を表わす諸点、あるいは人間性の窺われる見地から、ものを見ることにしたい。

松尾　つまり、人間性の進歩が証明されない限り、技術の進歩と呼ばれるものは真の進歩ではないということになるのだ。

竹内　その通り。さて、健康という面では、人間は進歩してきたと言えるか。

梅田　医学は、もちろん進歩してきた。もっとも、学問はみな進歩したとも言える。人間の知識が増加してきたことは明らかである。しかし、学問が進歩したというにとどまらず、実際、人間の寿命は伸びたし、痛みを止める方法もいろいろ発見されたし、また、一般人でも医者の診察を受けられるようになった。つまり、健康という点に関しての進歩は明らかである。

松尾　それにしても、死は残る。医学も死には勝てない。

竹内　医学が死に勝てるかどうかは未来の問題だ。未来のことは、ここではひとまず措こう。ともかく、医学の方に、ひいては健康という点に進歩が認められるわけだ。

では、道徳面ではどうか。

松尾　例えば、現代人は古代人よりも立派であるかどうかということか。それなら、あまり変わらないのではないか。昔も今同様、君子や聖人がいた。今も昔同様、犯罪者が後を絶たない。むしろ、犯罪という点では激増しているとの意見さえある。

梅田　しかし、二つの時代において道徳の水準を比べることもできないではない。例えば、この時代の人々は勤勉で、あの時代の人々は怠惰だとか、ある時代では賄賂が常識なのに、別の時代ではそれが行なわれない、といったような規準から判断することができる。

松尾　しかし、勤勉な人が他人にも厳しく、人を酷使するのに対し、怠け者は一般に優しくて寛容である。長所もあれば短所もある。だから、人間の全貌をとらえてどちらの方がいいなどとは、一概に決められない。例えば、禁欲主義一つを取り上げても、それが良いのか悪いのか、決め手はない。だれでも、そこに良い面と悪い面とをともに見てとる。だから、全体としてみれば、道徳面ではあまり変わらないと考えるのが当然ではないか。

竹内　道徳と称するものは、煎じつめれば、人間関係の問題である。道徳が進歩したとは、人間関係において、人を尊敬し、他人を活かす度合が増したということだ。実際、現代は、奴隷制度を廃し、人権を宣言した。人間が平等であり、自由であることを認めるのは、確かに進歩ではないか。また、身の安全という点を考えてみよう。百年前は、小田原まで行くのも危険であって、刀を二振り持ってもなお心細かったが、今ではもうそれは笑い話で、国鉄でも私鉄でも短時間で危険なく行き着ける。さらに、結婚のことを考えても、一夫多妻よりは現代の一夫一婦の方が問題なくいい。紛う方なき進歩だ。

松尾　一夫一婦への移行を進歩と考えない人もなきにしもあらず……。しかし、それはともかく、戦争という点はどうか。戦争はなくなるどころか、ますますひどくなってきた。

竹内　戦争の歴史に取り組まない限り、詳しいことはもちろん言えないが、敵を全滅してはいけないとか、捕虜を殺してはならないとかいう原則は、まさしく現代のものである。それに、全世界に及ぶあの平和への希望は、以前よりも強い。現代人こそ戦争を全面的に排しようとしているのだ。つまり、人間の良心は、たとえわずかずつなりと発育を続けてきたのだと思う。奴隷を〝物〟として見ることはできなくなっている。戦争においては、敵も〝人間〟であることを認めざるをえない。それは進歩である。

我々はすでに「進化――または進歩」について論じた。その延長上で、「美」という点については進歩があったと言えるのか言えないのか、次にその点を考えてみたいと思う。

梅田　教養が大衆のものになった。だから、以前よりも多くの人が美を享受することができる。例をあげれば、レコードのために、現代においては一般の人も音楽を知る機会に恵まれるようになったわけだ。それは明らかである。しかし、傑作が次々と生まれるようになったかというと、そうは言えない。だから、古典の価値は少しも衰えない。

竹内　作品については確かにそういった面もあり、簡単には言えないだろうが、少なくとも、美を味わう人口は増加した。それはとりもなおさず、一般人の美に対する感覚が鋭くなったということである。この点についての進歩は疑えない。

ところで、幸福についてはどうだろうか。現代人は今までで最もしあわせだと言えるものだろうか。

松尾　まず、幸福と幸福感とを区別して考えなければならない。幸福感とは自分が幸福だと感じることなのであり、幸福とはその具体的な状態である。それで、幸福な状態と称するものが具体的に何を指すのかを決めない限り、幸福の程度について論じてみても始まらない。しかしまた、これが幸福だと決めたところで、そこから幸福感が生まれるとは限らない。幸福感は全く主観的なものだからである。例えば、幸福とは楽な生活を送ることだとする。しかし、こう決めること自体が、まず勝手な定義である。のみならず、そういった楽な生活から幸福感が必ず生まれると限ったものでもない。場合によっては、逆に、厭世観を生ずることもあるかもしれない。要するに、幸福とは何かが、わからない以上、幸福の増減を問うても意味をなさない、ということである。また、幸福感は前にも言ったように主観的であって、比較考察の対象になりえない。言ってみれば、幸福感という代物は、幸福そのものとは全然別のものなのだ。

梅田　幸福感そのものはもちろんつかめるものでも量りきれるものでもない。しかしだからといって、それが幸福という状態と関係がないとは言えまい。搾取に甘んじるよりは限られた労働時間、生活の不安よりは生活の安定、親どうしの勝手な約束による結婚よりは好きな相手との自由な結婚、力に支配された社会よりは法律によって人権を守る社会の方が、その限りでは、幸福の充実を表わすのではないか。現代が幸福だとは言えないにしても、ここでは相対的な問題を扱っているのだから、比較すれば、人間の好きなこと、余暇、自由、交友関係がふえたし、人間の嫌いなこと、苦痛、貧困、恐怖は減ったと言っていい。このことは、現代人がよりしあわせだという一つの証拠となる。

竹内　まとめてみると、技術や学問には進歩があった。一方、人間性の核心をなす点、つまり、道徳、美、幸福といった面には、一応、進歩がありそうにも思えるが、しかし、疑問をさしはさむ余地を残している。

松尾　人間そのものが進歩したかという形の問いであれば、わからないと答えるほかないだろう。

梅田　人間が進歩してきたかどうかを判定するのには、人類の歴史を研究するまでのことはない。むしろ、人間は、人間であるからには、進歩を目指しているのではないか。人間は、常に、より良い社会へ、より良い状態へと進もうとしているのだ。人間は、本来、成長しつつあるものなのだ。

松尾　正確に言えば、人間は成長しようとするのだ。だが、実際に進歩してきたかは問題である。現代人は、多くの場合、人間は進歩していくと考えているが、それは現代人の信念にすぎない。

竹内　古代人は人間の進歩を考えていなかったようである。プラトンにも仏教にも進歩という概念は見あたらない。そういった考え方は、十八世紀頃の西欧に初めて現われたのである。

松尾　だから、人間の進歩は現代人の信念なのだ。

竹内　しかし、十八世紀までそれが出てこなかったのは、古代人が歴史を知らなかったからではないのか。とすれば、進歩という観念は、歴史を母胎として生まれ、また歴史によって証明されるということになる。それは梅田君の見方と違うようだ。

梅田　いや、歴史を否定しているわけではない。十八世紀の人々が人間の進歩についてどう考えたかという問題なのではなく、ただ、われわれ現代人は進歩を信じなければならないと言いたいのだ。信念と言ってもいいが、私はむしろ、現代人の生活の基礎だと言いたい。知識においても、技術においても、人間関係においても、芸術においても、より良いものを造ろうとの意志がわれわれの生活の根底にあるのである。しかも、それは、われわれが勝手にそう思い込んだだけだなどとは言えない。なぜなら常に新旧を比較して、例えば、試行錯誤と称すべき方法によってでも、すぐ自分の進歩を図っているのである。したがって、われわれにとって、人間の進歩は単なる信念なのではなく、動かすべからざる公理なのである。われわれの生活の大黒柱とも言えよう。

竹内　それでは、これからも人間は進歩していくか。

梅田　人間はこれまで進歩を続けてきたのだから、これからも進歩していくことであろう。もちろん、証拠のあるわけではないにしても。進歩が止まると考えなければならない理由もどこにもないのだから。

松尾　いや、理由がある。その一つは、原子力によって、人類絶滅が考えられるようになったこと、しかも単に可能というにとどまらず、いとも簡単になったということだ。楽観を許さない。進歩と呼ばれるものは絶滅の可能性を孕んでいる。

梅田　その可能性はある。絶滅の可能性という事実は、むしろ人間の将来は人間自身の手にあることを意味するのではないか。つまり、人類が進歩していくかどうかは、人間自身の決定によるのである。

松尾　そうであるならば、必ず進歩していくとは言えない。

梅田　必ずとは言えない。人間の自由意志によるのだから。しかし、常に進歩を心がける人間が滅亡への道を選ぶはずはない、と僕は思う。

松尾　また、信念だ。

竹内　僕達の議論の中には大きな穴がある。というのは、人間がなぜ進歩するのかがわからないということである。人間の進歩を認める者も、その理由を、進歩の理由を説明してはくれない。もし、進歩の理由がはっきりすれば、人間が今まで進歩してきたか、そしてこれからも進歩をとげていくのかが明らかになる。

進歩させる力が明らかにならない限り、人間の進歩は仮説の段階に止まる。つまり、現象としての人間が変化した、という事実を説明するために、人間が進歩するという仮説を設ける。といって、仮説だから価値がないなどという気は微塵もない。むしろ、仮説なしには学問は存在しえないのだから。それはともかく、ここでは、人間は進歩したという仮説も、人間は進歩しなかったという仮説もある。そのどちらを採るかは、どちらが現実をより良く説明できるかによって決めるべきである。それで、まず、進歩がないという仮説の方を先に考えてみよう。松尾君、人間性というものは存在すると思うか。

松尾　質問の意味がよく呑みこめない。

竹内　つまり、人間であること、すなわち人間性が、われわれの勝手に決めたものではなく、現実に根拠があるということだ。例えば、この犬は人間だと決めるわけにはいかないし、この黒人は人間でないなどと決めるわけにはましていかない。換言すれば、すべての人は人間性を有する、そして人のみが人間性を有するのだ。こういうテーゼだ。君は賛成か。

松尾　むろん、賛成だ。そして、私の主張は、その人間性は変わらぬものである、とすることだ。

竹内　ということになると、人間には、変わる部分と変わらない部分とがある。変わる部分というと、ネアンデルタール人から現代人に至るまで、現象としての人間は大分変わってきたと言える。もっとも、君の見方に従って、進歩したとは言わないまでも。人間の体、生活様式、考え方、感じ方、つまり、われわれのつかみうるすべての面において変化があったという事実がある。また一方で、人間性は変わらない。こう考えていいか。

松尾　そうなるようだ。

竹内　ということになると、現象としての人間は変わるが、人間の本質は変わらない、と考えられる。

その変わらぬ人間性は超感覚的なものである。超感覚的とは、すなわち、場所を占めないもの、目に見えないものということだ。人間は見えるが、人間性そのものは見えない。そして超感覚的とは、一方、角度を変えて言うと、時間の経過につれて変化しないもの、永遠なもの、ということにもなる。

松尾　永遠とは言えない。人類が永遠だなどとは思えない。

竹内　いつか存在しはじめた、そして変わらぬ、その人間性というやつは、いったいなぜ存在するのか、また、どうして永遠には存続しないのか、皆目わからない。謎のようなものだ。

もう一つの点。変化する人間と変わらぬ人間性とは裏表を成しているようであるが、変わらぬ裏は表の変化の原因になりえない。その変わらぬ人間性が変化する人間とどう結びついているか、となると、更に深い謎に包まれたままだ。

要するに、人間性が進歩しないとすると、人間はこのように二重構造になり、変化の事実が少しも説明されないばかりか、人間性は超感覚的な存在になってしまう。

松尾　どうも困った結論に導かれたものだ。

竹内　今度は、人間性は進歩してきたという仮説をとることにしよう。梅田君は賛成か。

梅田　賛成だ。

竹内　では、ネアンデルタール人の人間性から現代人の人間性まで進歩があった。

梅田　そうだ。

竹内　だから、人間性は変わってきた。つまり、すべての人は同じく人間だとは言えない。人間という概念の内包が変わったゆえに、当然その外延も変わってくる。換言すれば、ネアンデルタール人にとって人間であることと、現代人にとって人間であることとは違う。したがって、例えば、猿は人間だと定義してもさしつかえない。

梅田　それは違う。人間が進歩するというとき、人間性には方向性がある、否、人間性とは固定したなにかではなく、方向性それ自体である。それぞれの時代の人間がつながっており、その流れは、いわば線を描いている。だから、その流れからはずれているもの、例えば猿などは人間性をもたない。要するに、人間性は、現代人に達した人々の、そしてまた続いていくと思われる人々の流れの外ではない。

竹内　では、第一の質問。人間の進歩があれば、人間の始まりがあるか。

梅田　一応そう考えられる。そして、古生物の学者は、その人間の始まりをつき止めようとしているのではないか。その研究は、現象の客観的な研究なのである。しかし、進歩そのものを考えると、人間の始まりを見定めることができるかどうかは予想できない。感情を排し、わりきって言うなら、類人猿と〝ホモ〟との間にはけじめがないのかもしれない。

竹内　第二の質問。進歩があれば、進歩の目的があるか。

梅田　目的と言われれば、ないと答えるよりないが、目標なら、あると答えていい。つまり、誰かが目的を設け、その目的に人間を仕向けていくということではないのだ。しかし進歩があれば、必ず目標はある。目標がなければ、方向性はありえないからである。だから、人間の進歩がある以上、目標の存在は確かである。しかし、その目標の存在をどう考えたらいいかはわかっていない。進歩に内在すると考えてはどうか。

竹内　目標が内在すれば、進歩していく人間性とともに進歩をとげていくことになる。そして、その進歩していく目標には、同様の意味で、また目標が要るわけである。こう考えると、やはり、内在する目標というとらえ方は矛盾である。したがって、人間性は外在するある目標に向かって進歩していくことになる。その目標をXと名づけよう。では、人間は必ずXに達するか。

梅田　必ずとは決して言えない。そもそも目標を目指すことと、その目標に達することとは違うのだ。

竹内　なるほど。そこで、一つの喩えを使わせてもらう。私は北へ進もうとする。北という方角を知るためには、羅針盤を使ってもいいし、北極星でも用が足りる。いずれも北を示すことができるのだから。ところが、羅針盤を用いれば必ずその羅針盤の指している北極に達するが、北極星に従うときは、北極には着いても、目指す北極星に着くというわけにはいかない。それは、到達しうる目標と到達しえない目標の例である。ところで、それぞれの目標の差はどこから来るかというと、羅針盤とその目標である北極とが同一次元に存在するのに対し、北極星は私の進む次元である地球に置かれていない、ということが考えられる。では、Xは人間性の次元に置かれているかどうか。

梅田　全くわからない。

竹内　Xが人間性の次元に存在するとすれば、それは具体的な人間像を指す。例えば、一生、遊びに明け暮れ、苦痛を知らず、やりたいことは何でもできるといったユートピアの人間像などが、さしずめそのXになりうる。しかし、Xが人間性という次元を超えるものだとなると、想像もできないものになる。例えば、死ぬことが人間性の一要素だとすれば、その場合、Xは不死になる。

梅田　君は到達しうる目標と到達しえない目標とを区別したが、到達しえない目標など存在しないと僕は思う。主観的な目的ということなら、もちろん達成できない目的もある。たとえば、僕がいくら勉強しても目指す司法試験に合格できないというようなこともある。しかし、客観的な目標の方は、それが目標である以上、到達しえないはずはないではないか。だから、Xが人間性を超える存在かどうかを問うのは、よけいな質問というものだ。それに、第一、Xとは何かという問いには答えられないと僕は思う。

もちろん、人間の進歩を認めるからには、Xの存在は認めているのだが。

竹内　第三の質問。進歩があるとすれば、進歩させる力は何なのか。

梅田　それは簡単だ。進歩させる力は、その進歩の目標のほかではない。君の言うXである。君の喩えを借用すれば、羅針盤を方向づける力が北極であるのと同じだ。

竹内　それなら、人間の進歩を研究したいと思えば、まずXを理解するよう努力しなければならない、ということになる。

梅田　それはそうだろう。が、手がかりははたしてあるだろうか。

松尾　今まで黙っていたが、君達の議論を聞くと、一種の不安を感じる。科学的な議論ではない。むしろ、形而上学的な推論である。

竹内　議論のどこかで狂いが生じたのか。それとも、君は理性を信用しないのか。

松尾　理性を疑うわけではない。また、論のうちに、これという間違いがあるとも思わない。しかし、論じ方については疑問を覚える。理性を使いすぎるのではないか。自然の現象の説明として、進化という概念を使うが、そういう場合、進化が使えるのは、現象の説明に限られているはずだ。その限度を超えて進化を論ずるのははたしていいのか。また、進化があれば目標がある、ということを、梅田君はすなおに認めたが、それは自明なのか。

梅田　およそ、目標のない進歩など考えられないではないか。

松尾　人間が考えられないということから、直ちに、ありえないと断言するのは飛躍である。

竹内　飛躍があると僕は思わないが、仮に理論上の飛躍があるとしても、生きている人間は、とにかく実践において、そのような飛躍をしなければならないのだ。

■塾長からのアドバイス

進化には精神的な要素が内在する

進化論から「進化学」へ

専門家の間では、もはや進化論と言わずに、「進化学」と言うことになっているようだ。すでに進化はイデオロギー的な見方ではなく、学問の対象なのだから。つまり、生命の進化を認めない学者はいなくなったということだ。

もっとも、一般の科学説と違って、実験室で生命の進化をテストするわけではない。にもかかわらず、無数の確かな学問的データの蓄積からみて、進化を認めざるを得ないのである。

進化というのは、長い歴史を経て、いわゆる「下等」な生物が「高等」な生物を生み出していることである。そして人間も「下等」な霊長類から進化して来た。その観点から進化を考えてみよう。

まず「進化」は、始まりがあったことを前提とする。そうでなければ、進化ではなく、変化と言うべきだろう。変化なら、永遠に起こり得ることだ。事実、生命が始まったのは6億年前と推測されている。人間は200万年前に現われたがその以前は分からない。350万年前に生きていたアファーレンシスは、二本足で歩いていたが、まだ「人間」ではなかったようだ。

次に、進化には方向があり、目標があることを前提とする。つまり、生命は〈より「高等」な生物〉へと進んでいるのである。「この現象を説明するためには、『偶然』と『自然淘汰』を考えるだけで十分だ」と主張する人もいる。しかし偶然とは何か。ただ「分からない」の言い逃れではなかろうか。いったい「偶然に突然変異が起きた」という説明にどんな意味があろうか。仮に、進化は小さい突然変異の積み重なったものだとして、それは成り立たない見方である。突然変異を起こしそうなすべての可能性を試したり、自然淘汰の結果を見とどけたりするためには、ものすごい時間がかかる。その時間はなかった。「確率論に従えば、哺乳類である人間の十万個の蛋白質の連鎖を一つずつ造るためには、太陽系の寿命をはるかに超える時間が必要である」と、生物学者・ジャコブは言う。

それは「神」か？

要するに、進化にはプランがある。そしてそのプランは人間の造ったものではなく、人間はそれを発見するのである。そう観てくると、生命の進化には精神的な要素が内在することになる。言い換えれば「進化」には、進化させる精神的な力があるということだ。

「内在する」と私は言った。それ以上の推測は科学の結果を越えることである。しかし、進化学のデータから「生命の進化に精神的な力が内在する」という結論は、明らかに導き出されるものである。

今、仮に、進化の精神的な原動力を「神」と名づけようか。なるほど、神は創造主と言われているから、生命の原因であり、進化させる力である――と考えることはできる。進化そのものはスーパーコンピュータのプログラムに導かれて解明されていくが、進化学はそこまでしか教えないし、超大型コンピュータを拝むことは要求されていない。

言っておくが、神と人間とが愛によって結ばれていることは、進化の結論ではない。進化学は神の存在まで導かないが、ヒントを与えてくれているのである。

「科学的思考」は絶対か

科学万能主義を検証する

科学的という前提の曖昧さ

ネラン塾で「進歩」について論じ合うとき、我々は自分の主張を科学的に展開しようと努めるし、〝科学的な論拠〟を披歴することに誰もがこだわる。

実際、「科学的に」という表現は、『確実だ』という意味で、よく使われている。我々は日常、科学的に論理を立て、科学的に証明することによって相手を説得しようと習慣づけられているのかもしれない。

しかしそのような〝科学的であろうとする思考〟――ありていにいえば「科学万能主義」――は、その他の思考方法（例えば〝直感優先の思考〟や〝情緒に偏重する思考〟）を、常に凌駕《りょうが》すると言えるか。

そこで、「『科学的に』というものの考え方」について、再考してみよう。

まず、科学的な思考方法を体系づけてみる。最も科学的と考えられている「自然科学」分野において、「原則的な過程」とされるのは、次の三段階である。

A　**現象を捉えて観察し、仮説を立てる〈現象→仮説〉**

この段階は、既にいくつかの問題を孕《はら》む。すなわち――

・メダウァー『仮説は思い付かれるものであって、熟慮の末に出されるものではない』

・ポアンカレ『長く無意識な努力の後に、急に新しい光明が射すことがある』

両論は、「インスピレーションによって導かれたアイデアが仮説となる」と主張している。それを「観察」と言い得るか。

B　**仮説は、詳細に検証される〈仮説→検証〉**

厳密な検証が理想だが、実際には不可能である。どうしても〝仮説を正当化する証拠〟だけを集めようとする傾向が強い。

ゆえに、次のような卓見が現われる――

・カールポッパー『考え得るいかなる事象によっても反駁できない理論は非科学的である。反駁できないことは、理論の長所ではなく欠陥である』

C　**検証に耐え得た仮説が法則となる〈検証↓法則〉**

「科学には法則性がある」という前提に立つが、残念ながらそれは証明されていない。

・湯川秀樹『我々は自然の均一性と合法則性とに深く信頼しているのである。どんなに不思議と思われる現象であっても、結局は合理的に理解し得るし、言い換えれば、〈現在より大きな理解体系〉の中に取り入れ得ると信じているのである』

結局、「法則」は単なる統計的な結果であり、例外があり得る。

また「科学理論」は、事象についての便利な説明にすぎず、詩的な比喩に近い。物の本質とは無関係である。

化学は、事象について「なぜ（Why）」と問いかけることから始まるが、結果は「どういうふうに（How）」という問いに答える説明となってしまう。

以上の検討から導き出される結論は、次の二つである。

1　科学は、非科学的な要素を含む。

2　真理を把握するうえで、「科学的に知る」ことは一部分に過ぎない。

右の「自然科学分野における『原則的な過程』とされる三段階」論について、貴君の考えるところを述べなさい。

科学と時間の関係は？

ところで、「時間」という次元を含む事象が科学的研究の対象となる場合、「科学的に」の意味はおのずと変わってくる。

次の二つの例について、貴君の思うところを述べなさい。

(一)　歴史は、過去の事象を取り扱う以上、検証することができない。ということは、「歴史は非科学的な学問」と言うべきか。もし科学でないとすれば、歴史学は科学以外の方法で事象を捉えているということになる。それは何か。また科学によってある程度の検証が可能であるから歴史も科学的学問であるとするなら、そこではどのような科学的方法が使われているか。

（二） 生物の進化論は「科学的な理論」と言い得るか。

（三） 手相は確たる判断の基礎になり得るか。なるとするなら、そこにはどのような科学的根拠があるか。

「科学」と「宗教」の相似と差異を考える

科学も信仰も真理を把握する。それぞれ方法は異なるが、真理を掴む以上、結果に矛盾が起きるはずはない。ところが（両者の〝心理にアプローチする方法〟が共に正しいとしても）、問題は実際にある。

キリスト教を例にとって、次の3点を抽出し、課題とする。貴君の見解を端的に述べなさい。

（一）人間の起源について、科学の伝えるところと、旧約聖書の冒頭（創世記1～2章に記されたアダムの物語）とは、矛盾するのではなかろうか。

（二）イエスは処女マリアから生まれた（ルカ1・26、34、マタイ1・18〜25）。それは科学的に可能か。

（三）福音書の中に記録されている「奇蹟」は、かなりの数に上る。例えば中風患者が癒え（マルコ2・1～12）、パンが増え（同6・31～34）、ラザロが蘇った（ヨハネ11）。それらはあり得るか（ただしこの際、キリストの復活は「奇蹟」の範疇に属さないものとする）。

■塾生の意見

科学は「なぜ」に答え、法則をつくるが

梅田　科学を問題にするに当たって、まず湯川博士の文章を引用したい。

松尾　僕は、偉い人の言葉は押しつけがましく聞こえるので、あまり歓迎しない。あらゆるドグマチズムが嫌いなのだ。ノーベル賞の場合も。

梅田　権威に屈しろと言っているわけではない。ただ参考のために聞いてほしいのだ。湯川博士はこう言う。「われわれは自然の斉一性と合法則性とに深く信頼しているのである。どんなに不思議と思われる現象であっても、結局は合理的に理解し得る――いいかえれば現在より大きな理論体系の中に採り得

ると信じているのである」。この言葉は、われわれの立場をよく表明していると僕は思う。

松尾　常識にすぎない。

竹内　一応はあたりまえのことに見えるが、この文章をよく読めばいろいろ疑問個所が含まれていることもわかる。まず現象という言葉が問題になる。科学はすべての現象を研究するのか。また、科学は必ず現象を研究するのか。これが第一の疑問である。例えば、数学の対象は現象と言えるか。

松尾　僕の知り合いの数学者は、自分が詩人だといつも言っている。

竹内　文科系の学問も科学なのであろうか。

梅田　学問と科学とを区別してかからなければならないだろう。しかし、科学を議論の対象にするので、その科学の典型である自然科学から出発したほうがいい。自然科学の対象は現象であり、すべての現象である。

竹内　それでは、自然科学に限定して考えてみよう。もう一つ、問題点を示したいと思う。湯川博士は「信頼」と「信じる」という言葉を使って、現象を理解することをわれわれは信ずると言っている。とすれば、科学の基盤は信仰なのか。

松尾　それは曲解ではないか。何かを研究するときには、その研究が可能だと思うにちがいない、という程度の意味だろう。

竹内　しかし、あらゆる現象を理解できると博士は言っている。それは証明されていない。それを〝信じる〟というのは、正確な表現なのだ。

梅田　科学者はそういうふうに考えるのではないか。君は、それとも、その考え方がおかしいと思うのか。

竹内　別におかしいとは言っていない。しかし、それは証明されていない。なぜ法則に従わない現象はありえないのか。そう決めるのは仮説にすぎない。

松尾　仮説ではなく公理である。なぜかというと、第一に、皆がそれを認める、第二に、理性に自信があれば当然そう考える、第三に、研究の前提となる。

竹内　第一の点に答えよう。皆が認めるというのではなく、現代人はだいたいそう思っているという程度のことだ。第二点は明らかではない。第三、研究の対象を理解できるという仮説は必要だが、すべての現象を理解できるという公理は必要でない。したがって、公理という語にこだわらないが、ともかくそこに信念の混入していることは認めざるをえない。科学は信念に基づくのだ。

梅田　信念にせよ公理にせよ、科学はほんとうのことを教える。それを竹内君は認めないわけではなかろう。

竹内　認める。ところが、自然の現象を理解するとははたしてどういうことなのか、明瞭でない。

梅田　それは、法則を見出すことではないか。もっと詳しく言えば、現象を分析して、仮説をたてる。そして、その仮説が検証されれば法則になる。

竹内　つまり、科学は法則の体系をつくる。しかし、現代の科学の中には、検証されていない仮説が大分入っている。例えば、光の本質についてはいろいろな説がある。

梅田　それはそうであるが、科学が発達の途上にあるからではないか。

松尾　実際、科学は成功する。原子物理学が間違っていない証拠に、原爆がある。

竹内　それでは、利用できれば現象を理解したことになる。この場合の理解とは、現象のプロセスを知ることである。現象をとりあつかう際に、科学者は「なぜ」という問いには答えない。ただ、「どういうふうに」という問いに答えるだけである。簡単な例をあげる。水は酸素と水素との化合物であると科学は教える。そして、どういう条件でそういった化合と還元とが、つまり総合と分析とができるかを教える。しかしながら、なぜ酸素と水素との一定量の結合が水になるかは説明しない。

松尾　それはそうだ。しかし、なぜという問いに答えなくとも、現象のプロセスを発見することは法則を知ることであり、科学の目的である。

竹内　けれども、なぜという問いに答えない限り、プロセスの必然性は証明されていない。何回か、こういう現象が起こったから、これからも同じく起こるという結論は確かではない。つまり、法則は、それまでの事例からの帰納であって、統計的な推論にすぎない。例外はつねにありうる。

松尾　場合によっては、科学も「なぜ」という問いに答える。例えば、月蝕という現象は昔は全く不可解な謎であったが、現代では、地球の影であることが判明した。この場合などは、科学は、「なぜ」に答えたことになる。

竹内　なかにはそういう場合もある。

梅田　結局、科学は「なぜ」に答えようとするが、やむをえず、だいたいは「どういうふうに」という答えにとどまってしまうのだ、といったらいいのではないか。僕の引用した文章は、その科学の希望と自信とをよく表わすものだと思う。

　ところが、その自信は科学者の一面だけである。反面、わからないことを率直に認める態度をも見せる。僕の引用した箇所はこういう文脈の中にある。湯川博士はその直前に、「研究すればするほど、理論的に把握することの困難な新しい現象が次々と現われて来るのである」と書いている。そして、博士のその著書全体を読むと、博士はきわめて謙虚な人だという印象を受ける。例えば、「理論体系が最終的意味における真理の全部ではないことも、私たちは知っているのであります」とも書くのである。

竹内　真の学者は、皆、謙虚な人だ。

梅田　湯川博士は、特に素粒子の不確定性を指摘する。「自然現象の合理性とか法則性とかいうものは、ある程度までしか認めることができない。ある程度から先は不確定性に縛られて、合法性が見失われてしまう」。また、別の本では、「さまざまな素粒子が存在することは知ったが、それらを一貫する法則、統一する原理が何であるか、まだわかっていないのであります。一見したところ、いろいろな素粒子の質量は非常に不規則で、思い思いの値を取っているようにしか見えません。……それは物理学者がどうしても解かなければならない一番大きな謎であります」。

　また、数ページ後に、博士はこう書いている。「ある法則に従って物事が起こっていることをわれわれが認識するということの裏には、法則に従わない場合もわれわれが考え得るということがあるはずです。そうでなかったならば、われわれは法則があるとも思わないでしょう。法則よりも更に一歩、奥があればこそ、『法則』が浮き出してくるわけです。法律を作る場合、それが守られない場合が考えられて初めて法律を作る意味があるのと、自然法則の場合とは大変違うようですが、窮極においては、やはり似ているのです」。

竹内　最後の箇所はどうも怪しいと思う。そこでは、湯川氏は科学者の領域を超えている。ともかく、不確定性はわれわれの考えに検討を促すものである。

松尾　というのは、不確定性が謎だからだろうが、謎とはいっても非合理的ではない。それは、科学の未知なる域なのであって、あらゆる現象を理解することができるという公理をくつがえすものではない。

梅田　そうであろう。それがため、湯川博士は〝非法則性〟という言葉を意識して避けたのかもしれない。しかし、不確定性は、科学がいつまでも未完成であり、どこまでいってもやはり未知なる領域に足を踏み入れることになるのだという示唆を与えるのではないか。

竹内 科学は、全体としては、確かに常に未完成である。しかし、完成したところもある。科学は自然の合理性を追求し、それをいく分かは把握できる。

松尾 もちろん。それで、君は何を言おうとするのか。

竹内 自然は理性を具えている。現象を理解するのは、現象の中の理性を発見することのほかではない。

松尾 一応、人間の立場からは、自然にも理性が存するように思えるが、それはあくまで人間自身の見方であって、現象の中は、実際には理性も何もないのだ、という考え方もありうる。つまり、自然の合理性は単なる人間の主観的な見方にすぎないという説である。確かに、そういう見方が論理的には成り立つ。しかし、われわれは常に現象の実在を認め、学者がその実在する物事の法則を発見すると思っている。だから突飛な哲学者でない限り、自然には理性が存在すると認めざるをえない。

竹内 つまり、自然のメカニズムと人間の理性とは合致する。君が認めるように、人間がその理性を自然に与えたわけではない。では、その理性はどこから来たか。

松尾 自然のメカニズムと人間の理性との合致は、むしろ、当然である。人間は自然の一部分だから。自然の法則が人間をも覆うのはあたりまえだ。

竹内 それは結構だが、自然に理性が内在するという事実を考えてみよう。その理性は現象そのものではなく、現象の奥にある一種の精神的なものにちがいない。そうして、自然にも精神的な面が存在することになる。科学を建てることは、その精神的な面を発見することである。

梅田 「法則の世界はプラトンのイデアの世界に似ている」と湯川博士は言っている。

松尾 そういう見方は、科学者としての見方ではない。科学をうちたてるためには、そんな哲学は無用だ。

竹内 もちろん、科学をやる者として、科学者はその理性を考えなくてもすむ。だが、人間として、すなわち人性を考える者としては、学者は理性を発見すれば、当然、その理性の存在理由を問うだろう。

松尾　自然に理性が内在することを認めたら、議論はもうそれまでではないか。

竹内　試みにその理性の存在理由を問えばの話だが、プラトンの言うイデアの存在は、十分にありそうな解釈である。あるいは汎神論とか汎心論とか、つまり汎精神的なものの存在を認めざるをえない。精神的な働きの存在は、一つの精神の存在を前提とするからである。

松尾　仮にそう認めるとすれば、どうなるのか。

竹内　自然の本質は精神にあるという結論になる。現象は精神の具現である。科学は自然の理性を追求し、その本質たる精神を把握しようとする。だから、自然の存在理由は精神なのである。

松尾　自然を理解することは精神的な働きなのだと言いたいのならば、それはもちろんのことだ。

竹内　僕の言いたいのは、そういうことではない。何のために自然が存在するのかという問いに、精神を表わすためだと答えたいのである。言い換えれば、物質の合理性というものは、物質があって、そして合理的に動いている、というのではなく合理性は物質の本質そのものを成しているのである。したがって、物質的な存在が精神的な存在のシンボルとなるのである。

松尾　しかし、自然の法則は現象から離れては存在しない。現象に内在する。したがって、理性が内在するからといって、精神が自然の主体であると結論するのは早まっている。理性の内在から、人間以外の精神というものの実在へ至るのには、飛躍がありすぎるのではないか。

梅田　僕はこう理解する。例えば、動物の生殖を見ると、自然はうまくことを運ぶとわれわれは考える。この表現においては、自然は擬人化されている。そこでは、自然には精神があるかのようであるが、竹内君は、「かのように」であるにとどまらず、自然には精神が実際にあるのだという主張なのである。

竹内　だいたいそうである。しかもそれは科学の前提なのである。

松尾　と言うよりは、哲学者は科学を通して、精神を発見しようとする。それが可能だと断言するのは、検証されない一つの仮説のように見える。

竹内　検証されない仮説なら、科学の中にも珍しくない。進化論などはその好個の例だ。すでに僕達はその問題について議論した。結局、歴史が現象の中に一つのファクターとして入っていると、検証が不能になるわけである。歴史というものが、一回起こった現象、そのまま二度と繰り返されない現象を対象とする学問だからだ。そして、現代では、こういった歴史なしには成立しない学問が枚挙にいとまがないほどだ。生物学はもちろん、経済学にしろ、社会学にしろ、あるいは文学にしろ、常に時の流れという座標によりかかってくる。だから、歴史は、いまや、専門として孤立することなく、ほとんどすべての学問に浸透してきている。そこで、僕たちにとって、歴史と科学という問題も避けられないものとなった。歴史ははたして科学であるか。歴史には法則があるか。

梅田　まず、歴史には二種類あるから、それをはっきり区別しなければならない。第一の歴史は起こった出来事の事実を確かめることである。史実調査と呼んでもいい。もう一つの歴史は、史実の意義を追求することである。

　史実調査は明らかに学問であり、広い意味での科学でもあろう。例えば、一九四二年二月十五日に日本軍がシンガポールを落としたというのは史実である。

竹内　史実調査なる学問の方法はいかなるものか。

梅田　過去の出来事は、その本質から見れば過ぎ去ったことであるが、しかし跡形は残る。例えば、考古学は具体的な遺物を研究対象とする。また、当時の文献が残っている場合には、それによって史実を確かめることもできる。

竹内　結局、歴史家は目撃者を信頼する。その信頼によってのみ歴史は成り立つ。

梅田　目撃者の証言を信頼すべきかどうかを調べるのは歴史家の課題である。それは、つまり目撃者の信憑性を問うことである。そこで、およそ三点が問題になる。第一は、目撃者の数である。証人が多ければ多いほど、その出来事は確かになる。第二は、目撃者間の証言の一致である。証言が互いに矛盾すれば、無価値になる。第三は、目撃者自身が信用できる人間であるかどうかという点である。彼が嘘つきなら、または判断力のない人なら、その証言は認められない。

竹内　そうすると、歴史は人間の信頼と人間の判断による学問である。史実というものは、疑問を挟む余地のないほど確実なものであるよりは、九分通りに確かなものであるにすぎない。

梅田　史実の確実性には必ず程度がある。しかし百パーセントに近い例も多い。そしてわれわれの歴史書における史実は、そういった百パーセントと言っていい確かな事実である。

竹内　今度は第二の歴史、つまり、歴史の意義は学問であるかについて考えよう。

梅田　そのほうがもっとむずかしい問題である。まず、われわれは史実を並べることで満足しはしない。史実のつながりを追求して、それによって歴史の意義を発見しようと思っているのではないか。

松尾　歴史の意義がなければ、歴史学はむだになる。過去の研究は将来を予測するために行なわれているのだ。

梅田　とすれば、歴史というものは、過去に限らず、将来を含むものだ。

竹内　けれども、日本史とか世界史とかいう歴史書は、将来のことについては何も述べていない。過去に限っても歴史は成り立つ。いわゆる未来学は、それが仮に学問であるとしても、歴史ではない。歴史はむしろ過去に限ると言うべきなのだ。過去それ自体を知るにとどまるとしても、意義が失われるものではない。実際に起こった出来事を知ることは、人間の知識への欲求を満たすことなのだから。人間は常に真を追求するのである。

梅田　史実調査だけで十分だと君は思うか。

竹内　十分だとは思わない。なぜかというと、研究されている史実はすでに選択された出来事なのだからである。そこで、初めから価値判断が働いているわけである。一九四二年二月十五日に日本軍がシンガポールを落としたという史実を、君はなぜ例としてあげたのか。

梅田　それは、その史実がヨーロッパの力の失墜のシンボルだからだ。

竹内　それは君の歴史観である。シンガポールの陥落は歴史学の一点であって、その出来事の意義は歴史観である。問題は、歴史学と歴史観との関係なのだ。

松尾　史実調査を歴史学と呼び、史実の意義を歴史観と君は名づけたいようだ。僕は言葉にこだわるつもりはないが、それで、歴史学と歴史観とはどうつながるのか。まず、君が今、梅田君の例について指摘したように、歴史観は歴史学の中に入っている。つまり、歴史学の対象である史実は、歴史観の立場から見て価値のある出来事である。ケネディ大統領の暗殺事件は重大な史実であるが、横丁の隠居が死んでもそういう扱いは受けない。だから、歴史学と歴史観とを切り離すわけにはいかない。

それだけではない。実際、歴史観は歴史学の結果である。歴史観は史実と史実とのつながりを明らかにする。歴史観は史実間の必然的な関係を発見することなのである。

竹内　もし史実が必然的に起こるものだとするなら、歴史には法則があることになり、それを発見することは歴史学の成果になる。しかし、僕は歴史には必然性がないと考える。なぜかというと、実際、法則は発見されていないし、予測すらできないからである。

松尾　そうすると、歴史には因果律がないわけだ。歴史は非合理的であって、それを研究することは全く無意味だということか。

竹内　そうではない。歴史を研究するのは意味があると思うし、また因果律という理性の法則をも認める。しかし因果律と必然性とは違う。必然性は因果律の一種にすぎない。

梅田　湯川博士はこう言う。「法則性があるということは、われわれが感覚器官によって認知する事実の間に厳格な因果的必然性があるということとは、必ずしも同じではないことを、認めなければならなくなってきた」。

松尾　必然的でない因果律とは何か。

竹内　史実がどういうふうに起こったかということを研究することができる。それは歴史学である。しかし、なぜ起こったかは歴史学以外の問題である。国際事情に対するケネディ暗殺の影響を理解することはできるが、にもかかわらずその暗殺は必然的ではなかった。だから、そこには「なぜ」などというものはない。レーニンの兄が絞首刑になったことがレーニンに影響し、彼を通して全世界へと影響が及んだ。ところが、その影響は、レーニンの自由意志にかかっていたのであり、これも必然的ではなかったのである。僕は科学について「どういうふうに」と「なぜ」という区別をもって説明してみたが、歴史の場合にはそれは適当ではないようだ。ほんとうは、われわれは史実を理解したいと思う。それがもし必然的な出来事なら、その必然性を知ることなのだが、必然的でない場合は、たかだかそれを起こした自由に共鳴するぐらいのことである。例えば、友人が退学したとする。それは必然的ではなく彼自身の自由意志によるものだ。けれども、僕は彼の決定の経緯を知ることによって、その退学を理解できる。

歴史観も同じである。必然的でない史実を理解することである。

松尾 歴史には自由があるか。必然性が明るみに出ないのは、歴史研究が足りないからではないのか。

竹内 いや、むしろ、歴史が定まっていない関係上、その因果と称するものが事後的にしかわかりえないからだと言ったほうがいい。必然性があると証明されてはいないのだ。

梅田 史実に内在する必然性を認めなければ、史実に外在する意義があることになるのではないか。竹内君の言う歴史観は歴史学の結果としてではなく、それとはかかわりのない、ある人間のヴィジョンなのだろう。問題は人間の歴史には意義があるかどうかである。意義があるとすれば、史実の連鎖を超える意義ではないか。

竹内 人類の歴史全体が意味をもっていると僕は信じている。人間は何かの目標を目指して進歩を続けていると思うからだ。しかし、それは信念であって、歴史学の結論ではない。あるいは、歴史は意味をもたないものなのかもしれない。

梅田 いや、それは現実に合わない。やはり、われわれは歴史を重んじ、歴史には意味があるとしてそれを肯定する態度を実際にとっている。史実の連鎖を支配する力がある。

竹内 それは必然ではない。また各々の人間の決心ではない。歴史を超えるもののみが、歴史を支配できるのだ。全時間を貫く超時間的な力。しかし、この力は、瞬間、瞬間に、その影響を及ぼさなければならない。その点から見て歴史的でなければならない。結局、歴史が意義をもつとすれば、それを意義づけるものは、超時間的でありながら、かつ時間的であり、史実の連鎖を支配しながら、かつ連鎖の中に入っているという、そういう一つの史実であろう。

松尾 一つの出来事は、無常であると同時に常住ではありえない。

梅田　けれども、人間の自意識は不完全ながら、その一例ではないか。時間の次元に置かれてはいるが、また、時間を超える面もある。

松尾　歴史が必然的であるならば、その意味は明らかである。しかし、そこに必然性はなさそうだ。必然性なしに歴史の意味を支えるためには、超歴史的な史実が存在しなければならない。そういうものはいったいあるのだろうか。結局のところ、わからない。

竹内　「わからない」とするところに、真摯な学者の真摯なる所以がある。

梅田　そして、「いつか理解できる」というのが、その真摯な学者の基本的な姿勢を表わすのだ。

■塾長からのアドバイス

真偽の見分け——科学の成果と限界

科学に託された「真偽の見分け」

初めに、ここで考える「科学」とは物理学・化学・生物学の分野に留まらず、法学・哲学・文学などの人文科学系をも含む概念であることを前提とする。

さて、裁判で法廷に臨む判事は、目撃者の証言によって事実を確かめようとする。が、どこまで証人を信用できるか。彼らはうそをつくかも知れないし、記憶の間違いもあり得る。だから、判事は物質的な証拠を追求する。それでも結局、人の証言が重視されることには違いない。

日常生活において、他の人の言うことを信じるのは常識である。「『エポペ』はどこにありますか」と、交番の警官に尋ねてみるとしよう。警官は、知っているならば——歌舞伎町を管轄する警官ならだいたい知っている——正しく教えてくれ、尋ねた方はそれを信じて歩き始める。ホテルの宿泊料を電話で訊いて1泊1万2000円だと言われれば、予約して泊まり、翌朝、実際にその値段を払えばよい。また電話帳も時刻表も、信用できるから使用する。日本では新聞の伝えるニュースもだいたいのところ信じられている。〝某大統領の暗殺〟という類いの誤報がないわけではないが、すぐに訂正される。つまり、『他人の言うことを信用していい』と誰もが思っている。『クイズ面白ゼミナール』というテレビの番組がある。出演者が、提出される問題について、本当かウソかを断言する。判定役の先生は、必ず正しい答えを掴んでいる。先生と名づけられる人は必ず正しいことを教えることになっている。けだし「学ぶ」というのは、「先生の言うことを聞いて自分の脳裏に詰め込むこと」のようである。裏返せば、権威のある人を信用しなければならない、ということになる。そのような態度について、私は疑問を感じる。果たして、私だけか。

専門家の権威

私たちは処理できない問題に出くわしたとき、専門家の知恵を借りようとする。専門家もいろいろだ。政治・経済・歴史などの分野の学者もいれば、骨董品の鑑定家もいる。新刊を読もうと思えば、書評を書く評論家に頼る。ビデオが故障すればその方面の専門技術者に来てもらう。

専門家の典型的な例は医者である。医者は病気のことを知っており、患者は彼を信用しなければならない。医者は生殺与奪の権を持っているので、患者はその命令に服従するしかない。「手術が必要だ」と宣告されれば、「手術してください」と言わざるを得ない。他になす術もなく医者に自分の命を預ける。これは不思議な賭け事ではないか。それとも白衣の不謬性を物語っているのか……　もちろん医者は医学・医術に習熟しているはずだし、国家試験にも受かっているはずである。それでも、その人物に自分の命をすっかり任せてしまうとは、驚くべきことではないか。医者はまた、親切に症状を説明したり、検査の結果を解説したり、レントゲン写真を見せてくれたりするが、素人の患者にはよく分からない。結局、専門家である医者を全面的に信用するほかないのだ。

医師の権威と宣教師への信頼度

私は医者の権威をみてうらやましく思う、彼には患者を絶対服従させる力があるから。一方、私はキリスト教の専門家であるが、「キリストが生きている」と主張していても、ほとんどの人はそれを信じない。私はウソつきではないのに。

キリスト教には物質的な証拠がないので、それに代わる証人の証言を考えてみようか。キリストを信じる者はキリストの証人であるから。しかし現実に、信者は証人になり得るか……

ところで、「証人」という言葉の歴史は面白い。新約聖書の時代、「martyr」は「証人」を意味していたが、その百年後には、この言葉が「殉教者」という意味を帯びてきた。つまり、真のキリストの証人は殉教者なのである。キリスト自身が人間を救うため十字架上で殉教したように、キリストのためにに命を捧げた人こそキリストの証人である。とすると、熱心な信者は皆、殉教に憧れていることになる（事実はどうであれ）。

殉教者の証言は確かに説得力を持つ。「死をかえりみぬほどの証人しか信用しない」とパスカルも言っている。

目には見えないもの

神は目に見えないものである。目には見えないが神は存在する。これはキリスト教の前提である。しかし、目に見えないものが存在するというのは、科学万能の当節、人々の目には〝信じがたいもの〟と映る。

存在するものとは、目で見得るとか手で触れ得る――つまり、何らかの感覚器官でとらえ得るもののことだ、と我々はごく自然に考えている。「見得る」のであり、「現に見えている」とは言っていないことに留意していただきたい。発見されるものは、〈その発見以前には「見えて」はいないが「見得る」状態で存在していた〉のである。

たとえば太平洋のどこかの海底に宝物が沈んでいるとする。だれもその在《あ》り処《か》を知らないし、また、知ったところで、そこまで手を伸ばすことはできない。しかし、その宝物が存在する以上は、月の裏面のように、いつか発見される可能性を含む。

換言すれば、存在するものには場所があるのだから、「どこにあるか」という問いに科学的に答えられる。ところが神は場所を占めないから、どこにも存在しないとも言える。にもかかわらず、存在するのである。

場所を占めないもの、あるいは物質でないものの存在を認めることのむずかしさは、人によって違う。たとえば、アウグスチヌスにとってはひどくむずかしかった。彼は『告白』の中で数回にわたって、自身にとってそのことが障壁となったことを指摘している。彼には「どんなものでも、形を具《そな》えて空間のなかに広がっているのでなければ、私には無であるように思われた」と言っている。偉大なアウグスチヌスでさえも、永年そこに衝《つ》き当たっていたことを思えば、凡人である我々にとってむずかしいことであっても、今さら驚くにはあたらない。

哲学者の立場

一方「存在」そのものを研究する哲学者は、およそ二つの系統をなしている。ある人々は「目に見えないものこそ存在するのだ」と考える。たとえばプラトン、ヘーゲルはそれである。これを「観念主義」と言う。逆に、「目に見えるものこそ存在するのだ」とする哲学者もいる。トマス・アクィナス、マルクスが然《しか》り。これを「実在論」と称する。キリスト教は哲学説ではないから、両者の間に立って軍配を揃く必要はない。ただし「神は目には見えなくとも存在する」ということを認める立場を堅持する。

そこで、目に見えないものの存在をほのめかす例を一つ挙げてみよう。ベートベンの交響曲を聴いているとする。この音楽は美しい。我々は喜んでその美しさに浸っている。考えてみよう。あなたも私もその音楽全体に与《あずか》っているのである。もし、音楽でない物質的なもの――例えばりんご――を考えるなら、あなたの食べているその同じ部分を私が食べることはできない。それに対して音楽の美しさは、同質の「美」をあなたと私が共有できる。それは、音楽の美が物質的なものではないからだ。何百人が同時に聞いても、その全員が美しさの全体に与ることができるのである。

音楽の場合、美しさは音を通して伝わるが、音そのものではない。音は物理学で研究できるが、美しさの質量を物理学や生理学で解明しようとしてもそうはいかない。それでも美しさそのものは存在するではないか。

神の手に自分の手で触れたり、肉眼で神を見たりすることはできない。しかし、信仰の眼でなら、神の存在とその慈《いつく》しみを感じることができる。実際、『神が人間の方へ手を差し伸べる』という表現方法はたびたび用いられている。したがって古代のキリスト教画家が神を描こうと思うとき、リアリスチックな人間の姿を意識的に避け、「手」だけで神の存在を表わした例が少なくない。これなど、科学万能主義への〝無意識の挑戦〟と言えるのではないかと思う。

「自由」について

本当の自由を求めるために

真の意味の自由とは

我々は「自由」でありたいと願い、しばしば「自由」という言葉を使うが、果たして人間は、真の意味で自由であるのか――について、考えてみよう。

まず、貴君は「自由」をどう定義するか。次にあげるのは誰もが日常的に経験する〝自由との出会い〟である。ひととおり目を通したうえで、貴君の考えを述べなさい。

①自由であるということは選択できるということだ。例：好きなスポーツを自由に選ぶ。

②自分の義務を果たす人は、しなければならないことをしているから、そこに選択の余地はない。では、その人は不自由なのか。その人は自由に義務を果たしているとは言えないか。

③金が足りないとき、人は不自由な思いをする。しかし、金があるために金に縛られて不自由な

思いをする場合も少なくないのではないか。金は自由を与えるのか、それとも奪うのか。
④愛することは自由な行為だろう。だが人は、愛した人の奴隷になる可能性もある。それは自由の正反対である。
⑤ソクラテスもキリストも死刑に処された。本当の意味で「自由」な行動を取ったのは、死刑囚と死刑を申し渡す判事のどちらなのか。真理を述べ伝えたのなら、たとえそのために検挙されようと死刑になろうと、「その人は自らの自由を存分に発揮した」とは言えないか。
⑥「言論の自由」は、〝ウソをつく自由〟をも含むか。含まないとすれば、誰がその境界線を引くのだろうか。
⑦人間の自由は、人間性本来の要素であるか。それとも、人が自分自身で獲得するものなのか。

自由と宿命

人間の歩む道があらかじめ決められているものであるなら、それは宿命というべきであって、そこに自由はない。生来の自分が持っていると信じている「自由」と〝宿命〟（それがあるとすれば、だが）の相似と差異を考えてみよう。次に挙げる四つの主張や問いについて、貴君の考えを述べなさい。

一　占いを、信じ得るか。易、手相、予言、縁起、前世の因縁……各種の占いが、私の将来は定められているという。たとえば、私の転職は初めから定められているのか。そうだとすれば、誰がそれを定めたのか。天か、神か。

二　「運」というものは、我々の主観的な見方に過ぎない。すべては自然法則と科学的な因果関係によって定まっている。交通事故で突然死ぬか、あるいは奇蹟的に助かるかも、ただ自然の法則の結果である。科学的な原因以外の原因はあり得ない。だから、科学が進歩すれば、人間の将来は解明される。

三　私の将来を定めたものが天であろうと自然であろうと、定められているなら、人間は自由ではない。そもそも人は自分がいつ、どこで生まれるかを選ぶことができないし、自分の家族、自分の才能なども、自分で選んだのではない。就職、結婚などの重要な決定を、私は果たして自由になし得るであろうか。むしろ、邂逅と事情と成り行きの結果ではないか。ギリシャ人は『オイディプス』によって〝人間の宿命〟の典型を描いた。現代人は人間を〝社会の歯車〟と言う。人間はある意味で〝死刑囚〟であるし、〝常に必然性に縛られた囚人〟ではないか。

四　すべてが必然的に起こるとすれば、自由の余地はない。我々は「自由か宿命か」という二者択一の壁にぶつかる。自由であると思い込んでいるのは、人間の錯覚かもしれない。

五　しかし我々は常に、「自分は自由である」と信じている。だから人間には希望があるし、責任もある。責任は自由の徴《しるし》である。自由があるからこそ、人は希望を持って生きていく。〝必然的必然性〟を超え、進歩をも支配する能力が、人間にはある。「それこそは人間性の崇高な価値である」と言える。

■塾生の意見

人間の自由の根源

竹内　人間は自由であるか。
梅田　人間は今でもある程度自由だが、もっと自由になりたがっている。

松尾　人間は自由だと自分では思い込んでいるが、ほんとうは自由ではないだろう。

梅田　自由を求めて闘争に参加する人も多いし、また、自由を得るために戦争を起こす国民もある。そういった命がけの努力が、自由というものの価値を物語っている。

松尾　しかし、それは錯覚なのかもしれない。徒労に終わるのではないか。

梅田　けれども、人間の価値は自由にこそあると断言する思想家も少なくない。

松尾　以前は、自由は貴重な信念だったかもしれないが、しかし現代においては、すべて、科学に支配されると考える方が正しかろう。

竹内　では、問題を絞ろう。自由はいろいろな意味をもっているからだ。きょうは、法律の定める自由については除外して考えたい。例えば、法律で、移動の自由、言論の自由などを保証している。そのような社会的な自由をも、今はさしおきたいと思う。

梅田　なぜか。それこそむしろ重要な点ではないか。

竹内　確かに重要な点であるが、そういった自由は法律上定められたものなので、その範囲では問題とならない。それはむしろ、人間の根本的な自由の表現である。あるいは、人間の根本的な自由への欲求を表わしたものだろう。だから、人間の自由の根元の方をまず取り扱うべきだと考えるのだ。

そこで、問題は、人間が何かを決定する際に、それを自由に決定するのかどうかという点である。例えば、私がどの学校に入り、どのサークルに参加し、どの映画を見に行くかといった選択は、私の自由な行為によるのであるか。もちろん、この学校に入るためには試験があったし、現実に存在しないサークルには参加できないし、現在上映されていない映画は見ることができない。しかし、それは条件とか限界とかであり、ある条件のもとでなら、あるいはある限界内でなら、私の選択は自由であったかに見える。

この学校を、このサークルを、この映画を選んだ、しかも、全く自由に選んだと私は思っている。そこで、その選択がはたして自由に行なわれるものであるか否か、それが、さしあたっての僕達の問題である。

松尾　つまり、竹内君によれば、自由の場はいわゆる自由な決定にある。その点、僕には別に異論があるわけではないが、そういった自由な決定は少ないのではないか。ことによったら、全然ないかもしれない。

竹内　確かに、人間の働きのなかには自由にならないものも多い。例えば、食べ物を消化する働きはまさにそうである。しかし、自由に見える行為もある。それを検討しよう。

梅田　自由な行為と自由な決定とは違う。なぜなら、自由に決心しても、後で何らかの理由で実現しない例も少なくない。

竹内　だから、実現するかしないかという問題は、決心の自由とかかわりがない。問題は決心の自由の方にある。決心は、人間の自由の場である。その決心の自由とはどのようなものであるか。

梅田　自由はまず選択の可能性いかんにかかっている。ベルイマンの映画を見るか、黒澤の映画にするかは、自由な選択による。就職口がいくつかあったので、自由に選択した結果、この会社に入ることにした。女性がたくさんいるから、そのなかから彼女を自由に選んだ上で、結婚した。選ぶことができなければ、自由はない。

竹内　けれども、僕は学生だから勉強しなければならない。そのとき、その勉強する僕には自由がないのであろうか。また、常に正義に基づいた判決を下す判事には、選択の余地がないわけであるが、その場合、自由がないのであろうか。つまり、義務は選択の可能性を摘み取るから、人間の自由を奪うものだ、と言えるものなのかどうか。

梅田　君の言うところは確かに問題になる。僕が勉強しなければならないとすれば、僕の歩むべき道は唯一つになる。その点に関しては、選択の可能性がない。けれども、その場合に勉強することは、自由のない行動などでは決してない。むしろ、それが自由なのだ。したがって、勉強しなければならないからこそ、勉強するのが自由なのだ、ということになる。

竹内　そのとおりだと思う。もし、勉強すべきだということをよく弁えていながら勉強しないのならば、その態度は逆に、自由がないことをこそ表わすのではないか。いわば、僕は自分の怠惰に縛られているのである。

梅田　すべきことが自由の実現する場であるとすれば、自由とは何か。自分の義務を果たすとき、自由な行為と自由でない行為との差はどこにあるか。

竹内　自由とは、なすべきことを自ら肯定し、それに積極的に参加することである。前の例にあてはめよう。まず、僕は勉強しなければならない、それは僕が学生である以上、明瞭だ。そして、そのことをはっきりと意識している。そして、勉強しようと決心する。その決心は、僕自身の精神的な行動であり、自由な行動である。

梅田　それでは、自由は純粋に精神的な行動であるか。

竹内　自由な決心それ自体は精神的な行動であるが、決心の実現は具体的に表われる。

梅田　人間の行動を、第三者の立場から見て、それが自由な決心に基づくものであるかどうかがわかるか。

竹内　他人にも推察はできるかもしれないが、自由な決心だとはっきり知っているのは本人だけだろう。

梅田　しかし、決心の内容が自分に多大な努力を要するときの、その辛さに対する抵抗は、自由の価値を示すのではないか。

竹内　自ら勉強しようと決めた場合は、勉強がやさしいかむずかしいか、勉強が好きか嫌いかというようなことに縛られていない。勉強がむずかしいということは一つの条件であり、障害ともなるであろうが、自由はそういった条件を乗り越えてあらわれ出る。むずかしいから勉強しないというときも自由ではないし、好きだから勉強するというときも、その点では同様である。自分自身から出た決心のみが自由なのだ。

松尾　そうすれば、自由は完全に主観的なものになる。自分が自由だと思うならば、自由である。

竹内　君の言うところを若干補正して、自由は精神的なものなので、その意識のなかに存在する、と僕は言いたいのだ。

梅田　それでは、自由を意識することと自意識とは全く同じことである。したがって、人間の自我すなわち自由ということになってしまう。

竹内　違う。私は存在するが、自由そのものは存在しない。あくまでも私の自由なのであり、私の属性なのである。自由は人間の行動の一つの形容なのだ。すなわち、自分の行動のうちには、文字どおりに、自らすなわち自分自身から出る決心もあるという意味なのである。

梅田　自ら出る決心は自我そのものの表現ではないか。だとすれば、繰り返して言うが、自由と自我とは一つのものになってしまう。

竹内　自我と人格とを区別しよう。自由は人格を表わすにちがいないが、自我を表わし尽くすことはできない。まず、自由には程度がある。自由は人間が本来もっている特徴であろうが、人間が成長するにつれて教育され、時には磨かれ、時には損われる。そして、その自由の教育は人格陶冶の一面である。そこから見れば、人間は自由であると言うよりは、人間は自由になると言った方がいい。ところが、自我は私が私であることそれ自体を指すので、自我には程度の差はありえない。

　そして、自我の存在、すなわち私が存在することについては疑いがないのに反し、人間が自由であるかという方は問題になる。このことも、人間性には自由が重要な要素であっても、自我のすべてを表わし尽くすのではないことを物語っている。

梅田　この点についてのむずかしい議論は止そう。自由は精神的な行動であって、選択の可能性によらない、竹内君はこう主張したが、しかし、前の例に戻って、僕の勉強する決心は勉強しなければならないという唯一の可能性によるのであるが、勉強しないという形での決心の可能性もある。すべきことをするのが自由だとしても、それはすべきことをしないと決めることもできるという前提に立つのである。したがって、自由と選択とは必ず結びつくのではないか。

竹内　勉強しない可能性があるから、勉強するのが自由だ、というわけではない。たとえ勉強せざるをえないとしても、勉強する自由は、依然として全き姿で残るのである。その場合、無理に勉強させられるという否定的な自由を含む態度もありうるし、一方、進んで勉強するという肯定的な自由を含む態度もありうる。どういう状態に置かれていても、人間には、それを肯定するか否定するかという自由は残る。死刑囚でさえ自由に死ぬことが可能なのだ。

　さらに、反面、自由をなくすものは精神的な空しさである。勉強する自由を奪うのは、僕の怠惰のほかではない。その怠惰から解放されればされるほど、勉強する自由は増大するのである。結局、自由は精神的な形容であって、とりもなおさず人格の表現なのである。

梅田　自由の原因は選択の可能性にではなく、精神にあることを君は力説した。しかし、選択の可能性は自由の前提ではないのか。どういう場合にも、肯定するか否定するかという自由は残ると君自身が主張したが、それは精神という次元においての選択の可能性である。具体的な行動という次元において選択は不可能だが、精神においては選択が可能だから、人間は自由である。

竹内　精神に選択の可能性があることは認めるが、それが精神の定義なのだ。その精神の自由は、具体的な選択に縛られてはいない。

梅田　それも疑わしい。まず、自由は精神的な働きであっても、具体的に不可能な行動をとる決心をするのは、やはり不可能である。例えば、病気で勉強できないという状態では、勉強する決心も不可能になる。

　反面、勉強するという精神的な決心は現実の次元に影響を及ぼすはずである。例えば、勉強すれば成績があがる。こういった影響が表われるのは、現実にその影響を受ける可能性があったことを示すのである。したがって、精神的な選択の可能性と具体的な選択の可能性とは区別しても、完全に切り離すのは不当だ。

松尾　この辺でまとめると、竹内君は「自由は選択の可能性によるものではない」と主張し、梅田君は、どこかに、少なくとも精神には、選択の可能性があると言う。両者は必ずしも矛盾した見方だとは言えない。両方の顔を立てれば、選択の可能性は自由の原因ではなく、その必要条件であるぐらいのところに落ち着くのではないか。

竹内　君自身はどう考えるのか。

松尾　僕は別の観点から自由の問題を考えている。例をあげて説明しよう。僕が、『星の王子さま』をフランス語で読むことにしたとしよう。この決心は自由な決心である。考えてみると、こう決心するに至ったのには、十分な理由がある。まず、この本が好きだ。それに、フランス語を勉強したい。そしてそれはきれいなフランス語だそうだ。しかも短い作品であり、今は時間もある。僕の自由な決定は、このように全く理性に適うものである。

しかし、事実は逆で、そういった理由があったからこそ、僕は必然的にそういった結論を出し、そういう決心をすることになっていたのではないか。僕は、自分では、自由に決心したと思い込んでいるが、すべての事情に精通した第三者をもってすれば、僕が『星の王子さま』をフランス語で読むことにするのは、予め、また間違いなく、予言できたであろう。そして、『星の王子さま』に限らず、入学、結婚、就職など、僕の生涯のすべての《自由な決心》についても同じことが言えるのである。持って生まれた性分、才能、それに家庭とか学校とかの環境がわれわれの自由な決心を定める。われわれは自由だと思っているが、実は、そういった諸要素によってわれわれの決心が成り立つのである。

竹内　君の論の中で、少なくともこの一点は狂っているのではないか。それは、決心には理由があるから自由ではないとする点である。実際は逆なのだ。動機のない決心はありえないのではないか。「何となく」何かをした、という表現をすることもないではない。例えば、何となく散歩に出かけた、と言うが、そのときには、その行動が自分の自由な決心によったものでないことを指すために「何となく」が使われるのである。理由がなければ決心はなく、したがってその行動は自分自身の行為ではなく、環境等の諸条件に左右された物理的作用にすぎない。もはや、人間的な行為と称することはできない。

自由な決心ができるためには、理由が絶対に必要である。理由があるからこそ決心は自由なのである。

梅田　竹内君の言うとおりだと思う。しかし、理由があるから決心するということになると、決心は必然的な結論となる。自由は必然の別名にすぎない。

松尾　そうだ。しかも、自由と必然性は同じ行動を指し、互いに矛盾しない。すなわち、人間の決心を含めてあらゆることが必然性に従って起こるが、われわれはそれを予測できないので、その〝未知〟を自由と名づける。だから、僕にとって自由な決心と言われるものは、同時に必然的に起こるものなのである。

梅田　もしも誰かが、現時点における物質的な事情と精神的な状況とのすべてを知っているならば、その人には将来のすべてがわかるというわけだろう。

松尾　そうだ。しかし、現在のすべてを知り尽くすことなどは不可能なのだから、自由は残る。自由とは、その未来の未知である。

竹内　松尾君の説は、実際には自由を押しつぶすことになる。賛成しかねる。

梅田　松尾君の説を裏づけるものは、次のテーゼである。すなわち、理性に適うから決心は必然的である、という。だが、これははたして正しいか。例えば、松尾君は、いろいろな理由を検討した末に、「星の王子さま」をフランス語で読むことに決めた。その決心ははたして必然的と言えるのか。むしろ、その結論が理性に適うにもかかわらず、松尾君にはそう決心しない可能性もあった。

竹内　前に述べたように、決心しない可能性がある以上、必然性などは存しない。むしろ自由があると言える。

竹内　そうすると、自由は、罪を犯す可能性、非合理的な態度をとる可能性になってしまう。自由は消極的なものにすぎない。僕は、非合理的な決心をする可能性があるとしても、理性に適うからこそ決心が自由なのだ、と思わずにいられない。自由は選択の可能性によるものではない。松尾君の例において、彼自身の心境と具体的な状況に従って彼は必ずその決心をするという仮説を肯定するならば、その必然性は自由と全く相容れないものなのかという問題が残る。

梅田　とにかく、君は松尾君の説に賛成しない。どう反論する気か。

竹内　駁論の中心となるのは、必然性などというのは仮説にすぎないということである。物理学は自然法則の必然性に立脚するが、ハイゼンベルグの不確定理論というやつもある。これが人間の自由の根拠であるというわけではないが、そのことだけからでも、物質でさえ必然性に基づいて定まっているとは限らないことがわかろう。さらに、生物学では、進化という現象がある。生物の進化が定まっていて予測できたなどとは考えられない。例えば、類人猿の時期に、後に、そこからわれわれ現代人がこのとおりの姿で出現することが定まっていた、などとだれが信じられるか。また、人間の行動が予測されえないので、人間を対象とする科学が困難であることは人のよく知るところである。要するに、必然性が証明されていないばかりか、自然全体を見れば、必然性に支配されていない部分も大きいという印象を受ける。

松尾　それでは、人間の自由の方は証明されているわけか。

竹内　人間が自由であることについての決定的な証明法はなさそうだ。しかし、ほとんどの人が、自分は自由だと思っている。

松尾　自由だと思うからといって、自由であることにはならない。

竹内　だから、決定的な証拠はないわけだ。

梅田　つまり、必然性も仮説であり、人間の自由も仮説である。

竹内　しかし、必然性という説の方が弱い。というのは、すべてが必然的に定まっているとすれば、生まれたときから死ぬときまで、各人の生涯が決まっており、人間は一つのロボットになってしまうからだ。

松尾　つまり、君はロボットになりたくないから自由を称える。それは、あまりに感情的な見方にすぎるではないか。

竹内　君は宿命論者か。すべてが運命によって定められているのか。定められているのだとすれば、誰が定めたのか。

松尾　誰が定めたかという問題ではない。定まっているかどうかという問題である。昔もそう考えた人は少なくない。オイディポスの神話はその一例である。オイディポスは、父を殺し、母と結婚することになっていた。定まっていたのだ。オイディポスは、その運命から逃れようとしても逃れられない。人間はみな、このオイディポスのように、その人生行路が決まっているのではないか。

梅田　僕も、時々、自分の人生行路は定まっているという気がする。彼女との邂逅にも運命的な感じがある。

竹内　しかし、我々は常に責任を感じる。責任があれば自由があるということは明らかだ。そのことは誰もが認める。裁判官も、教育者も、世の常識も。人間の責任の上に社会が立っている。そして、責任の裏が自由なのである。

松尾　責任感はもちろんある。しかし、責任を感じることから、直ちに真に責任があるという結論を出してはいけない。人間は責任を感じるが、ロボットのスプリングの一つなのかもしれない。

竹内　少なくとも、君は人間に自由があるかのようにふるまわなければならない。

松尾　社会の中で生きる限り、そうしなければならないだろう。

竹内　実際、生きるために人間は自由を信じなければならない。万一、それが間違いであっても、社会人であるからには、その間違ったことを信じなければならない。全く奇妙な結論ではないか。

梅田　僕が自慢することがあり、後悔することがあるのは、責任感が錯覚ではないからだ。だから、責任があれば自由があると思う。しかし、自由と必然性とが正反対であるかどうかは、僕には明らかでない。必然的でないところには自由があるのか、それとも必然性と自由とは両立できるのか。

竹内　一応、両立できると思う。なぜなら、必然性が科学的な因果関係を指すのに対して、自由は精神的な働きの形容だからである。換言すれば、一つの決心が具体的な理由から見れば必然的でありながらも、主体的な面から見ると自由でもある。例の『星の王子さま』を読む決心は、いろいろな理由から考えて必然的な結果とも言えるし、松尾君自身から見て、全く自由な決心であるとも言える。

松尾　そうすると、一つの決心には二つの原因があることになる。

竹内　そうだと思う。それぞれの原因が別々の次元にあると考えれば、一つの出来事に二つの原因があっても矛盾ではない。

松尾　確かにそう考えられないでもない。だが、一つの出来事の二つの原因を推察するよりも、必然性と自由とは正反対だと考えたほうが正しいと思う。そして、自由を認める立場の人は、自由を必然の隙に置いたらいい。

竹内　見方が浅い。

梅田　必然性は物質の因果律であるが、生物には本能がある。僕は、自由と本能とを比べれば自由の本質がわかると思うのだが。

竹内　「本能」という言葉を定義しなければならない。そうでないと、それが曖昧な言葉だけに、かえって話がこじれる危険があるからだ。「本能的」という語は、「本質的」という語の類義語として使うことが多い。

梅田　本能とは自由と関わりをもたない人間の働きであるとしよう。それで、本能は動物固有の働きであって、人間の動物的な要素を指す。例えば、食べ物を消化することは本能的である。したがって、本能と自由は一応対蹠的なものである。

しかしながら、自由と本能とが必ず正反対であるとは、僕は思わない。むしろ、動物の本能に相当するものが人間における自由なのである。自由は、いわば本能に毛の生えたものだ。人間の特質は理性にあるが、そこでそれを自意識の点から見ると、自由とは意識された本能であるということになる。動物は無意識のうちにその本能に従うのであるが、人間の方はある程度その本能を意識しており、その意識が自由と名づけられる。式に表わせば、《本能＋意識→自由》となる。

竹内　なるほど。君の言うとおりならば、人間の自意識が表われるにつれて、自由も表われる。化石人の時代を引き合いに出すのは不可能なのでさしおくとして、子供における自主性の発達を考えてみるとどうなるか。

梅田　自意識が発達するにつれて、子供が自由を得るのは明らかではないか。

竹内　しかし、自由が本能を意識することならば、なぜ、自由を獲得することが常に本能に逆らうことになるのか。自由意志を鍛えるのは本能と闘うことである。この事実は君の説に反するのである。

君の式は誤っている。《本能＋意識→記憶》と直せばいい。人間は意識すれば、憶えている。その行為が自由な行為であろうと、本能的な行為であろうと。言い換えれば、われわれの自由な行為は必ず自意識を前提とするが、意識しながら行なったことが必ずしも自由な行為ではない。自由の特徴は、自ら決定することにあり、それには責任が伴う。われわれの意識したこと、すなわち記憶していることのうちで、自由に基づく、責任のある行為と、自由に基づかない、したがって責任の負えない本能的な行為とを、はっきり区別できる。

松尾　竹内君は、自由が選択の可能性であることを否定し、未来の未知であることをも否定し、さらにまた、本能の意識であることをも否定する。君の見方は、結局どうなのか。

竹内　僕は、人間は自由だと思うし、また、その自由は比類のない宝だと思う。だから、そのすばらしい価値を、それに及ばない価値によって説明するのは、愚かな試みである。自由を説明しろと言われれば、僕はサジを投げるしかない。

しかし、自由があるという点から出発してそれを少し深めることもできないわけではない。東京駅に行くのに、国電を使うか地下鉄にするかは自由である。方法の選択は自由である。しかしそれは、目的が決まっているからなのだ。乗り物に限らず、選択の自由は、目的の決まっていることを前提とする。目的のないところに自由はない。この判断を支えるのには、前例はいささか簡単すぎるから、今度は選択を含まない例を考えてみよう。学生は自由に勉強する。自らそう決心するのであるが、その決心以前に、根拠とか基盤とかいった何かがあったにちがいないのである。それは、現代人には教育が必要だという程度の理由かもしれない。ともかく、人間の自由な行動は、必ずある目的に、あるいはある規準に基づく。裁判官は正義を、経営者は繁盛を、医師は生命を、教師は真理を、婚約者は幸福を、それぞれ目指しており、その目的に応じて、自由に行動を決める。

ここで注意すべきは、目的の次元が、現実の行動の次元とは違って、超越的な原理の次元だということである。われわれの日常の行為が時間という次元に属するのに対して、正義とか幸福とかいう目的は超時間的なものである。したがって、それを目的と呼ぼうと、あるいは規準と名づけようと、いずれにしろ、超越的な目的のないところに、人間の自由は存在しないとは言えるのではないか。

もし人間が自由であって自分の全生涯に対する責任を負うべきだとすれば、そしてまた、もし悔いなき人生とはそういった自由によって送った人生なのだとすれば、その自由を支えた超越的な目的があったと言わなければならない。その自由を支えた超越的な目的、それはとりもなおさず、使命と称するものである。かくて、自由は使命を前提とする。

■塾長からのアドバイス

「～への自由」と「～からの自由」

拘束からの解放を意味する「真の自由」

我々は、自由について論じるとき、〈何かへの自由〉と、〈何かからの自由〉とを区別することが多い。何かへの自由とは「人間が自由に自分の人生の目的を定め、それへと自由に進んでゆくこと」である――恋人を自由に選ぶ、というように。

その点から観れば〈キリスト教的な自由〉とは、「キリストを目的とし、キリストとの絆を強める自由」なのである。

ところで、何かからの自由というのはどういうことか。

キリスト教的な自由を考えるときの「何かから」とは、法律から・過去から・運命からの三つである。

したがってキリスト教的な自由は、〈これら三つからの解放〉を意味している。

法律からの自由

キリストを信じる者は、神とその現われであるキリストだけを「絶対的なもの」と認める。したがって、他の権威から生じる法律や規則は相対的なものに過ぎない。法律は隣人愛を遂行する限りにおいて、守るべきものである。実際、信者は一般的に法律を守るつもりでいる。ただ、それは法律だから守るのではなく、それが公共の利益を正しく表現していると判断するから守るのである。法律に従うかどうかは良心の問題なのだ。

良心に従うキリスト信者は、悪法には従わない。もしも「皇帝を絶対者として崇拝せよ」と命令されたらそれを拒否する、いかなる迫害を受けても。つまり、信者にとって良心は法に勝る。だから信者は常に、〝確信犯〟の候補者たりうる。

過去からの自由

社会は人の罪を赦さない。罪を犯した者には有罪の判決を下す。刑を終えても「前科者」の烙印《らくいん》がつきまとう。ところが、キリスト教においては、罪人は赦される。罪を認めさえすれば、神がそれを必ず赦す。放蕩息子を温かく迎え入れる父親のように、息子を〈前科なしの息子の地位〉に戻す。

だから信者は良心の苛責《かしゃく》を感じなくて済む。信者は自分の過去から解放され、いつでも新しいスタートを切ることができるのである。

運命からの自由

「物語」は運命論の典型である。

周知のとおり、オイディプスがその父を殺し、その母と結婚することは、予《あらかじ》め定められている。その神話を告げられた父母は、それが実現しないようにオイディプスを森の中に捨てたり、他の国へ養子に出したりした。が、その甲斐はなかった。旅行中、オイディプスはある男を殺すが、それは実の父であった。テーベの国王になり、未亡人である女王と結婚するが、それは実の母であった――。

これを、昔の神話に過ぎない、と一笑に付す向きがあるかもしれない。では、現代において運命論はなくなったのだろうか。街角の薄暗い灯の下で、大勢の人が占いをしてもらっているではないか。運命がなければ、占いなどナンセンスであるはずなのに?!

キリスト教は運命を否定する。信者は運命から解放され、神の賜物である自由を味わっている。人間は成功すれば運命などはあまり考えないが、不幸な目に遇うと運命論に陥りやすくなる。しかし、運命は錯覚である。信者は牢獄に入っていても、癌《がん》に罹っていても、そのことで神から離れているわけではない。かえってそのような時にこそ神は近くにいるのだ。「わたしは世の終わりまであなたがたとともにいる」とキリストは約束したのである。かくて「神に向かう自由」は、折が良かろうと悪かろうと、実現する。

自由を求めるなら、愛しなさい

自由実現の必須条件

右に述べたことから分かるように、「自由」そのものは存在しない。存在するのは「自由に行動する人間」だけである。同様に「愛そのものは存在しない」ということができる。存在するのは「愛する人と愛される者」だけである。

ところで、「自由」と「愛」とは切り離すことができない。人を愛するのは、その人を向上させることであり、その人により豊かな自由を与えることである。〝束縛する愛〟は真の愛ではない。

愛は最も自由な行為である。愛せよ、という命令はありうる（服従しないこともできる）が、愛は強制されるものではない。自由とは、絆《きずな》がないこととも言えるが、しかし愛という絆がなければ自由のあるはずがない。愛は自由を孕《はら》むからである。

したがって、目的のない行動を人間的な行動と看做《みな》すわけには、もはやいかない。人間にとって、自由であることは、ある目的に到達する道を自分自身が肯定することである。愛するとは、目的を設定し、それに漕ぎつけるための営為である。目的がなければ、自由もなく愛もない。

自由に関する哲学者の議論は、ともすれば迷宮入りとなりがちだ。それは、愛を度外視するからではないか。ある哲学者は「人間の最高の価値は自由だ」と唱えながら、同時に愛を否定するので、その結果、主張は無意味になってしまう。自由の母胎は、ほかならぬ愛なのである。利已主義やあらゆる欲望は人を縛るが、愛は人を解放する。愛すれば愛するほど自由を得るのである。

現代人は自由を渇望するが、多くの場合、愛するべき対象を知らないので、自由を目指す闘いは徒労に帰す。自由への道は愛である。自由を得るには束縛を一つひとつ解いていくこと、そしてそこに愛を見出すことである。愛の実践があらゆる束縛を解きほぐす。自由を求めるなら愛しなさい。

「日本的」とは何か

諸外国と比較して得られる特性

真に日本的なものとは

本章冒頭で「進歩」を論じるにあたって、我々はしばしば日本と西洋を対比させた。実際、「日本的」という価値基準と自覚を、我々は持っている。しかし現実には「現代の日本人は〝混血児〟である」とも評されている。

日本はそれほど西欧的になったと考えるべきか。左に紹介するA、B二つの主張のうち賛成する方に○をつけ、その理由を述べなさい。

A　現代の人類は、民族や国境の壁を取り払い「地球人」を目指しているので、その〝国民性〟は無くなりつつある。そのような時代にあって「日本的」という概念は無意味ではないか。具体的な事例を挙げる。

・衣食は統一されつつある。
・学問は国際的な知識となった。
・学芸的な感覚は、文化交流によって、民族的・国民的特長を失った。
・日本語は当分残るだろうが、「国際共通語」にならないので、遅かれ早かれ滅びてしまう言語の一つである。

B　「世界基準の浸透」と「意図的な画一主義化」を混同すべきではない。それぞれの国民性が尊重されることを前提として、世界基準が成り立つ。日本的な特性を生かすことは世界基準を否定することではない。具体的な事例を挙げる。
・地理と歴史に根差した国民性が、今に至るまで存在してきたのは明らかであり、それが続くのは当然だ。たとえば「〝情〟の感性」は、日本人の中に常にあり、それを活かさないことはすなわち、自分を殺すことになる。そのような〝集団自殺行為〟は考えられない。
・日本的な表現は時代とともに変わってきたが、別な形を採って現代にも生きている。日本人の持つ器用さはエレクトロニクスの発展を支えているし、大和魂は新幹線技術となって開花している。日本人制作陣による映画作品が総じて世界で高い評価を受けているように、日本人の美的感覚は世界に通用する。「日本的なもの」として現代でも常に働いている。

右の主張をさらに掘り下げるため、左に四つの問いを置いた。貴君の考えを述べなさい。

一　日本の生活様式も、学問や芸術も、さらには教育や社会機構、政治・経済の体制も欧米的であって、日本的と言えるものはほとんどない。近・現代の歴史を見る限り、日本の近代化とは西欧化と同義語である。

二　精神面において、日本人同士でなければ通じ合わない点が多いことは、我々が日常体験するところである。よって、日本的な思考方法は確かに存在する。日本的感性というものがなければ、日本文化は失われる。

三　「日本的」というものを、他から区別して取り出すことは、どうすれば可能か。文芸や芸術の古典を探すことか。それは過去の歴史の発掘であって現代人には関わりないものではないか。

四　日本的な良さを生かす方法は何か。そのために貴君は何をしているか？

■塾生の意見

「日本的」と「国民性」

梅田　ちょっと回り道をしてみよう。僕は交響楽にたとえて平和を描き出そうと思っている。そこで、君の平和論を聞きたい。

竹内　平和とは何かは僕にはわからない。戦争がないというだけではないだろう。君の言うように、全世界の交響楽に喩えるのもよかろう。すべての人が愛し合って喜びの中に生きていることなども一つの平和である。しかし、その表現は、何となく非現実的に聞こえるのではないか。

　僕には平和が何であるか的確に指摘することはできないが、平和への道がどこにあるかはわかるつもりである。それは後進国の発展である。松尾君が言ったように、先進国と後進国との較差は年毎に大きくなる。それは恐ろしい事実ではないか。日本を含めて、先進国はそれを真剣に考えなければならない。

梅田　そして、それにはどういう政策をとるべきか。

竹内　わからないが、そういった事実を凝視すれば傍観してはいられないはずだ。

梅田　傍観していられない君は、そこでどうするか。

竹内　僕は卒業してから東南アジアにでも行こうかと思っている。

梅田　立派な考えだ。ところで、君が東南アジアに行くと、そこでその国民の愛国心に出会うことになるだろう。それにどう対するつもりか。

竹内　愛国心は実際に存在するので、それを否定するわけにはいかない。

梅田 愛国心は国の発展に対する強力な促進剤である。たとえば、中国の場合、愛国心が重大な役割をはたしているのではないか。

竹内 原爆をも作らせる。

梅田 要するに君は愛国心が絶対的に悪いと思うのか。

竹内 自分のふるさとが好きであるのは自然であり、それ自体は無邪気な気持ちである。しかし、君の言ったように、献身的な愛を含む愛国心、国旗をかざし、国歌を歌いまくる愛国心、「わが国、わが国」と連呼する愛国心であれば、絶対に悪いものである。

松尾 君は相変わらず、極端だ。愛国心と国粋主義とは厳格に区別しなければならない。自分の国を愛するのは至極当然ではないか。しかし、自分の国が世界一だと思って、他国を支配すべきだと考えることは、許しがたい国粋主義である。

竹内 それでは、自国のために自分のすべての力を献げる軍人は、良き愛国の徒か、悪しき国粋主義者か。境目がないから決めるのはむずかしい。愛国心と国粋主義とは同じ病気である。ただ、前者の方が軽いだけだ。

松尾 それなら、君は国民性を全然認めないわけか。

竹内 そうくると思った。国民性が人格化され、神格化されて、われわれの崇拝すべき像となったがゆえに、その国民性は献身的な精神を含む愛国心の土台になる。だが、僕はその偶像を拝む気にはならない。「天皇陛下万歳」を叫びながら戦死した僕達の先輩を是非するつもりはないが、僕自身はそれに倣うことはできない。

梅田 君は問題をそらす。国民性は別に擬人化されたわけではない。国民性は、君にとって、日本人であることだけだ。君は日本人であり、日本語を話し、日本の伝統を受け継いだ。その国民性には価値があるのではないか。その価値を活かすべきではないか。

竹内　具体的な条件がある。たとえば、僕の髪の毛が黒いとか、漢字を使うとか、地震の多い国に住んでいるとかである。しかし、そういった条件は、地理的、歴史的な結果であって、国民性をなしてはいない。そこには何らの体系も認められない。

松尾　そうすれば日本的なものはないか。

竹内　日本的なものの実例をと言うと、能とか茶道とか生け花とかいう答えがはね返ってくる。それから、日本の精神の代表としては必ず芭蕉が出る。芭蕉の俳句はすばらしいと思うが、彼にしても茶道などにしても、すでに過去のものである。つまり、現代における日本的なものの例は出てこないのである。

松尾　少なくとも、昔は日本的なものがあったと認めるか。

竹内　日本的なものと言うより、日本のものがあった。喩えを使ってみよう。京都と東京とを比べてみることにする。京都には初めから市のプランがあって、そしてそのプランは現在に至るまで残っている。市は、歴史の変遷を経て現代化されても、平安朝の構造が今もなお明らかに保存されている。東京の場合は本来のプランはない。東京の発展はその時々の事情や人々の考えに従って行なわれた。現在の東京の姿は偶然の結果なのである。君は国民性が京都のように何か本来の構造を具えていると思っているようだが、僕は日本のものは東京のように偶然にできたと考える。

梅田　もし現代のもののうちで伝統を受け継いだ例を出すことができれば、君も国民性を認めるか。

竹内　認める。しかし、そのような例はあるか。今や知識と技術はすべて国際的である。日本的なものがあるとしても、それは昔のものの二番煎じにすぎない。いわば、博物館行きのものだ。ところが、梅田君は伝統を活かすものと言った。そのようなものは見あたらない。現代に創造されたものの価値は国際的水準ではかられる。真の価値は、すなわち普遍的な価値である。

梅田　一例をあげよう。川端氏は伝統を活かすものではないか。しかも現代の人物である。

竹内　なるほど。負け惜しみを言うわけではないが、川端氏の例は適当とは思わない。彼は伝統を活かしたと言うよりも、伝統を守ったと言った方がいい。言うならば、後ろ向きの文学なのではないか。進歩的な面とか創造的な面とかが足りないから、僕たちにはあまり人気がない、というのが事実である。

松尾　現代のものの国民性をよくとらえられない理由は、われわれが明視距離だけ離れられないということだろう。例えば、五十年も経ってから、現代のものの国民的な色が目につくということもあると、僕は思う。竹内君の言うとおり、本来の構造はないかもしれないが、歴史をふりかえって見れば、後天的にでも構造はあらわれる。言い換えれば、過去のものについてのみ日本的だと言えるのであって、過去に属さない新しいものについては断言できない。

梅田　将来のケースを考えてみよう。竹内君は、日本人のグループとともに、東南アジアのどこかへ道路を作りに出かけたとする。その隣りではアメリカのグループが同じく道路を作っている。その場合、アメリカ人のやり方と、日本人のやり方とは違うだろうか、どうだろうか。率直に答えてもらいたい。

竹内　正直に答えよう。日本人の手に成ろうと、アメリカ人の手に成ろうと、道路のできあがりは同じだと思うが、営業とか人事とかの面に関する仕事の運び方という点になると、アメリカ人と日本人とは違ってくるだろう。

梅田　それが国民性のあらわれではないか。

■塾長の考察

【編者註】「日本的とは何か」――この問いかけには、日本が大好きだったネラン塾長の、格別の想いが籠っている。ネラン塾の期が改まるたびに、塾長は塾生を捕まえてこの問いを発し、議論を楽しんでいるように見えた。そして塾長は、自分の「日本観」「日本人観」を日本固有の芸術や文学に触れながら文章に託した。以下にその一部を、ネラン塾長が関心を寄せた分野別に紹介させていただく。

【映画①】

最高傑作『生きる』に問われて

黒澤明監督の映画『生きる』は邦画中のナンバーワンだと私も思う。一人の公務員が胃癌で死ぬというストーリーは平凡だが、この作品の優れた点は主人公・渡辺が実直に自分の人生を歩んでいるというところにある。画面に現われる渡辺は私たちの最も身近な友であり、その友の日々の生きざまに観客の私たちは同情したり愛したりするのである。渡辺を演じる役者、志村喬について言うことは何もない。志村は渡辺を演じているというよりは、渡辺その人になりきってくれている。

生まれ変わった主人公の日々が示唆するもの

傑作中の傑作であるゆえに、当然のことながらこの映画は私たちに問いを投げかける。映画が始まってまもなく、渡辺を診察した医師はインターンに、「君があの人のように4ヵ月しか生命《いのち》がないとしたら、いったいどんなことをするか」と訊《き》く。その問いは、観客である私たちに向けられているものでもある。

渡辺は『自分が数ヵ月後には死ぬ』ということを知っており、その間に何をすべきかを思案している。遊んでみようと思ってストリップ・ショーを観に行くが、それによって得られた歓びは彼が帰途、誰もいない公園でブランコに乗り「いのち短し――」という歌を悲しげに歌うことで、途絶える。また、息子と話し合いたいとも思うが、親子の関係は極めて冷たくて思うに任せない。しかたなく外へ目を向け、役所の職員として関わった縁で、ある女性の世話をしてみるが、それもぎこちない。

その渡辺が突然、閃《ひらめ》きを感じ、「すべきことは何であるか」が分かる。それは前から主婦たちが役所に陳情していた、「汚水溜めを公園に変える」案件に取り組むこと。渡辺が自分の使命を悟った場面の背後で学生グループが歌う「ハッピーバースデー・ツーユー」は象徴的だ。そのとおり、渡辺は生まれ変わったのである。生きる目的を見つけた渡辺は、翌日から全精力を公園建設に捧げる。いろいろな障碍《しょうがい》にぶつかってもがんばる。公園は完成し、そして渡辺は死ぬ。

渡辺にとって公園建設は生き甲斐である。が、そこにある二つの点を見逃してはいけない。一つはその事業が渡辺の課の管轄内にあって、課長である彼自身の本務だということ。もう一つは、人のためサービス精神を発揮する仕事であること。つまり渡辺を巡るストーリーは、「真の生き甲斐とは人のために献身することであり、自分自身の本来的使命を果たすことでもある」ことを示唆しているのである。

問い、また問い

渡辺は成功し、喜びを感じて死んでいく。しかし、彼がもし成功しなかったなら、どうなっただろうか。黒澤監督にとって、主人公はどうしても成功しなければならない理由があったのか。それとも、人情にかられてこの映画をハッピーエンドにしたかったのか……

仮に渡辺が人生最後の取り組みに失敗しても、生き甲斐には変わりがなかったと言えようか。渡辺は4ヵ月間を有意義に生きた。しかし、その4ヵ月は、それに先立つ25年間続いた〝不毛の書類作り〟に匹敵し、それを償う役を果たすと言えるか。

ともあれ、役所の中で〝ミイラ〟とあだ名されていた渡辺は生まれ変わった。もうミイラ時代を顧みる必要はないのだ。渡辺がもし「あなたは胃潰瘍で、余命4ヵ月です」という医者の言葉を信じなかったならば、彼は生まれ変わらなかったろう。医者の態度に問題があるせよ——それは別にして――、人間は死に瀕《ひん》するとき初めて、生き甲斐を求めるのだろうか。黒澤が突き付けた問いに、観客は答えなければならない。

【映画②】

『秋刀魚の味』における「孤独」の意味

思いがけない符合

小津安二郎監督の『秋刀魚《さんま》の味』という映画の中に、登場人物の一人が「人間は、結局一人ぼっちなんだ」と呟く場面がある。それを観たとき、ベルイマンの『野いちご』というスウェーデン映画を思い出した。その作品で主人公の受ける罰も「孤独」だった。両作品はその点で、思いがけない符合を見せるのである。もっとも人間の孤独は古今東西を問わず、共通に経験されるところである。同じ主題が扱われるのも不思議ではない。

しかし、小津の「一人ぼっち」とベルイマンの「孤独」では言葉の重みが違う。それについて語る登場人物の置かれた環境となると、さらに大きく違ってくる。

日常茶飯事か罪の罰か

小律の「一人ぼっち」は、日常用語として世の中によくある状況を、軽く指すに止まる。それに対してベルイマンの「孤独」は、深い人生観を内に秘めている。換言すれば、小津の世界は〝日常茶飯事〟の世界であり、ベルイマンの世界は「キリスト教のもたらす絶対観」がその背景をなしている。

しかも、小津の「一人ぼっち」は本来的に善悪と関わることなく、むしろ主人公の善行の結果であって、悲しいとしても、ただありのままの現実を指すだけである。社交場の賑わいに浸りさえすれば、「一人ぼっち」を免れることができる。しかし、ベルイマンの場合、「孤独」は罰である。主人公が他人を愛さなかった罪の罰なのである。

小津において、人間の絆は社交によって左右され、ベルイマンは人間社会を、「愛」と「罪」という両極端の間に置く。これをしも、東と西の違いというべきか。

【旅行】　源泉かけ流しと和室の魅力

浴衣という名の制服

私も東京に住んでいる。電車、電話、郵便、読み物、書き物、談話、約束、遅刻など雑多な環境と出来事に揉まれながら、東京で生きている。環境と出来事は私を緊張させるし、合理化を強いるから、ともかくクソ真面目な生活にならざるを得ない。

しかしたまには、せめて夢でも見たい。夢の国へ旅をしてみたい。だから実際に、旅に出る。旅先の宿で私は靴を脱ぎ、洋服を脱ぎ、「浴衣《ゆかた》」という名の〝宿の制服〟に着替え、脱皮に成功する。宿の制服は、〝制服〟のメージにおよそ似つかわしくない自由を私に保証してくれる。

宿の制服を纏った私は、しがらみだらけの外界から解脱して、まさしく「この宿という世界に身を置く者」となる。

さあ、風呂へ。うちにも風呂がないわけではないが、わが家の湯舟は小さくて、私は大きな体を持て余す。それに、いつも時間に迫られ、ゆっくりと湯加減を味わうことなど到底できない。結局、体を流すだけで済ませてしまう。ところがここなら、存分に手足を伸ばし、胸一杯に湯の香りを満喫することができるのだ。

温泉の湯は熱い。本当を言えば熱すぎるのだが、「熱すぎるくらいで結構」と言わなければならない。この場合、「すぎる」のは、実は「いい塩梅《あんばい》」と同義語なのである。鮨屋のお茶が火傷《やけど》しそうに熱かったり、わさびが辛すぎて涙が出たりするのも、同様に「いい塩梅」ということになっているではないか。

体の汚れを落としながら、日常の心配事を綺麗に洗い流す。難しい問題とか癪《しゃく》の種とかは、湯気の中に吸い取られてしまうのである。

日ごろ悩まされている諸々の課題も、広い湯船の中ではごく簡単な問題となり、しかるべき対応策を見い出すのも、風呂の中ではさほど難儀ではない。せいぜい足の爪先を綺麗にするに等しく思われるのである。

しかも、時間はたっぷりあり、お湯も制限のない〝かけ流し〟ときているから、楽である。湯舟と洗い場を往復しながら私は徹底的、かつ真面目に風呂を楽しむ。

豊穣な空間

斎戒沐浴してから、６畳の部屋に戻る。私に割り当てられた日本間は、描き難い魅力に溢れている。それは、日本式家屋の構造から言って、最も手頃な空間に切り取られているからだけではない。

四隅には柱が見え、建築の構造様式が露わであるため、極めて落ち着いた空気が漲《みなぎ》っている。そして、それは、角に限らず、天井の梁、床柱、長押《なげし》などが、幾何学的で、かつ自然な鉛直線や水平線を描いて、更に安心感を添えている。日本間は、要するに、四角な輪郭の中にはめ込まれた裸の面の組み立てである、と言っていい。

壁面は、柱と長押や幅木で仕切られる。襖や障子に目を遣れば、四角な輪郭の魅力はさらに増す。畳には縁《へり》があり、天井には梁《はり》がある。それらによって縁どられた面はいずれも、くすんだ単色である。しかしその面は、模様がないにもかかわらず、決して死んでない。天井板の木理、壁の肌、畳の網目、障子の和紙の目……　どれもが海の単色の面のように、活き活きと息づいているのだ。

裸の純粋な面と、それを閉じ込めている厳格な仕切りとの間の均整が、和室を生かしも殺しもするのだと思われる。そして実際、障子の白紙には細い桟で罫を引き、床柱に対しては幅のある長押が応じ、黒い縁が畳表の藺《い》を生かす。

そのような調和をもたらす奥に、不思議な美の感覚が光っている。伝統の遺産とも言えるし、現代的なセンスも窺《うかが》える日本人の美意識が、そこにある。

室内の装飾は、床の間に厳しく限られている。もし、装飾がその枠をはみ出して一人歩きを始め、例えば鴨居に目立った鳥が彫られていたりすれば、それはもう調和の美を破ってしまう。輝く金属やまばゆい栄光を避けた和室の柔らかい濃淡は、座る者の心に静かに語りかける。色の調和と言おうか、木の色、草の色、土の色が、牧歌調の旋律を柔らかく奏《かな》でる。

魔法の宮殿の宝物を味わう

「ご免ください」。部屋係の女性が入ってきて、卓上に十いくつもの器を静かに載せる。朱塗り、漆塗り、蓋付きの椀は豊かな曲線を見せ、明治時代の模様を思わせる花型の深皿には、まるで蕊《しべ》のように、ひとかけらの食物が収まっている。伊万里焼と思しき大皿に盛られた刺身の並べ方には、一つの典型が感じられる。白い苔の上に真紅の鮪、緑を赤く染めた花びらに浅緑のわさび――どこの宿でもこういった取り合わせになる。これはママゴト遊びなのだろうか。否、仙女の一人が遠来の客を喜ばすために、この形と色で表現される舞踊を作曲した。そしてもう一人の仙女が今、客である私の目の前で、その曲の演奏に当たっている。そうに違いない。

味わえば、それほど珍味でないことくらい、私も承知している。しかし今晩は、伊万里焼の美しさのため、そして肴の彩りの美しさのため、仙女が美味しさを運んでくださったのだ、と私は信じたいと思う。

「おビール、召上りますか？」「否、日本酒を」。この地の地酒を吟味するため、この宿の徳利と盃《さかずき》を観賞するため、そして酒を注ぐ着物の袖から出る白い手を見るためである。彼女はじっと座っている。食事の世話などしなくていいし、何も言わなくていい。しかし和服姿の彼女が傍に居ることは絶対に必要である。それはちょうど、私が背負う床の間に、掛け物が存在しなければならないのと同じである。彼女には名もあり、親兄弟もあるだろう。彼女は労働者であり、組合員であるかもしれない。が、そんなことを私は知らないし、またどうでもいいことだ。着物姿で私を大事にしてくれる仙女――それだけで十分なのである。

部屋を出ることはない。せっかく魔法の宮殿に入ったのだから、その宝を拝観しようではないか。襖の引き手だの、床柱の瘤《こぶ》だの、床の間の草書体の筆跡だのをぼんやりと眺める。これらちょっとしたものがそれぞれ控え目に、しかし確かな艶《つや》を放つ。日常の道具さえ美の衣を装うことができることに気づかされる。その教訓は、セザンヌの〝カルタを弄《もてあそ》ぶ人々〟の場合とまったく同質である。

別の部屋係さんが蒲団を敷きに入って来た。床《とこ》は普通のサイズより大きくて楽である。夢の旅の第一の掟《おきて》は、十分に睡眠をとることだろう。翌朝早く起きる必要もない。横になり、何となく自分の人生行路を考えてみる。いったいなぜ日本へ来たのだろう。今日、こんな辺鄙《へんぴ》な宿にまで導いてくださった天使は誰なのだろう。薄明かりの中に浮かぶ天井の美しい木目紋は、無言のうちに、私にその答えを教えてくれる。

もし私が、もう一度人生を送ることができるとすれば…… 木目の波紋にもう一つ、問いを投げ入れてみる。答えはすぐ戻ってきた。私はやはり、同じ道を喜んで歩みたいと思う。今と同じく、日本のために次の一生をも捧げたいと願う。結局、同じ夢をもう一度見たいのである。

小さな温泉宿を包む静寂。大都会の騒音など別世界だ。ここには今、沈黙がある。しかもその沈黙のうちに、リズムを聞きとることができている。小川の清流であろうか、波のざわめきであろうか。いや、どちらでもない。夢の国の声である。コトバを語っている。――

そんな体験をした場所がどこであったか、そんなことはどうでもいい。今までに、私はおよそ50回、温泉に泊まったが、そのいずれでもいいのである。

【自然に託す寓意①】

甲　虫

少女の泣き顔に微笑みを咲かせた少年

小学生時代の彼は、昆虫採集に夢中になった。ある日、苦労して見事な大きさの甲虫《かぶとむし》を捕らえた。その時の嬉しさは何に譬えようもなかった。甲虫の入った虫籠を手に、意気揚々と帰路についた彼は、途中で小さな女の子に出会った。

女の子は立ち止まり、彼が手にした虫籠の中にいる甲虫に気づくと、いつまでも籠の中の甲虫を見つめていた。母親が少女を呼んでも動こうとしない。無理にその場から引き離そうとすると、泣き出した。

少年は籠の蓋を開けて、少女に甲虫を渡した。少女の泣き顔は見る見るうちに喜びの顔に変わった。少年は嬉しいような、悲しいような気持ちを味わった。――

このエピソードに登場する「少年」とは、寺田寅彦である。寺田はこの話を『花物語』の中で紹介している。それを読めば、彼がそのとき初めて愛を知ったことが分かる。生涯を通じて、もっともすばらしい愛を知ったのである。彼にとっては生涯を通じてもっとももすばらしい出来事だったと言えるかもしれない。

甲虫一匹といえども、そのときの彼にとっては宝だった。真っ白な服を着た少女も、明日には甲虫を忘れるかもしれない。しかし、もしそうであっても、貴重な甲虫を与えた彼のおこないは少しも無駄にならない。宝物を無償で提供するという美徳は彼の心の奥底から湧き出たものであり、少女との出会いを通して、彼は〈今まで知らなかった自分〉を知った。成長した新しい自分が生まれた実感を、彼は得たのだった。

愛着の絆を断って得た自由

『なぜ、自分は甲虫を彼女に見せたのか……』。そうすることは決して義務ではなかった。理由などない。少女はただ、甲虫をほしいと思っただけである。もちろん、少年が少女以上に甲虫を欲していたことは確かであるが。泣き顔に微笑《ほほえ》みという花を咲かせたかったのかもしれない。少し大袈裟《おおげさ》に言うなら、幸福を与えたかったのかもしれない。二度と会えない少女であるにしろ、一時の悲しみであったにしろ、少年は少女の涙を見るに忍びなかった。ぜひとも少女に微笑みを与えなければならなかった。少女は甲虫を手に入れて微笑んだが、お礼は云わなかった。少年の方でも、お礼を期待してはいなかった。少女が喜んだだけで十分だった。少年は社交辞令の世界とは無縁であったから、「ありがとう」の一言も期待していなかった。少女が喜んだだけで十分だった。見知らぬ手から手に甲虫が移ればそれだけで十分なのである。その小さな行為によって、宝は生きる。

少年は、逃げ去るように現場から去った。惜しい気持ちはあった、せっかく手に入れた甲虫であったから。甲虫を採集して自分のものにしたという実感を味わう暇もなく少女の手に移ったから。しかし彼は、そのような〝愛着の絆〟を断つことによって、一種の〈新しい自由〉を味わった。〝甲虫の専門家〟――いわば〝甲虫の奴隷〟となることから解放された、という実感が彼を包む。「捕獲する者」から「贈与する当事者」となったのである。『自分はそんな主人公の身分を得た！』という実感の裏に、〈自由を獲得するには秘蔵の宝を手放さなければならない〉という気づきがあった。少年はそのことを嬉しく思い、あのとき自分の内にあったる不思議な力に、あらためて驚く。少女に喜びを与えたことは「私欲を超える力」「幸せを造り出す力」を惜しみなく発揮した少年の行為の結果に違いなかった。少年はまさしく、「幸福の創造者」だったのである。少女の顔に微笑みの花が咲いたのは、甲虫を手放すことによって束縛から逃がれることに成功した少年の力である。少年の喜びがひしひしと押し迫ってくるエピソードではないか。そういえば、福音書もこう言っている、「受けるより、与える方が幸いである」（使徒言行録20章35節）。

【自然に託す寓意②】

ある蝶の生涯4場面

門限破りの代償

ある日、さなぎから蝶《ちょう》が1匹飛び出した。やっと一人前になった。若さ溢れる蝶であった。彼は青空の下で、その新しい力を存分に揮《ふる》って、多色の翼を広げたり閉じたりした。裏も表も陽の光を受けてきらきら輝いている。花たちは、蝶の健気《けなげ》な飛び方と鮮かな衣に打たれ、彼が自分の芯《しん》にやってくることを密かに待ち望んだ。蝶は無邪気に、青空の下をひらひら飛び回っていた。実のところ蝶は、日の暮れる頃までには、自分の住処《すみか》に帰るべきだった。蝶家の門限は厳しいのだから。ところが彼は喜びのあまり帰るのを忘れ、あちこち遊び続けた。ふと、ランプの光が彼を招いているのに蝶は気づいた。

最も美しい花

そもそも、蝶はみな花を探している。昔からそう思われている。彼もそんな蝶の端くれだから花を探すのは当然であるが、不幸にも、彼はランプを花と見違え、花の魅力に惹かれるようにランプの光に近づいたのである。その光を〝最も美しい花〟と思ったのだろう。危険を感じるふうもなく、近づいたり遠ざかったりして、ランプのまわりを飛び回る。翼が灯に触れようとしては危うく羽ばたきして遠ざかる。蝶は自分の動きに自信を得たのか、何度目かには、まっしぐらにランプめがけて飛び込もうと試み、次の瞬間、ひどい痛みを感じた。目が抉《えぐ》られるような、翼が剥《は》ぎとられるような、火傷の痛みが全身を貫いた。

老蝶と朝顔

蝶は死ななかった。翌日、身体中の火傷を調べると、片目は見えなくなり、顔は醜《みにく》く引きつっていた。昨日きらきらと輝いていたあの多色の翼は、もう老蝶のしわだらけの肌に過ぎなくなっている。蝶は一日、泣き続けた。しかし、蝶は花を探す作業から逃れられない。とはいえ、そんな醜い顔と老けた翼の蝶では、もはや花に望まれることなど到底覚束《おぼつか》ない。自分でも、「最高の一輪」を探し出す気力はなくなっていた。『どういう花でも構わない』と蝶は考え、翌朝早く、最初に出会った花の芯めがけて飛び込んだ。

成り行き任せ

蝶を受け入れた花は、朝顔であった。自業自得で負傷した蝶を受け入れるのも不愉快であったし、自分が選ばれたのでなく、ただ偶然の出会いで蝶が飛び込んできたにすぎないことが分かると、朝顔はますます蝶を疎《うと》ましく思った。が、花は花で、蝶を受け入れることが習い性になっているので、嫌々《いやいや》ながらどうにか蝶をもてなした。

疲れた蝶が朝顔の中でまだ眠ったまま、夜が明け、日が昇っていく。刻二刻、朝顔の花びらは蝶を覆い始め、ついに彼を花びらの中に閉じ込めてしまう。まだ隙間のあるうちに朝顔が蝶を起こして活路を拓いてやることもできなくはなかったろう。が、彼女は成り行きに任せた。昼にならないうちに、朝顔の花びらは蝶をすっぽりと包んでしまった。

右の寓話の、蝶が誰を指し、花が誰を指すか――　その推察はあなたに任せよう。あなたの推察は多分、正鵠を射ている。

【講　演】

21世紀「精神世界」の展望――日本と海外の比較において

――新都心ロータリークラブでの講演

【編者註】ネラン塾長は2000年のある日、東京・新宿の「新都心ロータリークラブ」に招かれ、次の講演を行った。

ネランさんが塾を閉じで約20年、元塾生らを含むサラリーマンと語り合うため、同クラブ事務所に近い歌舞伎町で宣教スナックを開いたことが多くのメディアに取り上げられ、ロータリークラブの中にも複数の常連客が誕生したことが縁となって同クラブの集会に招かれ、この講演となったものだ。

正確に言えばネラン元・塾長と表現するべきだろうが、ネランさんの生き方と日本観、さらには行間に溢れる人柄の一端を若い世代に紹介したいと考え、講演の概要をここに収載させていただく。


【自己紹介】

私は、あくまでも宣教師。すなわちキリストを知らない人に、キリストを宣べ伝える者です。初めは学生に、今はスナック「エポペ」でサラリーマンを主とする社会人に。趣味は読書。文学が好きです。健康に恵まれた大酒飲み！

精神世界（＝宗教）が直面する課題

宗教とReligion

日本語の「宗教」が意味するところは、西洋のReligionの意味合いとはかなり違うようです。この違いはいつも、日本人の考え方を混乱させます。Religionであるキリスト教を〝宗教〟というカテゴリーに入れるべきか否かが問題になるのです。

世界中には、さまざまな異なった宗教があります。最近発達の目覚ましい〈豊富で迅速な情報の伝達手段〉によって、その事実が知れわたるようになり、それぞれの宗教の特徴も明らかになってきました。したがってその宗教の信者にとって、「自分の宗教は相対的な価値しかもたない」という発見は、致命的ともいえる打撃になっています。

同時に、「人間尊重」を中心とするヒューマニズムが活発になり、全世界が共有する道徳律となりつつあります。こうした新しい人生観、ないし世界観は、既成の宗教を博物館へ追いやりかねません。

他方、もしも宗教がReligionの示唆するとおり〈超越性への憧れの表現〉だとすれば、宗教の存在理由は揺るがないものとなります。

日本においても、「無常の世界を超える道」への希求は、生き甲斐を求めることであり、それを与えるのは宗教（繰り返しますが、ここで言う「宗教」はReligionのことです）の他にありません。なぜなら、科学も経済も「人は何のために生きるか」との問いに答えませんから。そうは言っても、「宗教とは何であるか」を定義することは案外難しいものです。もちろん、この席でそれを試みるつもりはありません（笑）。

一つだけ指摘すれば、前述したように「宗教」という言葉が、Religionと日本語の「宗教」ではかなり違うという点に尽きます。Religionは主に〈一人ひとりの、絶対者との向き合い方〉、言い換えれば「各人の信仰」を指すものです。一方、私が知る限り日本語の「宗教」は、主に「現世御利益」と「ありがたい儀式」を指しているようです。その違いを示す面白い話をご紹介しましょう。

アーノルド・トインビーという有名な歴史家が日本に来たことがあります。その時、彼の通訳をしたのは1人の大学生でした。ある日トインビーが学生に、「貴方の宗教は何ですか」と尋ねました。学生は「僕の家では、どこかに寺があるはずです」と答えました。トインビーは言葉が通じていないのだと思い、再度同じ質問をしました。学生も同じく、「僕の家には、何処かに墓があります」と答えました。そこでトインビーは質問を変え、「君自身は何を信じていますか」と訊いてみました。学生は「僕は無神論者です」と答えたのでした。

この対話でお分かりのように、トインビーは「Religion＝信仰」として尋ねたのですが、学生は「宗教」と理解して答え、墓の有無を答えていたわけです。

多くの日本人は葬儀のために寺に行き、結婚のために神社に行きます。日本人にとっては少しもおかしくない行為ですが、西洋人の目には〝二つのReligion〟――すなわち二つの信仰――を同時に持つものと映り、理解に苦しむことになるのです。

今、Religionと宗教の違いについてこれ以上深く検討するつもりはありません。ただ、これから「宗教」という言葉を使いますが、それは私が『広い意味でReligionを含む』と考えていることをご理解いただきたいと思います。

宗教を揺さぶる「グローバリゼーション」の大波

現在、世界中には独自の教義をもち、それぞれの風習や儀式を伴った、さまざまな宗教があります。そして今まで、それぞれの宗教は自分の殻《から》――タコ壺と言うべきでしょうか――に閉じ籠《こも》り、他の宗教を無視していました。

ところが近年、彼らを取り巻く環境に新しい現象が起こりました。グローバリゼーションの波が押し寄せてきたのです。すなわち、全世界が一つの村のようになっており、情報の交換や思想の交流が、ものすごいスピードで行われるようになってきました。そのグローバリゼーションは宗教にも影響しています。まず、一つの宗教の信者は他の宗教があることを知り、別の教えを知ることになりました。それまで『自分の宗教が唯一で絶対的な道だ』と思っていた人々でさえ、今日では異なった宗教と比較することができます。その気づきは当然、持っていた自分の確信をぐらつかせることになります。

多様な宗教に目を向け関心を持った人は、「自分に合う宗教」を選ぶ自由を享受しています。現代人は、他の自由と同様、信仰の自由をますます欲しがるようになっています。

信仰の自由を手にしたい人にとって、増す必要なのは政治と宗教が互いに干渉し合わないこと、すなわち「政教分離」でしょう。皆さんは「政教分離など当たり前だ」と思われるでしょうが、実際に政教分離を完全な形で守っている国はそれほど多くありません。英国では今日なお、国王が宗教組織・英国国教会の長です。アメリカでは就任式に臨む大統領が聖書に手をかけて誓うことになっています。もし新大統領がイスラム教だったらどうなるのでしょうか。政教分離を最も強く否定するのがイスラム教の国々です。しかし現実にはアルジェリア、イランなどで、信仰の自由を要求する声が高まっています。21世紀の間に、ほとんどの国が政教分離を認めることになる、と私は観測しています。

宗教を選ぶ自由が認められている国では、息子が親の宗教を受け継ぐ義務はありません。キリスト信者の多いヨーロッパで、親の宗教を無視する子供の増加が目立ってきています。フランスで信者にふさわしい信仰生活をおくっている人は、わずか15%に過ぎません。その反面、大人になってから自発的に洗礼を受ける人の数も、年ごとに増えています。

グローバリゼーションによって、各宗教は人々の前に〝ありのままの姿〟を見せ始めています。そしてそれは、異なる宗教間の有りようを変化させています。他の宗教に対する敵愾心《てきがいしん》が消え、尊敬し合う気持ちも生まれています。今ではどの宗教も、互いに話し合うことの必要性を否定しません。

その決定的な象徴となったのが、今なお『アッシジの会合』と呼ばれて人々の記憶に残る「世界宗教者平和会議」でした。1986年、中部イタリアのアッシジの町に、10以上の異なる宗教の代表が集まって、世界平和のために一緒に祈ったのです。アッシジは、12世紀に世俗化していた中世の教会を〈あるべき姿〉に立て直した修道者、フランシスコが生まれ育ち活動した、小さな田舎の街です。その地で宗教界の代表たちが話し合っただけでなく、一緒に祈ったという点に注目しなければなりません。

アッシジの会合の後、続々と世界規模の他の会合が、各地で持たれ始めました。これからも一層日常的に、このような会合が持たれることになるでしょう。この動きが、宗教の画一化や〝唯一の宗教〟化を目指すものではなく、互いに友情を深めながら共通の祈りへ進む道であることを、高く評価したいと思います。

広がる「人間尊重」の根源にある「良心」

グローバリゼーションによって宗教が絶対性を失ったことの中には、政治的、社会的な影響力の減衰という現象もあります。その一方に新しい道徳体系が生まれ、強くなってきています。それは「人間尊重」――人間はその能力や財力の多寡にかかわらず、人間であるゆえに尊重されなければならない――という価値観です。この価値観の広がりによって、今日では奴隷制度ばかりでなく、不正な裁判、拷問、集団殺戮《ジェノサイド》、人種差別などが国際社会で禁止されています。それに違反した人や組織、国は裁判を免れず、オランダ・ハーグの国際裁判所がその機能が果たしています。ピノチェト事件、オーストリアのハイダー事件、チェチェン戦争などに対する抗議・摘発は、国際的な良心の発露です。

その良心、換言すれば道徳律こそが「人間尊重」の根源です。「人間尊重」は、罪を犯した人を裁くばかりでなく、積極的に人を助けようとする働きをも生んでいます。たくさんのＮＧＯが人々のいのちと健康を守り、教育と農業技術を普及させるため、発展途上国で努力しています。援助を必要とする国の債務帳消しを願う活動も人間尊重が生んでいるものの一つです。

ところで今日、展開されているそれらの献身的な活動の多くは、宗教に基づくものではありません。ＮＧＯのメンバーに宗教との関わりを問えば、否定する答えが少なくないでしょう。例えば、赤十字運動。この運動はキリスト教の中から生まれました。名前がそのことを示しています。

だからイスラム圏では「赤新月」と名称を変えました。赤十字は確かにキリスト教の中から生まれたものですが、現代では、その運動のどこにもキリスト教の色彩は見当たりません。キリスト教の教えである「愛」や「自己犠牲」の精神はいまや、「人間尊重」というヒューマニズムの中へ、見事に溶け込みました。

キリストの言行録と教えが記録された「福音書」の中に、「神の国」をパン種に譬《たと》えたこんな一節があります。「パン種を粉に混ぜると、全体が膨れ、そしてパン種は消えてしまう」――パン種のように人間尊重の精神を産み落とし、自らは消え去るのが宗教の使命かもしれません。

そもそも、仏教は慈悲を教え、キリスト教は愛を教えます。私には慈悲と愛を区別することはできません。いずれも隣人を大切にすることの大切さを教えています。そういった宗教の教えが「人間尊重」に変化――もしくは昇華――したと言えるでしょう。それはとてもありがたいことです。

最近、障害者の施設が以前に比べて、驚くほど増えました。乙武さんによれば「まだ十分でなく、足りない」ようですが、私の見るところ、その傾向はすばらしい進展ぶりを示していると言っていいでしょう。これもまた、「人間尊重」の結果に違いありません。

何が「人間尊重」の思潮を産むのか

ここまで私の話をお聴きくださった方の中に、『宗教の役割は終わって、人間尊重というヒューマニズムが、宗教を博物館に追いやることになるかな』という印象を受けられた向きがあるかも知れません。しかし、それは宗教の一面に過ぎないのです。

「人間尊重」をより深く考えようとすれば、まず「人間尊重という考え方の基礎は何か」「なぜ人を大切にしなければならないか」という問いが自然に出てきます。「いのち短し、恋せよ乙女」という歌い出しの有名な歌があるように、人の一生は束の間に過ぎません。また、死んだ人のことはすぐ忘れ去られます。『そんなはずはない』とお思いの方に質問します。「貴方の４人の曾祖伯父、曾祖伯母が亡くなっているとして、その名前を言うことができますか」。完璧に答えられる人はめったにいません。

そもそも、「人間とは何か」という問いに「人間は無常の存在である」と答える認識の持ち主は、仏教徒だけではなく、全世界の文学によく出てくるテーマでもあります。言ってみれば世界中の人々が人間を〝無常の存在〟と捉えているわけです。ではなぜ、〝無常の人〟を大切にしなければならないのでしょうか。その答えは、〈人間の中には、この世を超える要素がある〉という確信しかありません。

科学的に考えれば時間と空間という次元に置かれている人間ですが、その人間の中に時間と空間を超える超越性が潜んでいるという確信があるわけです。そしてこの確信こそ、人間尊重の基礎です。さらに言えばこの確信こそが宗教の本質なのです。

宗教のもたらす「信仰」という側面は「人間尊重」の後ろに隠れているとしても、宗教はヒューマニズムの源泉であり、その源泉の水を飲まなければヒューマニズムは枯れてしまうと私は思います。

いま申し上げたように、「超越性」の確信とそれへの憧れが宗教の本質です。ご存じのとおり、宗教には団体を司る組織があり、守るべき規則があり、また儀式があります。しかしそれらのことは、宗教の外見に過ぎません。宗教の核心は「超越性への希望を育てる」に尽きます。

「真の生き甲斐」は「死に甲斐」でもある

ところで、超越性を確信するに至る道は、西洋と東洋で異なります。私はフランス人なので、まず西洋人の見方について一言申し上げます。西洋人はあくまで「存在」というカテゴリーを基礎に考えるので、超越性への道は「超越性そのものが存在するかどうか」から問い始めます。目に見えない世界があるかどうか、あるいはあり得るかどうか――が議論されるのです。

この点についてプラトンの「洞窟の比喩」は、西洋の思想の流れに大いに影響しました。その比喩を現代に置き換えてみると次のようになります。人が映画館にいて、縛られ、椅子に座っているとしましょう。その人はスクリーンの映像を見るしかできません。だから『スクリーンの映像は本当に存在する』と思ってしまいます。しかし実際には、それは影にすぎないのです。

プラトンの比喩を敷衍すると、〈人間は目に見える世界が本当に存在すると思っているが、それは影にすぎない〉ということになります。プラトンは「目に見えないものこそ本当に存在する」ことを教えようとしているのです。

「目に見えないものこそ存在する」という断言は、日本人にとって〝パラドックス〟〝ナンセンス〟と考えられるかもしれませんが、西洋人にとって、このプラトンの比喩は哲学の出発点となりました。

私の理解によれば、日本人の認識の仕方は、そのようなアプローチとはかなり違います。日本人は、具体的な生活レベルから出発して考えたいと思っているようです。日常の暮らしの中でどういう行動を取るかが、絶えず〝内なる問題〟として存在しています。

もちろん、仕事や家庭、趣味の分野にはそれぞれ共有すべきルールがあるのですから、それに従うべきでしょう。しかし日常生活を通して、あるいは日常生活を超えて「自分が何のために生きるか」という〝内なる質問〟がたびたび顔を出します。つまり、日本人は生き甲斐を求めているのです。そして生き甲斐を求めることが、日本人が持っている「超越性への希望」の現われだと私は思います。

金、出世、快楽などが真の生き甲斐にならないのは明らかです。真の生き甲斐があれば、日本人であれ西洋人であれ、それに全身全霊を打ち込むことになり、いのちをかけることになります。結局、真の生き甲斐は「死に甲斐」でもあるわけです。そして、真の生き甲斐をもたらすのは宗教以外にありません。

この点について、二、三の作家の言葉を引用したいと思います。その一人、梅原猛はこう書きました。「人間が生きるためには、希望が必要である。希望が時には幻想が、人間に生きる勇気を与えてきた。私は宗教というものは、多くは人間と云うものに、生きる勇気を与える。希望あるいは幻想の生産者として、人間の生活に有効であったと思う」。繰り返します、「人間が生きるためには、希望が必要である。宗教は生きる勇気を与える」と書いています。

もう一人、伊藤整は『チャタレイ夫人の恋人』についてこう書きました。「恋愛は宗教に勝った形となるが、実際は理想でしかあり得ないのであれば、やはり人間に宗教は必要なのではないか」。そのとおり！　真の愛をもたらすのは宗教のみであります。

さらに、真の生き甲斐を問い続けた作家として、遠藤周作の作品群があります。彼の人気が絶大だったのは、自分の信仰であるキリスト教を述べたからではなく、読者に「なんのために生きるか」を考えさせたからです。そのメッセージは人々を感動させました。遠藤はその作品の中に「生き甲斐」という言葉をほとんど使いませんでしたが、日本人読者にとって分かりやすい別の言葉で、主人公を通して、真の生き甲斐の在り処《ありか》へと招き続けていたのです。

最後に、皆さまの専門分野である全世界の経済を一瞥《いちべつ》したいと思います。日本は平和の中で繁栄を享受していますが、世界の実状に目を瞑《つむ》るわけにはいきません。ご存じのとおり全世界の人々の間を隔てる貧富の差には恐ろしいものがあります。しかもその差は年ごとに大きくなっています。

数字を挙げてみましょう。世界人口の中で高収入を得ている20％の層と、低収入に喘《あえ》ぐ20％の層とを比べると、１９６０年には高収入層は低収入層の30倍の収入を得ていましたが、現在は82倍になっています。また現在、全世界で8億人が栄養失調に苦しんでいます。こうした貧富の酷《ひど》い差を許すことは人間尊重の理念に反すると言わなければなりません。人々の間の経済格差をなくし、共に平等に生きる道を拓《ひら》くためには、利益追求の他に新しい経済目標を立ててそれを政策に反映させ、実行しなければなりません。これを実現させるための原動力は、「人間尊重という名のヒューマニズム」、あるいはどんな人をもかけがえのない存在として大切にする宗教以外にないでしょう。この席で敢えて申し上げますが、社会の各分野で牽引力《けんいんりょく》となっておられる皆さまには、その力に応じて貧しくされている人、見捨てられている人を助ける義務がある、と私は思っているのです。ご清聴、有難うございました。

出世と人生

「悔いなき人生」を考える

出世や栄達は、最終目標になり得るか

われわれは誰しも、立派な人生を送りたいと思っている。それでは「立派な人生」とは、どんな生涯への評価だろうか。しこたま金儲けに精を出し、財貨を残すことか？　社会的地位を得て名声を残すことか？

「少なくとも、悔いのない人生でありたい」と謙遜に言う貴君に問う、「悔いなき人生」とは何か。自他ともに満足するほどの出世を勝ち取ること？　出世は貴君の人生の最終目標になり得るか。

以下に、世界的視野に依ってみた場合の、いくつかの事例を挙げる。それぞれのケースについて、貴君の意見を端的に書きなさい。

一　シュバイツァーは本当に立派な人であったと言えるか。言えるとすれば、それはなぜか。偉

大な哲学者であり、音楽家であり、医者であったからか。それとも他に、彼を評価する尺度を貴君は持っているか。こういう見方もあるだろう、「彼は本当に立派な人とは言えない。彼の偉大さは〝宣伝〟によるところが大きい。真に偉大な人は、むしろ目につかないところにいる」。貴君はどちらの見方に与《くみ》するか。

二「理想の女性」と言う場合、どういうイメージが浮かぶか。ブロマイドになるようなスター？　春物の和服を着た娘さん？　子どもの弁当を作っている若い母親？　野戦病院の看護師？　眼鏡をかけた女医？　寝ずに看病するおふくろさん？　聖歌を歌う修道女の群れ？　しっかり者の女性社長？　雄弁な女性弁護士？　それとも……

三　アイガー北壁を征服しようとして遭難した登山家、太平洋を独りで渡ろうとして波に呑まれた冒険家、自分の信仰のために殉教した人――　つまり、命を懸けた人こそが「悔いなき人生」を送った、と言えるか。

四　ゴッホは惨めな生活を送った。病気と闘いながら、絵を描いた。今でこそ、その絵画は傑作と認められているが、ゴッホが生きている間、彼の作品を顧みる人はおらず、一点も売れなかった。ゴッホの人生は「悔いなき人生」と言えるか。

さまざまな生き方をどう評価する？

貴君の身近にも、次のような人がいるかもしれない。例えば、——

▼A氏は現在27歳。大企業重役の息子であり、東大を出て銀行に勤めている。学生時代には恋愛の経験もあったが、現在のところ恋人はおらず、本人はスポーツカーを買うことに気を取られている。ところがその母親は、うるさく見合いを勧める。彼にとって結婚などおよそ魅力がないにもかかわらず、周りは見合い結婚の段取りに余念がないのだ。

▼B君は小さいときから海に惹かれ、いくつか模型の船を作った。彼は大きな夢を見ている。一人で太平洋を渡るという大望を抱いていたのである。20歳になったとき、やっと適当な船が手に入った。勇躍、出帆したが、そのまま行方不明となった。
▼C子さんは22歳のOL。3ヵ月前、一人の社員と交際し、肉体関係まで持った。しかし間もなく、捨てられてしまった。それ以来、人を信用できなくなり、絶望をかこつている。
▼D氏は貧乏な家庭に生まれ、高等小学校へも行けなかった。いろいろ苦労を重ねた。ボーイを振り出しに転々と職を変え、ついに製靴工場の社長になった。海外旅行をしたり、政治に手を出したりもした。結婚、離婚、再婚の経験もあるが、子どもはいない。そして脳溢血のため、妾宅で58年にわたる波乱の生涯を閉じた。
▼E子さんは女子大を卒業後、山谷を定期的に訪れ、生活困窮者の食事炊き出しや仕事のあっせんを行うボランティアの一人として尽力したが、結核に罹り、25歳で死んだ。
▼F氏は画家であった。気難しい人で、家族や友人と喧嘩が絶えず日常生活は惨めだった。一所懸命に絵を描いていたが売れず、作品はあばら家に山積みだった。しかし死後、彼の才能は画壇に評価され、世界中に名の知れ渡る画家として、普及の名声を残した。

さて、ここで次の問いに応え、貴君の意見を述べなさい。

▽A氏は、どうすべきか。

▽B君の生涯は悔いのないものか。

▽C子さんに、これから生きていく道を教えなさい。

▽D氏の生涯は「立派」と言えるか。

▽E子さんの生涯は模範となるべきものか。

▽F氏のような「死後の出世」に、貴君は満足できるか。

■塾長からのアドバイス

キリスト信者の労働観

カネの奴隷になることは禁じられている

ここで与えられているテーマ「出世と人生」は、形を変えた「労働観」への問いである。それについて、キリスト信者ならこう考える。

まず、キリストと共に生きるのが信者唯一の道である。自分の労働とイエスの業との一致はその実現である。イエスの業は「父なる神の使命を果たすこと」、すなわち神の国を建てることである。信者はキリストと共に神の国を建てている。イエスは金を呪《のろ》い、金に仕えることを禁じている。信者も利害関係優先の社会を否定する。身過ぎ世過ぎをするには、いかにも苦しい立場である。

だが同時に、イエスは普遍的な愛を教える。したがって信者の労働は全社会、全人類の世話をすることである。イエスは人間を解放する。信者の労働も、人に自由を与えるためのものである。

イエスはパリサイ人の〝見かけの徳〟と戦った。結果、イエスは「祖国を裏切る者」とか「反逆者」という烙印を押された。信者も、常にはびこるパリサイ主義と戦わなければならない。結果、信者もイエスと同様の汚名を着せられるだろう。

イエスの弟子の間にも、〝一番弟子争い〟があった。身の回りを見渡して見よ、組合活動を〝出世の道〟と位置付ける手合いもいるではないか。イエスは疲れて水を乞う。信者も疲れる。働く仲間のくれる水もおいしいが、すぐにまた喉が渇く。

パンを配るイエスは人気を集めるが、愛を教えるイエスは人気がない。パンは愛のしるしである。しかし人間は、パンだけでは生きられない。信者は愛の印として、労働を止めない。隣にあるのは棄てられたイエス、裏切られたイエス、失敗したイエスの姿である。ともすれば信者は孤独感に襲われ、敗北感を味わう。「自分は結局、主人にまさるものではない」という挫折感——

イエスと共にタボル山に登れば、キリストの支配の実際を眺めることができる。十字架の影は世界の果てまで及んでいるのである。現在人類が持つすべての価値観に、そしてすべての進歩の奥に、キリストの精神がある。「私がこの地から上げられる時には、みなを私のところへ引き寄せる」というイエスの言葉どおりになっているのだ。イエスが御父の右の座に就いて人間を招き寄せられるその時まで、信者は責任を持って、キリストの業を成し遂げるために労働し、創造者の喜びに与《あずか》る。「私はすでに、世に勝っている」とイエスは言う。信者も勝利者である。

人間と労働は切り離せない

右に示した意識を持つにせよ持たないにせよ、人間は労働するものである。労働しない人は稀であるし、しかもそんな人でも、労働に相当する何らかの業を行っている。このように、労働が人間と離れ得ないものだとすれば、「労働」と「人間」との間はどのような関係なのか。労働は人間にとって「任務」か、「運命」か、それとも「使命」なのか。あるいは「無罪の人間に課された刑罰」であろうか。それとも、人間には食欲や性欲と並んで、本来的に「労働欲」があるのだろうか。

前項で「労働とは社会に貢献することだ」と言った。すなわち、社会的動物である人間は、社会のために働き、「力を合わせてより良い世界を築き上げよう」という意識に突き動かされる存在である。その見方に従えば、労働は常に喜びを伴い、苦があるとしても、それは〝陣痛〟に類するものである。換言すれば、「労働は創造の一種である」ということになる。

だが果たして、労働は創造であろうか。創造に伴う喜びは、労働にも常に伴うか。また、創造の必須条件は「自由」であるが、労働においても「自由」は欠くべからざるものであろうか。現実を見れば、労働者自身に「創造」という意識はない。労働はむしろ、自由のない世界における人間の苦しみを彷彿《ほうふつ》させるものではないか。

聖書の中にも、労働の賛美はない。労働は、「創造」よりは「贖《あがな》い」と見られている（創世記3－19）。また、キリストの業は十字架で完成するが、それこそ贖いの業である。贖いとは、まず「苦」を指し、そして、他人のためにという「犠牲心」を含む。キリスト信者である労働者は、労働を意味づけるために、キリストの十字架、すなわち贖いと結びつける。

また人間は、労働賃金を得ることによって私生活を維持する。私生活には自由があり、生き甲斐がある。若いサラリーマンは「家を建てる」という夢を見ているが、それは明らかに〈創造的な方向〉を向いているのである。実際、家庭を築き、子供を産むことより創造的な業は少ない。

それを実現するために、人間は会社で働く。土曜日・日曜日を休むために、1週間働くようなものである。したがって、会社と家庭とはしばしば対立するように見える。会社における労働は、家庭における喜びの時間を短縮したり、私生活に向けるべきエネルギーを消耗させたりする。また、家庭を活かす金をふやすためには、身を削っても会社が命じる残業に精を出さなければならないことになる。

社会に貢献する義務があるとすれば、その義務のために自分の自由を、ひいては自らの人生を犠牲にすべきだろうか。あるいは、家庭のために会社を利用すべきだろうか。「会社」と「家庭」という二方向に、労働者は引き裂かれている。その二つの方向は、常に対立し合っている、と言っていいのであろうか。

労働と家庭が、共に補って実現すべき「価値の共有」

会社と家庭との間における緊張関係をほぐすために、両者のうちどちらかをなくす方法はないだろうか。家庭がなければ会社の仕事に没頭できる。実際、船員とかスパイとか、あるいは神父とかいう職業のように、多少とも家庭を犠牲にしなければならない例もあるが、それはあくまで例外である。

逆に、無職で家事に没頭する女性は多かろう。いわば、家庭内融和の司令塔として存在する専業主婦のことである。そしてそれが、現代社会が持つ女性像『自立して、社会に奉仕する女性』とは少々ニュアンスを異にすることを、認めないわけにはいかない。

そういった極端な例は差し置き、現にある会社と家庭との緊張において、「会社へ」という方向と「家庭へ」という方向とは相反する――つまり反比例的に結ばれている――という考えの誤りを指摘しておきたい。

まず、会社の方から考えてみよう。会社は社会において一つの役割を果たしている。そして、その存在理由もそこにある。社員は当然社会人であり、そのほとんどは家庭を持っている。会社は従業員を個人として雇っていても、彼らを〈家庭を持つ社会人〉として見なければならない。実質的な雇い人を〝独立事業者〟扱いにする会社は、それだけで自らの社会的使命を捨て、社会の寄生虫と堕すことになるのである。だから、土木工事の臨時工や、結婚即免職につながる若い女性従業員などの実例の中には、個別の人権侵害にとどまらず「社会を裏切る事例」と指弾されるものもある。

さらに、会社に求められる最も重要な課題は「適材適所」という社員活用法であろう。適材とは、その人の労働力に限らずその責任感、その人生観にも関わる適性の保持者、換言すれば、家庭を持つ円満な社会人としての〝練度〟を見分けることが、会社側に要求されるのである。それは、古くさい家族主義を会社に押し付けるものではなく、被雇用者を単に労働力と看做《みな》すのでなく、一人の完成された社会人として扱わなければならないということだ。いまや、そのことを無視しようとしても無視し通せるものではない。このような人事問題は、経営者の悩みの種となりがちであるが、その悩みは逆に、貴重な覚醒剤ともなり得る。

一方、家庭の方から考えてみれば、外で労働をすることが家庭にとって大きなプラスになることは明らかである。近代文学が十分に語っているように、ともすれば家庭はエゴイズムの塊《かたまり》となり、閉鎖社会になりがちだ。窒息を避ける最良の道は、会社で働くことである。

一例を挙げよう。「親はすべて教育者である」と言われるが、子供を社会人に育て上げるためにはまず、自分自身が社会人として行動すべきである。息子は、自分の職業に喜んで従事する父親を尊敬するし、仕事上の成功は、家庭教育の良い実例となる。、会社における労働は、健全な家庭づくりに欠かせないのである。

とはいえ、やはり緊張は残る。実力行使を伴う労使間交渉に危険を賭す労組の執行委員の中には、事態の成り行き次第で家庭の安定が危うくなる事例もある。夫は社会運動のため覚悟して身を削っているにしても、妻は家庭の将来を不安視している……　その解決策はもちろん、夫の活動について家族の承諾と協力を得ることであるが、それは容易なことではないだろう。そこで基本的な解決法としては、「会社へ」と「家庭へ」という方向性を、180度反対の方向へではなく、むしろ、互いに補い合うべきものとして、同じ方向へ向けることである。家庭的な面が会社の社会的使命を全うさせ、会社への参加は、家庭に真のヒューマニズムを開く――　そのような協調の実現だけが、労働にも家庭にも真の価値を与え得るのである。

若いサラリーマンの反省――自分はこういう態度をとっていないか

【編者註】ネラン塾で春秋を過ごした塾出身者の多くは、学生生活を終えた後もしばしば塾を訪れ、塾長や後輩塾生らとの談論を楽しんだ。

その中で、実社会に出て間もない元塾生が漏らす本音を塾長は聴き洩らさず、気になった事項はメモしていたようだ。

本項テーマに関係があると思われるので、ネラン塾OB・OG向けに発行されていた『塾生OB通信』に塾長が寄せた〝元塾生の本音〟を、ここに採録させていただく。一読されればお分かりのように、メモは直截的で項目別になっているので、原文をそのまま生かすこととした。

1　**金**

○職場を、その給料の金額によって評価する。自分の給料が安ければ恥ずかしい。高ければ自慢だ。
○自分の会社の守衛がいくらもらっているかも知らない。
○貯金するかどうか、まだ決めていない。

2　**仕事への取り組み**

○自分の会社の作る物は役に立つか、同じことをやる会社とどういう関係にあるか、その国際市場はどうかについて、全然知らない。
○会社における自分の存在の意味など考えてもみない。
○出勤するのは金のためのみ。
○出世第一主義を自認している

3　**労働組合**

○組合は自分の役に立たないから参加しない。
○自分のところの組合はだめだから参加しない。
○組合がないが、それでもいい。どうせ……

○若いから何もできない、という口実の下に、活動をさぼっている。

4　仕事の場

○部長は無能、係長はバカ、先輩はいくじなしだとすぐわかった、という傲慢に浸っている。
○私には判断する職権がない。言われたとおりにやる。それが一番無難だから。
○業務に関し不正を知ったが気にしない。そのうち慣れるさ。社会は不正だらけだ。仕方がない。
○アレはね、私の責任じゃないよ。
○残業がなければ食っていけない。だから残業が必要なようにもっていく。
○皆があの規則を守らないから、おれも守らない。
○会社は従業員との約束を守らないが、仕方がない。コトを荒立てて睨まれたくないので諦める。

5　同僚

○仕事以外では同僚と関係はないし、関係を持つ気もない。
○誘われれば、バーやマージャンなどで長い時間を潰《つぶ》している。
○あの女子社員が髪型を変えたことには気づいたが、彼女の心の中については何も知らない。

6　教養

○就職してから、まとまった本を読んでいない。読むのは週刊誌とＳＮＳくらい。
○日本の経済については、自分の会社の分野さえ、何も知らない。

○真剣に口にすれば変人扱いされるから、国際情勢にも国連改革にも無関心である。
○教育制度、憲法九条、組合活動、後進国対策などを考えず、個人としての意見は皆無。

7　信仰

○自分の信仰を隠している。
○キリスト教に関する話題を避ける。
○入社後一度、神の存在について議論したから、それで満足している。
○まるで自分は教会のメンバーではないかのように「カトリックは云々」という言い方をする。
○小教区の活動に参加していない。
○自分のことを含め、すべてに関して理想と現実の間にある緊張を認めず、理想としない活動には参加しない。自分の思う通りにいかなければ、すぐ諦《あきら》める。

暗礁の中にある航路

――「仕事」が持つ実用的価値と超越的価値

社会の荒波に呑まれて

信者であろうと、なかろうと、塾の卒業生は一種の人生観を持っている。キリストに生きているにせよ、ヒューマニズムに立脚しているにせよ、ＯＢ会員は生き甲斐を感じており、その心構えを持って社会に飛び込んだのである。そして、多かれ少なかれ、その人生観と社会の実生活との矛盾を感じてきた。新しい仕事を身につける際の過労、正しいと思われないやり方を迫られることへの嫌悪、さらには限りない繰り返しによる厭世感などがＯＢを襲ってくる。自分の信念を活かす道はなくなったのだろうか。社会に呑まれて、その歯車にならざるを得ないのか。否応なしに、何でもいい加減にすませる必然性があるのか――　塾ＯＢの若い社員もまた、自分の生きる理由と寮生活の間で股裂《またさ》きに遭《あ》っているようである。

仕事は生き甲斐になり得ない

それを解決するのは容易なことではないだろう。が、まず一つの錯覚を追い払わなければならない。それは〝職業即生き甲斐〟という考え方である。仕事は決して生き甲斐そのものにはなりえない。人間は本質的に「絶対的な者」を求めているので、有限な現実には満足できない。どういう仕事でも、生き甲斐を具現し尽くすことはできない。たとえ充実感を得たとしても、それは束の間の錯覚。生き甲斐と見える仕事は蜃気楼に過ぎない。

第二に、二重生活は許されない。自分の信仰は飾りでなく、趣味でもない。信仰は仕事の場においても自分を活かすものである。仕事の場は、信仰を培う沃土《よくど》である。現実逃避は信仰を枯らす。

仕事という場において信仰を括かすこと、また仕事から糧を採掘することは難しいに違いないが、「仕事への没頭」と「現実逃避」という二つの暗礁の間に、進むべき航路がある、と我々は信じている。

現代人は〝明日のより幸福な世界〟を切に望み、そのために努力している。それは現代人の共通の信念であって、我々もそれを肯定する。しかし、キリスト信者にとって、その「より良き世界」を作ることとは、「神の国を建てる」ことにほかならない。まあ〝神の国を建てる〟というのは言い過ぎかもしれない。むしろ「神の国を到来させる」、あるいは「神の国を積極的に準備する」と言った方がいいだろう。

神の国を普請する

ともかく、人間の仕事には意味がある。その意味は実用価値ばかりではなく、超越的な価値をも含む。例えば家を建てるのは、休息の場を設けるというよりは、炉に団欒を照らす聖火を点《とも》し、永遠の幸せを目指して生きる人間の住み家を備えることである。人間は路傍の砂利をとこしえの黄金に変える錬金術師である。創造主の片腕である人間が、無常の素材に永遠の作品を彫る。

しかし、この創造は「苦しい分娩」でもある。人間の仕事は陣痛である。その痛みは誰もが知っている。しかし信者は、「喜びであるるキリスト」を考えるとき、「十字架上で苦しむキリスト」

をも忘れはしない。人間の営みは、キリストの業に参加することであって、その苦しみにも、その喜びにも与《あずか》ることである。

以上は、あまりにも簡潔であり、あまりにも抽象的に過ぎる表現だが、要するにこういうことである。「自らの一挙一投足が、神の国の普請である」という認識を持ち続けること、それがネラン塾に学んだ者の課題なのである。

民主主義と平等

民主主義の過去・現在・未来

多数者が常に正当か

日本国民は政治的な統治理念として「民主主義」を選択している。太平洋戦争に敗れた後、占領軍によって押し付けられたものであったにせよ、その理念は、戦後いくたびかの試行錯誤を経るなかで広範な層の国民が理解し支持するところとなって、現在に至る。

しかし我々は、人類がようやく編み出したこの政治理念の本質を、十分理解しているだろうか。以下に挙げる五項目について、貴君の考えを述べなさい。

一　民主主義の原則は、多数者の意見を、少数者の意見に優先させることである。「多数者が常に正当で、少数者が間違っている」と限らない以上、この原則は必ずしも正義に適うとは言えないのではないか。

二　主権は本来、国民にあり、政府は単に委託された機関に過ぎない——というのが、民主主義の根本であるとされている。しかしそれは、〝主義〟を離れた「絶対的真理」であるか。あるいは民主主義が勝手にそう位置づけているに過ぎないのか。民主主義の味方が正しければ、「王権制度」や「天皇制」は今も昔も誤りとなる。では、「民主主義的でない政府は、例外なく悪い」と言えるか。

三　民主主義では、選挙によって民衆の代表が決まる。代表選出選挙は、一定年齢以上の日本国籍取得者が行使する一人1票を投じて行われるが、最低年齢以下の労働者や日本在住の外国人は選挙権を与えられない。単純に得票数の多寡を競う代表選出法だけが、唯一の正しい選択肢と言えるか。

四　いかなる政府も——たとえ王政であろうとも——全国民のための政治を行わなければならない。しかしわが国の現状を見る限り、政権与党は自分たちの利益だけのために政治をするきらいがある。

政府・与党が民主主義の根幹である人権を著しく蹂躙《じゅうりん》している場合、クーデターによる政権変更は許されるか。

五　民主主義は制度としてある以前に、あくまでも「主義（イデオロギー）」として存在する。つまり一つの「社会観」であり、その根底には「人間尊重」の理念がある。民主主義の下では、人間の価値が等しく認められる。それでは、民主主義の根幹である「人間尊重」はどこからくるのか。いったい我々はなぜ、人間を尊重しなければならないのか。

「平等」の極致を求めて

多様な「平等」観へ貴君の賛否は――

「人間の平等」について、いくつかの意見を紹介する。それぞれについて、同意できるか同意しかねるか、貴君の見解を短くまとめて答えなさい。

A　人間の平等一般について

・平等はユートピアだが〝危険なユートピア〟ではない、実現不可能だから。人類が同じ背丈、同じ才能であることなどは考えられない。

・平等の幾分かはすでに実現したし、さらに進める意欲を人々は持っている。差し当たって今後は、社会における格差や階級をなくさなければならない。

・「平等」とは、彼我の間に「共通の人間性」を認める抽象的な概念であるが、実際に現われる平等はむしろ、個人差を肯定したうえで、それぞれの特徴を活かす原理である。

・平等は、現代が産んだ奇妙な信念に過ぎない。生命の維持も進歩・発展も競争によるのであるから、平等を求めるのは落伍者の弁解に過ぎない。

・国家間の不平等は今後ますます深まっていく。先進国と後進国の差は年ごとに大きくなりつつあり、それは必然的に、戦争へと人類を導く。
・歴史を観れば、キリスト教を知らない社会はすべて、不平等の上に成り立っていた。平等はキリスト教の産物である。
・然り。平等の基礎はキリストである。人はみなキリストの兄弟であり、したがって互いに兄弟だ。これが平等の基礎である。
・とはいえ歴史上のキリスト教会はブルジョア階級の味方であって、平等のために努力しなかったことは衆知のとおりである。

B　男女平等について

・学校においても会社においても、男女が平等に扱われるのは当然である。
・女性にできない仕事はない。女性を台所や洗濯場に閉じ込めてはいけない。女性自身はもちろん、男性も「女性の平等」のために大いに闘うべきである。
・女性の使命は、妻であり母であることだ。会社で働くことではない。
・現状の男女平等に満足している。
・大学における暗黙の了解事項「女性は文科系へ、男性は理科系へ」は大変結構な教育方針だ。
・産科医を別にすれば、女医はまっぴらだ。
・男性であり、女性であることは、人間のあらゆる行動に影響を及ぼす。男性には男性の役割があり、女性には女性の役割がある。それぞれを活かすことが本当の男女平等である。

C　「キリスト教の影響を受けなかった文明は、奴隷制度を容認するなど、少なくとも人間の不平等の上に築かれたものであった。**人間の平等は、キリスト教の産物である**」という命題について、貴君は肯定するか、否定するか。貴君の意見を、論拠を添えて述べなさい。

D　**具体的に存在する次の不平等**について、貴君が考える解決策を具体的に記しなさい。

①国家……先進国⇕後進国

②皮膚の色……白⇕黒⇕黄

③家庭……恵まれたそれ⇕恵まれぬそれ

④体質……健康⇕病弱

⑤頭脳……明敏⇕愚鈍

⑥容姿……端麗⇕醜悪

「人間はみな兄弟」という命題の当否

「人間の平等」についてひとわたり考察したところで、「人間はみな兄弟である」という命題について、再びいくつかの主張を紹介してみよう。次の各論に対する貴君の考えを述べなさい。

・人間同士はむしろ、互いに敵である。「生存競争＝優勝劣敗」「弱肉強食」は人間社会の法則であり、すべては利害に関係づけられる。国際問題においても、国家の利益が根本となる。

・全ての人は、人間であると認められている。人種を論じるときも人間尊重を論じ合うときも、議論の基礎には「人間性」が存在する。そこで言えるのは、「人間はみな兄弟である」というより、「兄弟にならなければならない」ということである。

・実際のところ、人間は兄弟になりつつあると言えるか。「貧富の差」「人種差別」は減っているのか。「戦争が減り、国際間の調和と協力は強化されつつある」と言えるか。結局、なぜ人間は兄弟でなければならないのか。あるいはなぜ人間は兄弟であると言えるのか。人間が兄弟でなければならないという義務、ないし事実は、どのような基礎の上に立っているのか。

・家族同胞意識は〝形を変えた排他主義〟であり、それが他者に対する敵対感情の元として常に示されてきたことを、歴史は証明している。果たして、人間がみな兄弟になるためこれを克服することは可能か。どのような方法であれば可能となり得るか。

■塾生の意見

民主主義にメスを入れる

松尾　きょうは、民主主義というものにメスを入れたいと思う。主権は本来国民に存するものだとするところに、民主主義の基本があると考えられる。しかし、この主張は、現代という時代に特有の考え方なのか、それとも、いつの世にも国家の基礎となりうるものなのだろうか。民主主義は単に一つのシステムなのか、それともあらゆる国家の原則であるのか。

梅田　君の質問の意味がよくわからない。

松尾　ではまず、君は民主主義は正しいと思うか。

梅田　正しいと思う。ただ、その実現された個々の状態は不完全であるが。

松尾　憲法で、主権が国民にあると定めているからそれは正しいのか。それとも、それが正しいから憲法でそれを認めたのか。

梅田　正しいから、憲法もそう定めるのだ。

松尾　とすれば、憲法発布以前にも民主主義は正しかったことになる。ずうっと前には、民主主義的な政府は存在しなかったわけであるが、王権制度とか天皇制とかのもとでも、民主主義は正しかったと考えるか。

梅田　そうなるだろう。

松尾　そうすれば、王権制度などのような制度は民主主義の原則に反するから、悪かったことになる。

梅田　いや、その頃は、民主主義が知られていなかったので、その当時の政治の判断の規準にはならない。ある一時代の政治制度を是非しようと思えば、その時代の規準を使わなければならない。

松尾　それなら、民主主義は現代だけの原則である。以前はそれは知られていなかったし、未来には、また新しい主義が出てくるだろうから。

梅田　僕には、民主主義が一時期だけに通用する基礎に終わるとは思えないが。

竹内　天皇制と民主主義とを共存させるために、美濃部達吉が「天皇機関説」を唱えた。そして、現在の憲法でも、天皇の地位は日本国民の総意に基づく。国民が自分の主権を国王に委任するという形をとるならば、民主主義と王権制度などが合致することもできるわけである。

松尾　君はこの説を支持するか。

竹内　僕自身は、それは屁理屈にすぎないと考える。

梅田　ここで、一つ区別をしておく必要があるのではないか。すなわち、イデオロギーとしての民主主義と制度としての民主主義とをはっきりと分けて考えたいのだ。イデオロギーは変わらぬ真理であり、それを発見したのは決定的な進歩であった。昔のことを考えれば、イデオロギーとしての民主主義は、イデオロギーとしての王権にはるかにまさる。制度としての比較はどうであろうとも、そのことは明白だ。そして、これからもそのイデオロギーの正しさは変わらない。

　ところが、具体的な制度として見れば、今日の民主主義はもちろん不完全である。だから、どこまでも改善を重ねていかなければならない。

松尾　制度としての民主主義の基礎は選挙にあると思う。では、選挙という方法も改めるべきであるか。

竹内　横丁の隠居も、学者も、ルンペンも、皆等しく一票である。このことははたして正しいだろうか。

また、十九歳の労働者は選挙権を持たないし、スイスでは今なお女性には選挙権のない州が多い。さらに、選挙が行なわれていないのに、民主主義を称える国もいくつかある。

梅田　選挙を行なわないが民主主義的な国のケースもあるにはある。しかし一口に選挙といってもしかたはいろいろある。直接選挙に限らず、間接選挙も選挙のうちだし、さらには党を通じての選挙もある。いずれも民主主義によるものである。また、隠居した人は知恵に富んだ判断を下せないと見るわけか。竹内君の言うところを聞いていると、十九歳の労働者は選挙権を持って当然だと言いたげだが、裏を返せば、同じ十九歳でも学生は選挙権を持たなくてもいいということになりはしまいか。それはおかしくないか。

主権は国民にある。人間の平等を認めるなら、当然、一人一票であっていい。それとも、ある種の成人は子供と見なして、その自由や決断力を奪うつもりなのか。各人の自由、各人の判断力、各人の責任を認めることは、実に、民主主義の基盤なのである。それは、皆等しく一票を与えるという形で現われねばならない。

改善すべきところは、そういう点ではなく、選挙の自由なのである。金で票を買うというケースがままあるが、主としてマスコミを握る強者が、その機関を利用して票を集めようとするのも、通常横行する弊害である。選挙というものにまつわる難問はそこにあるのだ。

竹内　民主主義は多数決の原則が堅い。与党と野党とができていて、与党は多数決でいく限り必ず勝つのだから、与党が自分勝手な政治をすることができる。結局、与党は、全国民のためではなく、一部分である与党だけのために政治をするきらいがある。ときには、与党が独裁的な力になってしまう。

梅田　そういう危険もないわけではない。確かに、政府は、自分の党のためではなく、国民全体のための政治をしなければならない。のみならず、民主主義の精神から言えば、いくら少数であっても相手の対立意見を尊重するのがたてまえである。ところが、実際のところはどうだろうか。例えば、政権が右翼から左翼へと移った場合、だいたい、新しい与党は、前の政府の政策を覆すことはせず、間もなく自分の党員の失望を買う例もかなり見られる。このことは、与党が与党だけのために政治をするのではないことを示す。

松尾　もし与党が、特定の少数だけのために政治をするなら、すなわち、もし与党が独裁的な勢力になることがあれば、そのときこそ、叛乱とかクーデターとか革命とかいうものが必要になるのではないか。

梅田　民主主義を守らない政府を倒すためには、革命が必要である。また、それが民主主義を信奉する者の義務でもあろう。

松尾　しかし革命を起こすのは、無辜《むこ》の人に被害を与えることになる。

梅田　それはやむをえないことではないか。民主主義を守らない政府を野放しにしておいたのでは、人権蹂躙が絶えないのだから。

竹内　正義に則った政治をしない政府を倒すのは正しいが、革命に伴う被害を十分に考慮しなければならない。まず、クーデターと革命とを区別しよう。クーデターとは、政権担当者を暴力によって倒し、その代わりに新しい人をそこに据えるだけのことである。しかし、革命の方は、それにとどまらず、新しい政治思想をもたらすところまでいかなければならないのである。したがって、単なるクーデターを起こすこと、あるいは首相を暗殺することなどは、絶対許せない。しかし、革命なら事情は違ってくる。ある政府が、明らかに、しかも重要な問題に関して、正義に反する政治を行なった場合には、国民には革命を起こす権利がある。例えば、国際ニュースによると、南アフリカの政府が法律に基づいて人種差別を行なっているそうである。この場合は、黒人には革命を起こす当然の権利があるわけである。確かに、現在〝秩序〟と呼ばれているものは、うわべの秩序にすぎず、ほんとうのところは無秩序なのである。しかし、革命に伴う被害について考えなければならない。革命をひき起こすには、まずその勝利がほとんど確かだという条件がつく。だから、南アフリカの黒人にとって革命を起こす理由は十分にあるが、勝利がおぼつかなければ起こすべきではない。失敗すれば、事情はさらに悪化するし、また闘争が長びけば、被害はますます大きくなる。要するに、革命を起こすためには、相当な理由が必要なだけではなく、すみやかにして犠牲の少ない勝利の確信も必要なのである。

松尾　竹内君は道徳的な面から明晰な説を述べたが、それが現実に適応できるかは疑問である。まず、勝利の確信などはどういうふうにして得られるものなのか。それには、客観的な規準が欠けているのではないか。革命をもくろむ者は、その成功率をおのずから過大に見つもるだろう。それから、暗殺はいけないと言うが、正しい革命を遂行するためになら、暗殺も一つの方法ではないのか。もしだれかがヒットラーを暗殺していたならと思わないでもない。

さらに、竹内君の説は、一般には通じにくい面もある。例えば、革命を起こしながら果たせなかった場合に、その首謀者はいったいどうなるのか。死刑に処せられるにきまっているではないか、その理由の正当性も認められないままに。

竹内　彼らは負けたのだ。だから、勝つ確信があったにしても、それは間違っていたわけだ。

松尾　誤算は死刑に相当する罪なのか。

竹内　現代の法律学者は、そういった罪、すなわち確信犯の場合には、死刑という罰を下しては絶対にいけないと主張している。

梅田　勝利の確信がなければ、革命を起こしてはいけないという竹内君の立場には賛成しかねる。革命は、革命であるかぎり、一種の思想運動に支えられている。その運動は、長期にわたって法律に則った発展を遂げたあげくに、ある日突如として革命を起こして政権を握る、というような過程は夢にすぎない。実際には、その運動が力を得るためには、それが合法であろうと違法であろうと、戦いを続けなければならなかった。その運動には力があるという確信を国民に抱かせたときに初めて革命が成功することが可能になるのだ。勝利は長い戦いの結末として与えられるものだから、その過程で、負けると思っても叛乱を起こすことはそれはそれで意味がある。

竹内　負けたら、犠牲者が出る。それでもかまわないか。

梅田　一人の犠牲者が出れば、運動の支持者が何百人もふえる。

松尾　それでは、血を流すデモを肯定するわけか。

梅田　デモというものは、本来、示威運動である。それを忘れてはいけない。デモは一つの思想運動の表現である。だから、デモは、具体的な政策に対する不満を表わす方法というよりは、その運動のバイタリティを示す現象なのである。例えば、「徴兵反対」と叫ぶデモは実際、平和運動の表われである。そして、デモに参加する人は、その参加によって自分の確信を強めるし、デモを見る人はその運動の力を感じるのである。デモは、大きければ大きいほど、それだけ人に訴えるところも大きく、また、運動の支持者を増すことにもなる。したがって、デモのやり方の規準は、合法であるか違法であるかというところにではなく、世論に訴える効果いかんにこそあるのだ。例えば、議場に侵入することが、国民の反感を買うならば、それは避けるべきである。また、もし国電を止めるような行為が一般人に許されるなら、それはやってもいい。結局、デモは説得するために力を示すことである。

竹内　秩序を乱しながら……。

梅田　君はいつか良心が法にまさると主張した。そうだとすれば、イデオロギーも秩序にまさるのではないか。

竹内　そうかもしれない。しかし、デモに参加する人はすっかり無我夢中になってしまい、常識をかなぐり捨てたようにふるまう。参加した者の等しく認めるところである。はちまきをしたりヘルメットをかぶったりした途端に、頭の中は空っぽになる。そのような狂熱に身を任せるのがいかにも人間らしい態度なのか。

梅田　デモの最中は、なるほど君の言うとおりかもしれないが、デモに参加する決心の方は、人間らしい決断ではないか。

松尾　力もある程度までは確かに説得力をもつが、しかしそれはあくまでもある程度までである。人々の共感をよぶデモならいいが、恐怖感、あるいはそこまでいかなくても、被害感をひき起こすようでは逆効果となる。逆効果とならず、しかも効果を確実にあげる道は、まことに狭い。

梅田　デモをやっても甲斐がないと思うのか。

松尾　やり甲斐のあるデモもないとは言わぬが、デモは主として若者のエネルギーのはけ口だと僕は思う。少年はいたずらが好きであるように、青年はデモみたいなものをやりたいのだ。それは、人間性の奥にある攻撃的ないしは冒険的な欲求を充たすことである。スポーツではそれに十分応えられないから、戦争のないところでは、デモがその役割を果たすのである。

梅田　君はシニカルだ。

松尾　僕は確かに冷静に物を見ている。とにかく、君にこういう質問を発するから答えてもらいたい。

首相が原子力研究に膨大な予算が必要だと思い、そのために税金を上げなければならないことをも知っているとしよう。ところが議会では税金を上げることに対する賛成は得られないし、国民も同様である。つまり、自分で正しいと思う政策が過半数の支持を得られないのである。このとき、首相は、たとい悪くても賛成の得られる政策をとるか、それとも、良いが民主主義をやぶる政策をとるか。

梅田　それは単なる議論のための例ではないか。首相を選んだ議会は、その人間を選んだだけでなく、その政策をも選んだはずなのだから。

松尾　必ずしもそうとばかりは言えない。人を選ぶことと政策を選ぶこととは違う。例をあげよう。君が哲学研究会の会長に選ばれたとする。そのとき、君は会員の多数意見に従うか、それとも、自分自身の意見に従って研究会を指導していくか。

梅田　研究会の会員に従うべきだと思う。

松尾　しかし、会員の見方が誤っており、そして君がそのことを知っているならば、どうするか。

梅田　会員に納得させるように努力する。それができなければ、会長を辞任するほかはない。

松尾　そうすれば、悪い施策が決定される。

梅田　自分が悪いと思った施策が採択されたとしても、採択されたからには、過半数の会員がそれをいいと思って支持したわけだ。政治に関しては、結局、誰がいいとか悪いとかを決めるのか。国民が民主主義に基づいて決定すれば、それで終わりではないか。

竹内　そんなことはない。政策のなかには、客観的にいいものも悪いものもある。歴史家は、おおむねそういった判断を下す。だから、首相の意見は国民の意見と違っていても正しいかもしれない。いったい、国民の過半数だからといって、必ず正しい判断を下すなどと言えるものだろうか。国民と指導者との間で見解が違うのは、なにも珍しいことではない。なぜなら、国民は自分の当面の利益しか頭にないきらいがあるのに対して、首相は普遍性と将来性を考慮し、広い視野でものを見るのが少なくともその本分なのだから。後世に政治上の英断と見られるものは、その大多数が、いわゆる過半数の意見と対立するものであったと僕は考える。

松尾　そうすれば、首相は議会で他の意見を無視し、会長は会員の意見に耳をかさずに、それぞれ自分の政策を実施するのがいい、ということになる。

竹内　根本的にはそうだ。

梅田　しかし、それでは民主主義の精神にもとる。

竹内　僕がいつ民主主義を支持する意見をはいたか。君は、主権が国民にあると考えるから、国民からその主権を任された代議士などは、当然、その委任の意図に従って―良し悪しを問わず―政治をしなければならないと思うわけだ。そのとき、首相は無責任な行政係になりさがるのである。

しかし、僕はそうは思わない。選挙は指導者を選択する方法にすぎないのだ。誰が政治をやるかを決めることだ。国民はなんらの主権をも委任するのではない。最高裁判長は、首相に任命されていても、首相の代理ではない。国民が指導者を任命するのも同じである。指導者である以上、指導者には治める権利と義務とがある。したがって、指導者は、責任をもって自分の判断に基づく政治をやるべきだと僕は思う。そして、国民の期待するのは、一行政係ではなく、見通しのきく、人をひきつける、リーダーシップに充ちた指導者なのである。

梅田　いわばワンマンだ。いかにも君らしい見方だ。

松尾　そうすれば、君にとって、民主主義は全く無価値か。

竹内　そんなことはない。梅田君の区別を使うなら、イデオロギーとしては民主主義を認めないが、制度としてはかなりいいと思う。国民全体で自分達の指導者を選ぶことは世襲よりもはるかにまさるし、また、選ばれた人には任期があるから、国民は政治家を監督することもできる。その制度が、実際にどの程度うまく行なわれているかを検討すると、まず、国民がふつう安全第一で人を選んでいることがわかる。このことは、民主主義の長所と短所をよく表わしている。すなわち、安全な人が政治をするのだから被害をもたらすような政策は採らない、これが長所である。短所というのはこういうことである。すぐれた人物は一般に民衆の目に安全な人物とうつらないから、選ばれる可能性が非常に少ない。だから、一朝事あるとき、つまり何かの危機が到来したときに、そのような大人物がいないことは大きな損になる。

なお、この民主主義という制度が順調に行なわれるためには、国民がまじめにその選挙権を行使しなければならない。そして、それには、国民の教育が相当に高いレベルに達していなければならない、という条件があるわけである。だから、民主主義は先進国に限っているのだ。

松尾　君の立場は、基本的なところでおかしい。イデオロギーと制度とを区別して考えるのは、それはそれでいいにしても、両者を完全に切り離すわけにはいかないのである。制度はイデオロギーに立脚しているからだ。その意味で、イデオロギーとしてはいい、制度としては不完全だ、という梅田君の立場は成り立つが、君のように、イデオロギーを認めずに制度を肯定することは成り立たない。国民がもし君の見方に賛成すれば、こう考えなければならなくなる。「われわれには主権はない。しかし、選挙権があり、責任がある。われわれは指導者を任命し、監督すべきだ。つまり、つねに主権があるかのような行動をとらなければならない、主権などないのに……」と。実にばかばかしい見方ではないか。

梅田　竹内君は一本とられたようだ。

竹内　多少その気味があるが、それでも、まだ納得のいかない点がある。それは、なぜ政治とイデオロギーとを結びつけなければならないのか、ということである。無所属で立候補する者もあるし、また、下水道を作るというような具体策はイデオロギーとは直接関係がない。

梅田　政治は下水道づくりだけではない。大学管理、投資政策、産業開発計画、それに賃金や労働時間や社会保障などに関する政策は、政治の中核であろうが、それは一種の人生観に基づくものである。

竹内　問題をもっとくわしく扱う必要がある。まず、政策の結実に目を向けてみよう。わが国の戦後の発展のシンボルである新幹線は、社会主義とか資本主義とかの色を帯びているのか。賃上げの結果、購買力の増加を見たとすれば、それもイデオロギーに根ざした現象なのか。また、社会主義的な橋づくり、資本主義的なトンネル掘りなどが存在するのか。

少なくとも、政策の実行段階にはイデオロギーの色などついていない。純粋にテクニックの成果なのだ。一方、政策の採択段階について見ても、はたしてどうであろうか。イデオロギーがそれを左右するはずではあるが、現代の先進国を見るかぎり、イデオロギーはまことに微妙な差しか生じていない。英国に例をとれば、確かに労働党は保守党よりも、労働者に気を配りはするが、実現した施策にはほとんど変化が認められないではないか。

梅田　現在の英国の政治は君の言うとおりかもしれないが、その段階に達するまでに、英国の労働党が社会主義というイデオロギーと結びついていたことは事実である。だから、この例は、むしろ、イデオロギーが労働党に政権を担当させたということを示すのである。

ところで、君は、政治におけるテクニック面と決断の面とを区別し、テクニックはイデオロギーを受け入れないし、決断の方も、イデオロギーによって大きく左右されることはない、と言った。しかし、政治には、もう一つの面がある。実行力と言うか、ファイトと言うか、ともかく、人々のやろうとする意欲、事に対する情熱である。そこにおいてイデオロギーは不可欠の要素となる。革命を起こそうと決心する人がいなければ、革命は起こらないし、平等のために、自由のために、命がけで闘おうという人が出なければ、平等や自由を守る秩序は生まれない。結局、イデオロギーは政治の原動力なのである。

竹内　例えば、戦争へと導く国粋主義の原動力。

梅田　いい方の例もある。君は組合運動の意義を認めるか。

竹内　認める。

梅田　組合運動はつねに社会主義というイデオロギーと結びついている。

竹内　政治的なイデオロギーと混じっているからこそ弱いのだ。もし組合が、イデオロギーを顧みず、労働者の具体的な待遇改善のためにベストを尽くすならば、もっと強力な、もっと効果的な運動になる。

梅田　いや、君の見方は現実に即応しない。組合の力はイデオロギーの中にしっかりと根を下ろしている。

松尾　組合にとって、イデオロギーがプラスになるかマイナスに働くか、ということになると、一見したところ、いずれの説も成り立ちそうである。この問題を解決するためには、歴史、特に労働史を勉強するほかはない。

それはそれとして、竹内君から、イデオロギーの関与しない政治の方法を聞きたいと思う。

竹内　医学と医者があるように、政治には政治学と政治家がある。医学は人間の健康を目的としており、政治は国民を裕福にする目的をもつ。やぶ医者を避けるように、下手な政治家は敬遠した方がいい。しかし、医者に文学的な評論を頼まないように、政治家に人生論を期待するのは無理である。政治の目的は、国民が少しでも楽な生活ができるようにすることに限られている。そして、その目的についてはみな一致するにちがいない。また、政策の具体面についても、だいたいは一致できる。人に平等や自由を可能な限り与えることについては異論がないのだから。さらに詳細な点に入ると、予算の問題が出てくる。予算が限られているので、病院が先か、学校が先か、工場が先かは見解の相違に基づくが、その選択は必ずしもイデオロギーによるのではない。政治家はそこで自分の知恵を絞るべきなのだ。

松尾　そうすれば、政党というものは要らないわけか。

竹内　要らないばかりでなく、政党は政治の癌のようなものである。民主主義という制度があるから、政党も必ず要るという考え方は、僕には納得がいかない。政治上の問題の解決を図るのは、政治家に等しく課せられた任務である。たとえば、義務教育を十六歳まで伸ばすか、減税を行なうか、原子力研究の援助をふやすか、社会保障を強化するかなど、いろいろな政治上の問題がある。それぞれの問題を取り扱う政治家は先入観なしに考えなければならない。すなわち、一番正しい施策を追求すべきなのである。その際の唯一の判断規準は正義である。政党独自の見方がそれに影響するなら、それは不純であり、往々にして正義を歪める障害となろう。党員である政治家は党員であることをむしろ度外視しなければならない。自分の良心の教える正義によってのみ、政治家は判断をくだすべきなのだ。それは明白ではないか。だから、政党はじゃまものにすぎないのではないか。

なお、政党の日常のありさまを観察してみるがいい。政党は、自分自身の成功、自分自身の強化をしか考えていない。正義の探究機関であるはずなのに、党の勝利を唯一の目的とする。党在籍は当選の道であり、出世の道である。与党になるのが第一の目標であり、与党になると、党のための政治をする。それが政党政治の偽らざる現状ではないか。そのような利己主義の塊は、いったい政治の役に立つのか。

また、政党の宣伝を見てもいい。党は自分の政策がいかに正しく合理的であるかを説明すべきなのに、実際には、国民の感情に訴えるばかりである。人間の幸福だとか、国家の繁栄だとかを安易に約束したり、自分だけが、愛国心にもえて国に仕える忠実な党だと称えたりする。とりわけ、他の党に濡れ衣を着せるのは得意である。相手の党に対して、国民が恐怖あるいは憎悪を覚えるならそれは大成功となる。

松尾　けれども、政党は存在する。特に、民主主義のあるところ必ず政党が存在すると言っていい。いかに非難されようと、事実は事実である。だから、君の攻撃は的はずれではないか。まず、もし政党が自分の勝利だけをねらっているならば、政治の場は、戦争の場合と同様、二つの党しか存在しないことになる。ところが、二つの党だけということもないではないが、必ずしもそうではない。

次に、一つの政治の問題に関する異なった解決策は、実際、それほど多くない。おそらく二つか三つしかないだろう。そして、君も認めたように、煎じつめれば、予算の問題なので、それぞれの問題の解決は互いに切り離しては考えられない。解決策の選択に当たって、政治家はどれを選ぶかというと、結局、自分の一番関心の深いものになる。例えば、貧乏人に対して関心をもつ政治家は、社会保障や学校などの予算をふやそうとするだろうし、経済の発展に関心をいだく者は、将来性のある産業に優先権を与えようとし、国の独立に関心のある者は、防衛に関する予算を強調する。決断はそれぞれの関心による。

梅田　僕は、竹内君の論は、その発想の時点ですでにおかしいと思う。政党は具体的な問題の議論から生まれるのではない。政党はイデオロギーから生まれるのだ。

人間は確かにより楽な生活を望んではいるが、同時に、精神的なものに対する欲求もある。実際に、精神的な欲求と物質的な欲求とを切り離すことはできない。一つの政策は、全体として一種の人間観によっているのだし、必ず一種の人間像を築きあげようとする。例えば、団地を建設する場合には、明確にそれと意識しないまでも、建物ばかりでなく一つの共同体を作ろうという気持ちが働いている。労働法を改善しようとする人は、経済学上の生産性よりも、自分の信奉する人生観をそれに活かしたいと考えるにちがいない。貧富の差の問題に直面した政治家は、そのイデオロギーによって「しかたがない」とあきらめるか、革命的な手段によってでも再分配を案じるかするのである。

竹内　僕も君の言い分にいくらか賛成する。なるほど政治家自身が一つの人生観をもつべきではある。だが、このヒューマニズムは政治の範囲からはみ出るものである。人間尊重ということは誰でも認めるし、社会主義も資本主義もそれを基調としてとり入れている。あるいは、賃金を上げることも、物価を下げることも、いずれも政策であり、いずれも購買力の増加という結果をもたらすのである。どちらを選ぶかは政治学の問題なのだ。

松尾　そうすると、政治は技術であるが、君も認めたように、この技術はあるヒューマニズムに仕える。だからやはり、国家事業にかかわる負担をどう分配するか、学校では何を教えるべきか、階級の差をどこまでなくすべきか、労働時間と余暇とをどういう割合に分けるか、どういう産業に優先権を与えるかといった政治上の決断は、一つの体系的なイデオロギーにはよらないにしても、少なくとも一種のヴィジョンによるとは思う。それはむろん、既成の〝主義〟でなくてもいいし、政党の称えるイデオロギーでなくてもいいが、少なくとも、指導者が個人としてもつべきヒューマニズムである。

梅田　僕は、あらゆる主従関係を否定し、労働者の枷を解き、すべての少年に等しく勉強する機会を与え、人の意見にはその身分を問わずすなおに耳を傾け、みんなが精神的なものをも物質的なものをも分かち合うような共同体を築きあげる、そういったダイナミックなヒューマニズムこそ真の民主主義なのだ。

松尾　今、君の説明した民主主義は、最初の「主権が国民にある」という定義とは異なる、ということを認めざるをえない。

■塾長からのアドバイス

民主主義の下で、社会に身を打ち込む者となれ

やっと手にした政教分離

政教分離ということは当然だと私たちは思う。しかし、よく考えれば、このことはそれほど当然ではない。大部分の国では、法律的に定められているか、慣習かの違いはあるにしても、とかく政府は一つの宗教と結ばれている。政教分離を実施している国は、せいぜいG7のグループぐらいのものである。しかもそれは最近そうなったばかりであり、まだまだ不完全な「分離」形態を脱していない。

英国の国王は、キリスト教に則《のっと》った戴冠式を経て即位するばかりでなく、現在においても、英国国教会の長である。フランスでは一九〇五年まで、司教や司祭は公務員であって、政府から給料をもらっていた。イタリアの民法が離婚を認めたのはわずか20年前にすぎない。それまでは、教会法が民法を抑えていた。

また、ドイツにもイタリアにも「キリスト教」を冠した政党がある。スペインでは現在もなお、司教の任命は国王の推薦による。すなわち、国王は三人の名前を挙げる。ローマ教皇はその三人

の中から司教を一人選ぶ。

アメリカでは、新大統領は就任の時、聖書に手を置いて誓う。ポーランドでは現在、妊娠中絶の許可について議会と教会が争っている。

日本ではどうだろう。京都市と寺のグループは税金について長年争ってきた。一九八七年にやっと問題は解決をみた。津市の地鎮祭の問題は十二年間裁判にかけられていたが、一九七七年に最高裁はそれが政教分離に矛盾しないと判断した。その他にも、政治と宗教の問題が現在に至るまで、たびたび起こっているのは周知のとおりである。

このように、政教分離に達するまでの道は長くて険しいのである。トインビーという有名な歴史学者の見解を思い出してみよう。彼は、「全世界の各文明はその国の宗教を母胎とする」という。彼の歴史観に従えば、政教分離の難しさも直ちに理解できる。ヨーロッパで政府とキリスト教が結ばれたのは、コンスタンチヌスの回心の時（西暦三一二年）であった。それ以来、ヨーロッパ全体でキリスト教が国教になった。その状態から離脱するためには約一五〇〇年かかった。

キリスト教の信者にとって、政教分離は貴重な勝利であって、これは是非とも守らなければならない原理である。信者はキリストに倣って、貧しい人、弱い人、病人などの世話をしようと思う。それは、彼らにキリスト教を伝えるためなのではなく、ただ彼らが弱いからである（マザー・テレサを見よ）。それを実践するために、「キリスト教〇〇」というような団体を造ることも考えられるが、それよりも、せっかく勝ち取った政教分離を守り、宗教色のついてない団体に参加することを選んだ方がいい。赤十字、ユニセフ、アムネスティーなどの運動でその目的は十分に果たせる。また、国会や都庁、通産省や経済企画庁のような、国民、都民の繁栄を目指す機関がある。そこに入って、人類のための得策を活発に推し進める信者はすばらしい仕事をする。真の信者とは社会に身を打ち込む者である。

「何のために生きるか」という問いへの卓抜な答え

創世記の中に、数回にわたって「神はご自分にかたどって人を創造された」と書いてある。つまり、人間は「神の似姿」である。それは、「人間とは何か」という問いに対する卓抜な回答である。

神が捺《お》した実印

神は単なる創造者ではない。神は自分にかたどって人間を創造した。だから人間にも神的な要素がある。言い換えれば、人間性は神性に起因するものである。

人間が神の似姿であることは、具体的にどこに現われているか。それは他でもない、人間の精神に現われている。「精神」という言葉では少々漠然としているので、具体的に考えてみよう。

人間には自意識がある。が、それは不完全なものだ。「何のために生きるか」という問いに、直接には答えられないからである。しかし、自意識が自分自身を完全に直観することはできないにしても、私は私であることを知っている。

次に、人間には学問や知識を蓄える知性がある。〝考える葦〟なのである。そして、知性によって真偽を弁《わきま》える人間は、善悪をも美醜をも弁える。しかもその判断力は（少なくとも主観的には）絶対である。

また、人間は一人の相手を絶対的に愛することができる。自分も相手も神の似姿だからこそ「絶対に愛する」ことが可能なのではなかろうか。

〝人間は万物の霊長だ〟とよく言われる。それは正しいが、それだけでは言い足りない。万物から考えるよりも神から考えるべきなのであって、人間は神の霊に与《あずか》るものであるというのが、より正しい。

人間の精神は完全な精神を追求し、完全な幸福を渇望する。その「完全さを慕う本能」は神が蒔《ま》いた種であり、神への呼び掛けとなる。人々は、平和と幸福の中で愛で結ばれた人間共同体の在り方を夢見るばかりでなく、それを現実のものにしたいと思う。だから「世界人権宣言」を布告するのである。この宣言は人間が神の似姿であることを物語っている。人間の精神は神が捺《お》した「実印」なのである。

神の場

人間は神の似姿であるから、神に〝より似る〟べく進みたいと望んでいる。「人間の目的は『神の本性』に与ることである」と聖書は教える。神との団欒の場こそが、人間にとって真の住み処である。

世の無常を悟ろうとする人は確かに多い。いや、そこへ逃避したい人が多いといったほうがいいかもしれない。そのような諦観は、あらゆる方面に現われている日本人のダイナミックな態度にそぐわない。いったい、すべては本当に無常なのか。人間の営みには意味がないものなのか。

サラリーマンはよく、〝食うためには働かなければならない〟と口にしているようだ。それには一理あるが、「労働」の意義を全て言い表わしたものとは言えない。普通、人は自分の好きな仕事を選ぶ。だから好きな仕事となり、意義を感じられる仕事となる。別な観点から見れば、労働というものは、ときに苦痛であるかもしれないが、意義を感じられる限り、根本的には社会への貢献となる。

だから結果として、社会に役に立つ品物やサービスを提供するために人は働く。会社は有益な仕事に取り組む代償として給料を支払う。無駄な仕事のために給料を出す会社があろうか。人間の営みはこのように、よりよい社会を築き上げるためにあるのだ。それは神に憧れ、神に似ようとして進むことでもある。人間の共同体は神によって生まれたものであり、神を求めて進歩し、神に到達すべきものなのだから。人間は社会への貢献を通して、神に近づいていくのである。

　最後に、ピエール・テイヤール・ド・シャルダンの数行を引用しよう。

「生ける神、我々とともにある神は、感覚を超えた彼方に住んでいるのではない。いつも折々の仕事の中で我々に出会おうとする。私のペン、つるはし、絵筆針の先、そして、私の心と頭の中枢は、神の場である。書いたり、掘ったり、縫ったりする仕事を、的確な方法で仕上げたときに初めて、到達すべき終極目的に触れるのである」。

国際的視野

戦争と平和の狭間で

現代人は存続か滅亡かの岐路に立っている

有史以来、人類の歴史はあたかも「闘争」の歴史のようである。社会構造の変化と武力・兵器の進歩に応じて、闘争は民族・国家間の「戦争」へとエスカレートし、戦争の形態・スケールだけでなく、性質そのものが変わってきた。そして今日、核エネルギーの開発が戦争に転用されている結果、人類は存続か滅亡かの岐路に立たされている。

そのような状況を踏まえ、左に6つの問いを置いた。それぞれについて、貴君の思うところを述べなさい。

一　〝個人が犯す殺人や暴力などの残虐行為〟を否定することについては、誰も異議を差し挟まないが、武力を伴う国際紛争——すなわち「戦争」——となると、肯定的な意見も多いのはなぜか。

二　日本国憲法第九条について、貴君はどう考えるか。

三　戦争の記録や戦争映画に接したとき、貴君は何を感じるか。

四　過去における戦争の原因や動機として人間の闘争本能、権力欲、征服欲、利己主義、政治・経済問題、人種・民族・宗教の対立、国家主義・帝国主義・独裁主義などのイデオロギーの抗争――などが考えられる。貴君の記憶にある主な戦争について、その原因をどう見ているか。

五　戦争をなくすためには、どのような方法が考えられるか。貴君の構想を述べた上で、一般的に上げられる「力の均衡」「軍備撤廃」「国連の強化」「世界連邦政府の樹立」について、それぞれが実現する可能性（または実現の非現実性）について、貴君の考えを述べよ。

六　〝聖戦論〟〝正戦論〟など、「場合によっては戦争も必要なのではないか」「自己の権利を護るための戦争は許容されるべきだ」との主張もある。それらに対する貴君の意見はどうか。

七　貴君は今、平和実現のために何をなすべきか。

戦争必然論か平和樹立派か

戦争を無条件に擁護する者は少数にとどまる。しかし「戦争が起きるのは必然」という意見は少なくない。右の七問に答えた貴君は、次のA、Bどちらの主張に与するか。

A　人類の努力によって、戦争をなくす――少なくともその芽を摘み取る――ことは可能である。

・核エネルギーを人類滅亡に向けて使うか、人類繁栄のために使うかは、現代人の良心的選択によるのであり、人類が持つ良心には期待と信頼を置くことができる。

・将来も国家間の紛争は起こるが、戦争回避を前提とした解決策はいくらでもある。

・排他主義のない愛国心もあり得る。

・戦争防止の一手段、たとえば「国連」は弱いが、その弱さは平和精神が持つ弱さの反映であり、弱いことは平和志向の現われと言える。

・問題は戦争を防ぐことではなく、平和を築くことである。利己主義や権力欲を超えて、人間の平等と博愛を実現するために努力することこそ、平和をうち樹《た》てる道である。

B　戦争がなくなると思うのは、根拠のない〝ユートピア幻想〟に過ぎない。

・国と国との間に紛争がなくなるはずはない。その紛争は勢いの赴くところ、戦争になる。

・「愛国心」が存在する。その愛国心は、戦争の動機となり得る排他主義を含む。
・たとえ戦争を抑止しようと決心しても、その決心は長く続かない。日本の憲法第九条は茶番に過ぎない。
・「戦争は絶対にいけない」と唱えるのは、圧迫されている国民に「あきらめなさい」ということになるのではないか。
・戦争には良い面もある。戦争は科学を発達させ、英雄を輩出し、優れた芸術作品を生んでいる。結局、戦争は「人間の闘う欲求を充たすもの」である。

連帯の意義と範囲

「連帯が必要」に根拠はあるか

以下に、いくつかの短文を紹介する。

1　かつて、国鉄の大事故が起きたとき、国鉄総裁が辞職した。駐日米国大使が刺されたとき、国家公安委員長が辞職した。いずれも、本人が自分の果たすべき義務を怠ったとは言えない。にもかかわらず辞職するのは、奇異ではないか。

2　出身・遺伝・教育・遺産・仕事・交際などは、あくまでも社会的な繋がりである。しかもそれは、私という存在を構成する要素である。よって、人とは、精神と肉体を持つ個々の人間と、社会との関係の、総体である。

3　国籍は自分が選択したものではない。しかしそれは、人間の重要な要素である。一方、「人間はみな、兄弟である」と言われる。だとすれば、人間同士の絆は国籍という区別を超える。ならば人種差別はもちろん、〝愛国心〟もまた「排すべきもの」となるのではないか。

4　孤独は、人間にとって最大の苦しみである。生き甲斐を感じるとは、すなわち社会と堅く繋がっていることである。

5　休日に、貴君が空っぽの教室の戸を開けたとしよう。次の瞬間、貴君は失神し床に倒れている学友を発見した。それを見て、貴君はどうするか。

以上の短文から、『人間とは、社会的な繋がりの塊である』という結論が導かれるかどうかについて、貴君の考えを述べなさい。

貴君が、「人間には連帯性が必要だ」と考える理由、または「人間にとって連帯性は必要ではない」と考える理由があれば、その根拠を端的に述べなさい。

■塾生の意見

国際的視野を育てる友愛

梅田　現代においては、世界の鼓動がますます激しくわれわれに波寄せてくる。僕たちは国際という次元を真剣に考えなければならない時になった。では、素朴な質問からスタートしよう。将来、戦争というものはなくなるかどうか。

松尾　この質問は、もちろん、議論の糸口にすぎない。しかし、いちおう答えてみよう。これから戦争がなくなるなどという見方は人間の夢にすぎない。特に、戦争の直後には、戦争はこれで終わりだと人々は思う。ところが、また少したつと次の戦争が始まる。

竹内　戦争がなくなるかどうかを考える前に、戦争とは何かを定義しなければならない。

梅田　兵力をもって、国家と国家とが互いに戦うことだ、と言ったらいいのではないか。

竹内　国家と国家との間と君は言った。しかし、戦争と言われるものは、現在に至るまで必ず国家と国家との戦いであったか。大いに疑問である。昔は国王と国王または領主間の戦いが多かった。その時、戦争は傭兵の戦いであって、一般民衆は場合によって害を受けることはあっても、自分では参加しなかった。東西を問わず、封建時代の戦争はそういった職業軍人に任せられていた。だから、現代の戦争はそのころのとは異なる。例えば、関ケ原の戦いと第二次世界大戦との違いは、程度の問題だろうか。

梅田　むしろ、質の違いだろう。

竹内　もう一つの点を考えてほしい。敵の全滅をもくろむ戦争もあるが、敵の降参だけをねらう戦争もある。例えば、中国の兵書の一例として『孫子』を読めば、敵を滅亡させてはいけないと教えている。ヨーロッパでは、近代まで、戦争は敵の国王の降参だけをねらっていた。その時は、戦死者も少なかったし、国民は不参加であった。国民全体が一致協力して必死に他の国民と戦うのはかなり近代的な現象なのである。

松尾　そうすれば、戦争はなくなるどころかますます拡大されてきたことになるか。

竹内　戦争が拡大したかどうかは別にして、ともかく昔の戦争と現代の戦争とでは、戦争の質が変わった。だから戦争がなくなるかどうかを問う前に、どういう戦争を取り上げるのかを決めなければならないのだ。

松尾　戦争の質が変わったと言えば、まず原爆の発明がその転機になったと考えられる。原爆が戦争の質を変えたのだ。現代になって、初めて、ボタンを押すだけで人類を絶滅させることが可能になったわけである。

竹内　それはそうだ。しかし、原爆ができたとはいっても、原爆を使用しない局地戦争がまだ残っている。

だから、核戦争と昔ながらの戦争との両方について考えなければならない。
梅田　問題を整理しよう。まず、昔の戦争が本質的に違っていたと認めることも、これからの戦争にとって大した問題にはならない。だから、問題となるのは、現代の戦争と将来の戦争とである。この戦争には二つの形が考えられる。すなわち、核による戦争とそうでない戦争とである。では、まず、これから原爆を使用する第三次の大戦が起こるかどうか。
竹内　起こるとか起こらないとかいう予言はできない。単なる推察にとどまらなければならないわけだが、その範囲で言えば、僕は、結局、起こらないだろうと思う。被害の大きさを人々はよく知っているからである。
松尾　敵を全滅させることは、すなわち自滅への道に通じるから、というわけか。いわば、恐怖の均衡が戦争を防ぐ、そういう理由を考えるのか。
竹内　そういった理由も働くだろうが、恐怖だけではない。現代人は一種のヒューマニズムをもっている。ボタンを押すことによって、いっぺんに何百万、何千万という人間を殺す、とてもそんなことを決められるものではない。
松尾　今まで等三次大戦の起こらなかった理由は、恐怖の均衡のためと君は思わないか。
竹内　もし私が原爆を投下すれば、敵も同じ行動で応じるにちがいないという恐怖があるとともに、一面には、もし私が先に原爆を使わなければ、敵も落とさないだろうという多少の信頼も働いているのではないか。つまり、人類の生命を尊重することが、かなり効いているのではないかと僕は思う。
松尾　原爆の所有はゲームのようなものである。そして、片方が死活にかかわる状態に至らない限り、そのゲームのルールはよく守られている。しかし、もし一人がせっぱつまって、いわば背水の陣を敷くという状態に陥ることがあれば、ルール違反を承知で原爆を使うことになるのではないか。

竹内　その危険はある。だから、相手がそこまで追い詰められないように政治家は努力を傾注してきたし、そして今までのところ成功している。

松尾　だが、いつまでも成功するという保証はない。

竹内　君は核戦争が起こると思うか。

松尾　僕はもちろん予言者ではない。しかし、核をいわば抑止力として保持するこのむずかしいゲームでは、そのうちに、誰かがミスをするのではないかと思う。ゲームの複雑さを考えるがいい。たいへんな財力と労力を費やして原爆を作る者は、むしろその原爆を使わないことを目的としている。ある戦況に達すれば必ず原爆を使うのだという決心のみが、逆にその使用を防ぐのだ。こういったルールは、完全に矛盾するとは思わないにしても、少なくとも相反する要素はあるし、また、その適用範囲も狭い。だから、いつかは事故が起こるものと予想するわけである。

梅田　局地戦争が核戦争へ拡大する可能性をつねに含んでおり、その可能性がいつか実現すると君は思うのか。

松尾　そうだ。しかし、局地戦争と核戦争との区別ははたして現実的と言えるかという問題もある。すでに、きれいな原爆、すなわち戦術原爆とも呼ぶべき、戦場で一般の爆弾と併用できる原爆ができている。したがって、将来の戦争の姿について論ずるのはいっそうむずかしくなる。

梅田　ともかく、戦争を避けるべきだという点については異論がないだろう。

松尾　いちおう異論はない。

竹内　「いちおう」を付けるのはなぜか。

松尾　いったい、戦争は避けきれるものなのか。戦争は人間の歴史における必須項目なのではないか。現代においては、人口の増加という一事さえ、十分に戦争を招来する要因となる。そして、前に言ったように、原爆が戦争を未然に防ぐなどとは僕は思わない。戦争はむしろ不可避の現象なのかもしれない。とはいっても、戦争をなくする努力はもちろん立派なことだ。

梅田　それでは、戦争を防ぐことを考えよう。まず浮かぶのは国連のことだ。国連についてはどう思うか。

松尾　無用の長物だ。

梅田　君はきびしい。もちろん現国連は力不足だが、もし国連がもっと強大な力をもっていれば、戦争を防ぐことができるのではないか。

松尾　各国が国連に力をもたせることは考えられない。大国間にいざこざが起これば、その国どうしが直接話し合うことになる、国連を無視して。クレムリンとホワイトハウスをつなぐ赤い電話のほうが、国連よりも平和のためによく働くのだ。

竹内　戦争は暴力の爆発である。それを防ぐために暴力を使うのは、それだけでもう矛盾ではないか。仮に、国連が兵力をもって戦争をおさえる以上は、大国の厖大な力をしのぐものでなければ無意味だろう。それだけの強力な国連など考えられるか。ともかく、それほどの兵力を国連に与えようとする気配は少しも感じられない。とすれば、国連のそういった兵力などというものは、しょせん、現実性の裏づけを欠いた理想にすぎない。

けれども、兵力をもたない国連でも役には立つと思う。つねに話し合いの場を提供するものとしてだ。それはまた、全世界の世論を表わす場である。兵力はもたないが、精神的な力はもつ。必ず戦争を防ぐと言えるほどの力を今はもたないが、その精神的な力を増大することもできる。

梅田　全世界と君は言ったが、その中に中共を含むわけか。中共は国連に加盟していない。
竹内　もちろん、入れるべきだ。
梅田　全世界の世論を表わす場だとか、精神的な力をもつ国連だとか言うが、それは理想とする国連についての話だ。理想とする国連ならいろいろなことができるだろうが、現状のままの国連ではたいしたことはできない。
　理想ということで言えば、戦争放棄の決意は立派な解決になろう。憲法第九条をどう見るか。
松尾　さまざまな観点がある。まず、自衛隊の存在は憲法違反だと僕は考えている。しかし反面、あの第九条はどだい無理なのではないか。戦争放棄というのは、不正な行為にも刃向かう勇気をもたない卑怯な態度であり、戦わずして敵の軍門に下る男らしからぬ態度である。自分を守る権利や義務はあるのではないか。昔、正戦をとなえる哲学者もいた。不正な侵略と戦うのは正しい。その権利と義務を捨てるわけにはいかない。
竹内　正戦という話を聞いたことはあるし、正戦のありうることを否定するものではないが、実際、今までの戦争を見れば、必ず両方とも正戦だと言っていたのである。だから、正戦などというものは机上の空論にも等しいと思われる。
松尾　それで、君は戦争放棄に全面的に賛成なわけか。
竹内　全く賛成だ。非現実的だと言われそうだが、実は、戦争放棄こそ現実的なのである。平和を守るためには、どういう国でもそこまで行かなければならないからである。わが国が諸国に先立って戦争放棄を宣言した。それは、もっとも進歩的な決心であった。そしてわが国は先駆者たる栄誉をかちえた。僕にとって、第九条は恥どころではなく、自慢の種なのである。

梅田　今まで、僕たちは戦争を防ぐ方法として国連と戦争放棄を考えてきた。だが、その二つの方法は、ともに、戦争が起こりかかっているときにそれを押える方法にすぎず、戦争の原因を絶やすものではない。これから、戦争の原因を考えてみたいと思う。その点について松尾君はどう思うか。

松尾　戦争の原因や動機はいくつかあげられる。例えば、経済の対立、人間の闘争本能、征服欲、帝国主義とか国粋主義とかいうイデオロギーなどがある。その中でどれが一番重要な原因であるか、ということは、そう簡単に決められるものではない。

竹内　僕は、戦争の原因がそれほど漠然としたものだとは思わない。まず、戦争は国家と国家との争いだ、とはっきり認めなければならない。

松尾　それは自明だ。だが、戦争が国家と国家との争いだということからどういう結論を出すつもりか。あるいは、国家が存在しなかったら戦争はないということなのか。

竹内　そんなことを言っているのではない。国家は現に存在する。もし、あらゆる緊張や紛争の原因、いわばケンカのタネを根こそぎ取り去ることができれば、戦争は起こらない。

梅田　もちろん、そうだ。

竹内　ところが、そのケンカのタネをいっさいなくすことは不可能である。

松尾　不可能だとすれば、戦争は不可避の現象になる。

竹内　ケンカのタネが絶えないのでケンカが起こる。しかし、ケンカが必ず戦争に至るとは限らない。ケンカをケンカにとどめることは可能である。むろん、国家間に紛争が全く起こらないことを期待するのは夢にすぎない。紛争は必ず起こるからである。しかし、そういった紛争が戦争に至らないようにすることは可能である。つまり、そういったケンカを、ケンカという枠からはみ出ないようにすることが、平和への唯一の道なのである。

梅田　国家間のケンカをケンカという枠にとどめることが可能だと君は言っているが、どういう方法を使ったらそれが成功するわけか。

竹内　一例をあげよう。兄弟間にもよくいさかいが見られる。もしかしたら、互いにケンカしているのが兄弟関係にはむしろ普通なのかもしれない。ところが、兄弟ゲンカの場合は殺害するところまではいかない。兄が弟をぶんなぐることがあっても、その暴力はある線を越えない。重傷を負わせることもほとんどない。戦いながらも、兄弟であることを忘れないからである。その兄弟であるという意識がケンカをケンカの域にとどめるのである。

同じように、国家と国家との間にも友情があれば、その友情を意識することによって、戦争に至るのを避けることができると考える。国家間の友情が、その分身としてケンカの限度を産み落とすのである。実例をあげれば、アメリカとカナダとの間に戦争が起こるなどということは、その意味から考えられない。フランスとベルギーとの間もしかりである。ケンカがあるとしても、それは兄弟ゲンカにとどまり、大事には至らないだろう。相手に死傷を負わせるぐらいなら、自分が屈したほうがいい、という信念があるとも見られる。

紛争や戦争を制限するための努力は昔からあった。例えば、ハーグの裁判が国際紛争を収拾しようとすること、国連が中近東に仲介者を送ること、ベトナムでクリスマス休戦を守ること、毒ガスを使用しない契約を交わすことなどは、いずれもその例である。この種の努力もむだだとは思わないが、外から押しつけられたルールなので、拘束力は弱い。心から出る制限の方は、それと違って有効に働く。

松尾　その国家間の友情をはぐくむにはどうしたらいいのか。

竹内　友情の花は、具体的な交流と精神的な態度によって咲く。交流のないところに、友情の生まれようがない。だから、外国の言語を学び取ること、外国の地理や歴史、それに国情を知ること、さらには、その国民のうちに友人を得ることなどは、むしろ当然踏むべき道だろう。

梅田　僕はいつか留学したいと思う。

竹内　なぜ。

梅田　なぜと問うのはおかしくないか。学生なら留学したがるのはふつうだと思う、金さえあれば。しいて動機と言うなら、この狭い島国をしばらく離れて見聞を広めたいと思うし、外国のことをいろいろ知りたいとも思うし、また、学問の点から見てもそれが有益だと考える、ということなどをあげることができる。

竹内　自分の知識を深めるために、自分の経験を豊かにするために、つまり利己主義にかられて留学するのは、失敗のもとだ。そういった例は枚挙にいとまがない。そうではなくて、恋いこがれて留学すべきなのだ。好きで好きでたまらない国だけに行くべきなのである。

そこで、前に言った精神的な態度が重要になる。国家間の友情は、学校においても、また、マスコミ機関を通しても、育てられるものである。というよりも、一国の世論は、歴史についてであれ、政治に関してであれ、毎日の国際ニュースのことであれ、必ず外国に対する一種の態度を含んでいる。それは、猜疑心か優越感か競争心か信頼感か、ともかくある感情を伴う。われわれは、各、その気持ちを友情に変えることができるし、またそうすべきなのである。

梅田　竹内君の見方は、国家と国家との間に必ずケンカのタネがあるという前提に立っている。結局、なぜそうなのかをつきとめることこそ戦争の真因を追求することではないか。

松尾　僕はすでにいくつかの原因をあげた。もしそれらの原因を総括して表現し、戦争の原因は国家の利己主義だとしてはどうか。

竹内　全く賛成だ。

梅田　それなら、国家はその利己主義にうちかつことができるのではないか。

松尾　それはできない。その利己主義につける薬として竹内君は国際的な友情を推薦した。その薬はききめがあるかもしれない。だが、きいても、せいぜい一時押さえの薬にすぎない。利己主義の根は残る。

それに、別の見方もある。前に言ったように、戦争は不可避の現象かもしれない。それは戦争が人間のある押さえきれない欲求を充たすものなのだから。その欲求は、闘争本能であろうが、征服欲であろうが、ともかく、戦争によって充たされる。したがって、戦争をなくそうと思うならば、戦争に代わってその欲求を充たす何かを見出さなければならない。交通事故はいくらかその役割を果たすが、はなはだものたりない。大勢の犠牲者を出す危険なものであり、大衆に開かれた道であって、しかもすばらしい興奮をよびおこす冒険を創造しなければならない。それができなければ、戦争が以前のまま、その魅力を保持することとなるのである。

竹内　突飛な考えだ。君の言う冒険を想像するよりも、国家の利己主義にうちかつことのほうが緊要である。

松尾　しかし、利己主義ということで見れば、国家も人間も同様だ。利己主義は人間の芯であるように、国家の芯でもある。

梅田　それには賛成しかねる。国家はそんなものではない。僕に言わせれば、国家は家庭という社会と人類という社会との中間的段階である。人間は本来社会的な者なので、その社会性を活かす場が絶対に必要である。その場は、主として、家庭、国家、人類という三つである。人間は、家庭に生まれ、家庭において最初の社会を見出す。そして自分の生まれた家庭を出てから、さらに新しい家庭を作る。家庭という社会は人間にとって必要な場なのである。国家はその家庭の集団である。家庭という小さい環境より、はるかに大きく、成人の社会性の場になる。そこで注意しておきたいが、国家が家庭の集団であるといっても、家庭の単なる総合ではない。例えば、国家の利益は諸家庭の利益を合計したものとは違う。国家へという新しい次元がある。教育という点について、親と国家との権利の境は決めがたく、争点になる場合もあるが、両者は相反する次元ではない。むしろ家庭こそ国家の礎なのである。若者に国家の存在とその価値を教えるのも家庭であり、成人に国家に対する義務を意識させるのも家庭の柱たる者の責務である。家庭は愛国心の母胎である。

同様に、国家は人類という場へ導く。もちろん、国家間の競争心が敵愾心を産み落とす場合もあるが、国家の意識は他国の発見を含んで、世界連邦の門を開く。「勝利より参加」というオリンピックのモットーは現代人の考え方をよく表わすのではないか。参加という合い言葉は国家の役割を示す。国家が世界連邦に参加し貢献するのである。世界が一つになっていく、その進行を肯定することは、現代人の信念である。けれども、その統一は画一主義によるものではなく、むしろ国家間の調和によるものである。各国家の国民性が交響楽の各楽器のように、自分自身の音をひびかせるが、それによって一致した調和が生まれる。各国家が世界シンフォニーの演奏においてそれぞれのパートを奏でるのである。

いったい、命を捧げるほどの献身的な精神を含む愛国心は、どうして利己主義のかたまりなんかでありうるか。そんなことは考えられるだろうか。その愛国心は人類に対する愛を育てるものなのだ。国家は、家庭の団欒から、巨大な人類社会に向かう、必要にして貴重なる懸け橋なのである。

竹内　君は理想とする国家を描き出したが、実際にそうであろうか。国家は世界連邦に貢献すべきだと君は言った。僕も賛成だが、現実を見れば、各国家は自分の利益しか追求していない。国家の利益こそ神聖にして冒すべからざる原則とされる。あらゆる外交とその政策がそれに依るのである。国連が無力であるのはそのためである。

梅田　後進国への援助もある。

竹内　それは些細なことだ。しかも、その些細な援助さえ、営業の手続きで半分つぶされ、おまけに、多くの場合、政治的なヒモツキなのである。結局、ほとんど効果はあがっていない。

松尾　後進国の進歩があるとしても、その進歩は先進国の進歩には及ばない。すなわち、先進国と後進国の水準差は年毎に拡大している。それはまぎれもない事実だ。

竹内　次に梅田君は愛国心が人類への愛を育てると言った。それも問題である。愛国心はわが国は他ではないという意識から始まり、他国に対する敵愾心が増せばそれにつれていっそう強固になる。戦争のときに愛国心は最高潮に達する。君はオリンピックの例を出したが、そこでの選手間の友情は愛国心からくるのではなく、スポーツマン・シップから出る。愛国心は逆にそれをおさえて敵愾心に変えようとする。要するに、愛国心は他国の存在を知ることに始まって、その差別によって育成されるのである。

■塾長からのアドバイス

「愛国心」を考える

「日本的キリスト教」の曖昧さ

キリスト教はヨーロッパで生まれたのではない。パレスチナに生まれた。そこは一応アジアと言えるが、ヨーロッパとアジアの繋ぎ目だと言った方がいいかもしれない。したがってキリスト教は誕生時から、ヨーロッパなりアジアなり、特定地域の産物ではない。初めから普遍的であったし、あくまでも全人類のための福音なのである。

にもかかわらず、日本におけるキリスト教が西洋的色合いを帯びていることは事実である。しかしそれは伝播の経路による〝歴史的着色〟なのであって、キリスト教がその普遍性を失ったという意味にはならない。むしろ、「日本の信者はまだ、キリスト教の普遍的な姿を築き上げていない」ことを意味するのである。

〝日本的キリスト教〟というのは、最も曖昧《あいまい》な表現である。日本の信者が全世界のキリスト教と交流を絶って、自らのキリスト教を造ろうとするのであれば、そういった鎖国政策はキリスト教の本質に反するし、また全世界人類の創造主に向かう意志統一への趨勢に悖《もと》る。しかしまた信者が、外国のキリスト教の模倣に甘んじるならば、それは植民地主義に陥《おちい》るばかりか、キリスト教の普遍性を否定することにもなる。日本が世界に伍して存在する以上、キリスト教の普遍性の「日本的な表現」も当然、存在していいはずだからである。

「全人類」は「国家」に優位する

我々は「普遍性の日本的な表現」をこそ探し、見つけ、拡大すべきである。普遍性は皆に同じ制服を着せるような画一主義ではない。むしろ楽団の各々の楽器がその役に応じて協力し、調和を築き上げるように、キリスト教における普遍性もまず、各々がすべての責任を負わなければならない。日本の信者が全世界のキリスト教に貢献することこそ、真の日本的キリスト教なのである。

キリスト教は愛国心を禁じない。人間の自然な、かつ尊い欲望を破壊することなく、逆に向上させようとする。しかし、一つのことを否定する。それは〝国家の絶対化〟である。国家は相対的な価値に過ぎない。人は日本人である前にまず人間であるように、国家を絶対的なものと考える前にまず、全人類の優位を認めなければならない。キリスト教は、「キリストにおいて兄弟であるという絆は、同じ国の国民としての絆に優る」と説く。それは、「信仰と愛国心とが万一相容れない場合には、信仰を選ぶべきだ」という意味であり、また一方で、信仰と愛国心とが互いに交渉なく平行線を辿ることを否定するのである。国家が貴重なものであることには違いない。

しかし全人類が対等の立場に立つ時には、もはやその権威を失う。

国家の価値は、国際間におけるその使命にある。国際社会において愛国心は国家を通じ、全人類への使命を表わす。愛国心の鉄則は、国家に仕えつつ全人類に仕えることである。信者は信者だから、どういう人にでも隣人としての愛を捧げる。だがそのなかでも、同胞を一層親しい隣人として認める。信者だからこそ、愛国心を持つのである。

第Ⅱ章

立ち止まって「内面」を見つめよう

「美」を定義する

貴君は何に「美」を感じるか

森有正氏のエッセーを読んで答えよ

本稿では、誰もが胸の中に持ち、憬れ、獲得したいと願っている「美」について、あらためて考える。まず、森有正氏の筆による次の随想を読んで、文末の問いに貴君の所感を述べなさい。

どこだったか、今ではすっかり忘れてしまったが、どこかフランス以外のところで、あるいはイタリアだったかもしれない、僕はある女体の彫像を見ていた。その作品はいくら見ても倦《あ》きないほど僕を牽《ひ》きつけた。僕は何度もそのまわりをまわった。僕には、その彫像の美しさに牽かれると共に、その牽かれる根拠をつかめない焦燥の念があった。それで何度もそのまわりをぐるぐる回り、しまいには疲れてしまって、部屋の隅にあった椅子に腰を下ろした。

その瞬間に僕は、自分が同じような経験を何度もしたことを思い出した。それは、ある時はカテドラルであった。ある時は一個の彫刻、ある時は一枚の絵であった。明るい太陽を受けて真っ白に輝くシャルトルの大伽藍《がらん》、鳩の群がる外陣部の方から斜めに見える実に密度の高い、しかも均整のとれたパリのノートルダムの後ろ姿、モンパルナスのアトリエにあるしなびて、しかも高貴なブルデルのサント・バルブ、ルーブルにあるアヴィニオンのピエタその他、数限りない同じような経験が、にわかに蘇《よみがえ》ってきた。

そこには一つの共通した事態があった。限りなく牽かれながら、その牽かれる根拠が深く隠されている、というその事態であった。その瞬間に僕は、自分なりに、美というものの一つの定義に到達したことを理解した。それはそれで一つの理解ではあろうが、僕にとって一番大切だったのは、そういう数限りのない作品が、一つひとつ美の定義そのものを構成しているのだ、という驚くべき事態であった。換言すれば、一つひとつの作品が、「美」という人間が古来伝承してきた「ことば」に対する究極の定義を構成しているという事実だった。

作品はもう、これ以上説明する余地のないぎりぎりの姿でそこに立っているだけだ。僕がそれに限りなく牽かれるという現実がある以上、僕が作品を把握するのではなく、作品の方が僕を把握しているのだ。事態がそうである以上、僕の方がその根拠を把握するという可能性は全くないことになる。古代の人はこういう事態に美、イデア、フォルムなどの名を命じたに相違ない。

〔森有正「霧の朝」（雑誌『展望』1966年2月号所載）より〕

（一）　森氏によれば、「美」は作品の中にあるのか、それとも人間の感覚にあるのか。貴君の受け止め方と貴君自身の考えを簡潔に記しなさい。

（二）　同じく森氏によれば、異なった作品が「同一の『美』の経験」を引き起こす。氏はそれをどのように説明しているか。貴君の理解するところを述べなさい。

(三) 貴君は、森氏の意見に賛成か、それとも反対か。理由を添えて表明しなさい。

(四) 貴君の場合、「美」の経験は、芸術作品に対したときに限るか。それとも、その他の事態にも「美」を見出すことがあるのかについて、簡潔に述べなさい。

「美」は賜物か、アクセサリーか

「美」を「神の賜物」と賛美する意見がある一方で、「『美』はアクセサリーにすぎない」という意見もよく耳にする。次に上げる意見について貴君はどう思うか、簡明に述べなさい。

（一）我々は暮らしの中で、美しい形の家、流麗なフォルムの自動車、端麗な服装などに魅力を感じ、それらを求めようとする心情を持っている。しかしそんな望みは、単なる贅沢に過ぎない。大切なのは実用性であって、色や形は本質的な問題ではない。

（二）　実用品ではない芸術品――例えば音楽、絵画、小説など――は心を慰めてくれるが、結局はあってもなくても構わない存在である。忙しい日常生活の中ではそれを考える暇がないのだから、「美」を感じさせる芸術作品といえども〝閑人《ひまじん》の創るもの〟〝閑人が鑑賞するもの〟である。

(三)　実用品の美しい形色や奥深さを感じさせる芸術作品は、人の心を慰め、快い感じを与える以上のはたらきを持っている。

「美」への欲求は、人間性の本質に根差すものである。だから、美の感覚が豊かな人は、より高尚な人格者である。

(四)　作家や芸術家は、美しいものの創造者である。彼らは他人が見てくれることを期待して作品を創るのではない。いのちさえも懸けて「美」そのものを追求し、発見し、作品の上に写し取って「美しいもの」を創り、それを〝「美」に飢えている人々〟〝「美」を求める人々〟に提供するのである。

（五） 人間は常に真理を求めてやまない存在であると同時に、常に「より美しいもの」を求めてやまない存在でもある。したがって「美」は、アクセサリーなどではなく、「真理」と併せて「絶対的価値」である。

「美」の基準をどこに置くべきか

前項でどう答えたにしろ、現実の暮らしの中で貴君が、音楽会に足を運び、美術館を訪れて、名演奏や名画を鑑賞し、作品に内在する「美しさ」を求めているのは事実である。そこで問う、貴君が「美しい」と感じる基準は何か。次の4つの設問を通してA・Bいずれに与《くみ》するかを選択し、その理由を簡明に答えなさい。

（一）　A　「美」そのものは主観的なものである。「私はこの作品が美しい」と感じるとき、その美しさはわたしの感覚だけにあるのであって、作品の中に美しさがあるのではない。

B　「美」は客観的なものである。美を感じる私は、その作品の中にある「美しさ」を把握するのである。その作品の中には大なり小なり「美」が入っている。私が「それは美しい」と言うとき、『誰もがその美しさを認めるはずだ』と思っている。

（二）

A　作家は、人の目に晒すために作品を創る。誰も見ない絵、誰も読まない小説など、いかに孤高の作家でも創ろうとはしない。

B　作家は自分のために作品を創る。人々が見るか、読むかは少しも問題ではない。作家はただ、自分の想像力を発揮して（それが好きだからか、そうせねばならぬと思ってか）、ともかく自分の中に湧き出る力に駆られて作品を創るのである。

（三）

A　芸術的な価値のある作品は、それが美的なものである以上、道徳的な面からみて〝悪いもの〟ではあり得ない。「美しい→ゆえに、善い」のだ。〝悪い善さ〟などない。

B　〈「悪い」がしかし「美しい」〉という作品も存在する。例えば『チャタレー夫人の恋人』のごとき……

（四）

A　作家は、自分が蔵しているメッセージを伝えたいと思う。それは結局、彼自身を伝えることになる。ゆえに、あらゆる作品は一種の「告白」である。作家の人格以外のものは、作品に見出されない。

B　作家は、自分の能力を超えるものを伝えたい。それを『インスピレーション』と言ってもいい。だから無意識のうちに、優れたメッセージを伝えることもあり得る。

芸術と技術の違い

右の討論資料の上ではその後半部分で、広く芸術の持つ「美」について討論が盛り上がった。そこで論議の的を「芸術」に絞り、その本質を捉えておこう。

芸術が、人間の創造活動の一つであることを前提とする。さて、芸術活動とは、人間がなぜ、何を創り出す行為なのだろうか。以下にA、B、C三つの意見を紹介する。貴君はどの意見に賛成するか（複数選択も可）。賛成の論拠を示し、さらに各意見に長所、短所と思われる部分があれば、その部分を簡明に指摘しなさい。

A　芸術は技術と似ている。技術が実用品を造るのに対して、芸術は見ること（聴くこと）が楽しくなるものを創る。同じ実用品であっても、芸術家の創るものは目や耳や心を楽しませるもの――例えば形のよい自動車、美しいネクタイや茶わん、人が読みたくなるような小説――である。その点で、技術者の作る〝用途に応える機能〟を満たすものにとどまらない価値がある。

B

芸術は実用価値のないものであって、芸術家は実用品を造るのではない。「美」という次元における価値のみを追求する。芸術家は、「美」とそれを求める人間の生きる道の間に立つ『仲介者』である。生みの苦しみと闘いながら、自分を超える「美」を表現する使命を担って努力するのが、芸術家の姿である。

C　芸術家のように芸術性に富む作品を創らなくても、〈本来、人間の心に宿っている芸術性〉というものがある。芸術の鑑賞は、それが目覚めることに他ならない。したがって芸術は、人生の単なるたのしみではなく、人生の豊かさの源泉である。

■塾生の意見

自然の美・人間の美

竹内　美はいろいろな問題を含んでいるので、一つ一つ整理していこう。まず、芸術作品の美から出発したいと思う。

松尾　自然の美はどうするのか。

竹内　後で取り扱うことにしよう。

梅田　人間の美しい行動、すなわち、美談や美挙は除外するのか。

竹内　別に除外することはないが、人間の行動について「美しい」と言うときには、多少とも比喩的な意識があるのではないか。ともかく、実例から話を始めよう。

広隆寺の弥勒菩薩という仏像は美しい。この仏像が美しいと言うときに、われわれは、主観的な印象を述べているのか、それとも、それは客観的な判断なのか。この仏像の美しさは、われわれの精神の側にあるのか、それとも、仏像自体の方に内在しているのだろうか。

松尾　美しいと感じるのは私なのだから、美しさは、一応、主観的な感情だと言える。

梅田　しかし、ある特定の作品の美しさを感じるのであれば、美しさは、ある程度まで、作品の中にあると言わなければなるまい。

松尾　ピカソを見て、美しいと思う者もあり、つまらないと思う者もある。美しさが客観的なら、こんなことは起こらないはずだ。つまり、皆の享受は一致するはずなのだが、実際には、このように、人によって美の感覚は違っている。また、時代によっても全然異なる。例えば、聖林寺の観音は、今でこそ国宝に指定されているが、明治時代には物置の片隅にうっちゃられていた。さらに、最初の印象派の作品は、パリのサロンではねつけられた。こういった例は枚挙にいとまがない。

梅田　美しさを発見できない人もいるが、それは感覚が十分に洗練されていないからだ。たとえ発見されなくとも、美しさは客観的に存在する。

竹内　〝客観的〟という語を定義してからでないと、話はすっきりした形で進みようがない。論議はいたずらに混乱するだけだ。美が客観的だというのは、誰でもその美を認めるはずだ、という意味に考えてはどうか。例えば、誰でも赤と緑を区別しているはずである。そうかといって、区別できない色盲の人もいないではない。にもかかわらず、赤と緑はやはり客観的に存在するのである。

松尾 それはそうだとしても、美も赤と同じ意味で客観的だと言っていいものかどうか。それは違うと僕は思うのだ。

梅田 確実さの点では違うかもしれないが、物の色と芸術作品の美とは同じく客観的である。われわれは美を発見するのだ。ゴッホは、死ぬまでは一点も売れなかったが、現代では彼の作品はすこぶる高く評価されている。ゴッホが死んでから、その作品が美しくなったなどと考えるわけにはいくまい。初めから美しかったのだと言わざるをえない。美しさは見る人によるわけではない。また、もし、客観的な美がなければ、美学も不可能になるし、美術評論家など言うも愚かな存在に化してしまう。個人の主観的な印象は学問の土台になりえないからだ。日常会話一つ見ても、美の客観性を示す材料に事欠かない。『さんまの味』という映画はすばらしいから君も見に行くといい」と僕が君に言ったとする。こういう場合も、僕にとってだけ美なのではなく、君にとっても、誰にとっても美しいので、君にも奨めるのである。そして、僕が美しいと言うのに君がもしつまらないと言ったら、僕はその美しさを説明しようとするだろう。このことは、君も僕も、ほかの誰でもがその美しさを見出すことができることを前提とするのである。換言すれば、美しさの客観性を前提としているのだ。

松尾 われわれは美が客観的であるかのように、鑑賞したり味わったりするのだが、ほんとうにそうなのか。君は、美感覚の養成とか美の説明とか言うが、実際にそれが美しいことを証明できるのか。

梅田 十分には証明ができないだろうが、証明ができるかどうかは別の問題である。われわれは、美の鑑賞について客観的根拠があるものと信じなければならない。それによってのみ、国宝と重要文化財、傑作や佳作と駄作といった区別が可能なのだ。

松尾　そうすると、美の客観性は公理である。

竹内　なるほど。公理は適切な表現だ。公理を認めなければ、美を考えることが不可能になる。

松尾　けれども、人の眼に触れない美も、常に美なのであろうか。

竹内　誰も見ていないときの赤は赤ではないとでも君は言う気か。

松尾　美であるからには、その美は誰でも認めるはずだ。それが美の客観性の定義であった。しかし、その客観性の根拠を考えてみると、こういう二つの説が出てくる。一つは、美は作品に内在するということ、もう一つは、すべての人間の感覚が一致しているということだ。赤く見えるのは、物体が赤いからなのか、見る者がみな赤い色眼鏡をかけているからなのか。君は第一の説をとるわけだが、第二説の方も十分に考えられるではないか。すなわち、美は物に内在するのではなく、人間の精神が物に美しさを賦与するのだと。

竹内　よく考えれば、第二説は第一説に帰してしまうのではないか。一例をあげる。弥勒菩薩は美しい。まず、木片として、すなわち、物質的な存在としての仏像の実在を、君は認めるか。

松尾　もちろん、認める。

竹内　そして、その仏像の実在には美しさがそなわっていることも誰もが認めるにちがいない。もし美しさが存在しなければ、物質としての仏像も存在しないのと同じなのだから。

松尾　なるほど。けれども、五官によって物の実在を確かめ、美の感覚によって美の存在を認める、というように、それぞれの認識方法に違いがあるようだが……。

梅田　話は違うが、芸術作品の美を問題にしてきたわけだが、芸術は、場合によっては、醜をも表現するのではないか。醜い女体、残酷な行為、不快を催させる光景なども、現代の絵画には珍しくないのではないか。

竹内　書いてある対象は確かに醜い場合もあろうが、しかしそれは美しく書いてある。実物は醜かろうと、描かれたものとしては美というカテゴリーに属する。例えばゴッホは、くたびれた靴を描き出す。その靴は、素材の方は全くつまらないだろうが、それを表現した作品そのものは美しい。

松尾　もっとも、ゴッホは、靴とか椅子とかを描こうとしたのではなく、そういったつまらぬ物からヒントを受けて、色彩のシンフォニーを創造したのだ。

竹内　靴の話が出たが、芸術作品以外にも美しいものがあるだろう。自然の美はさしおくとしても。例えば、乗用車のスタイル、絨毯の模様、ネクタイの柄なども、ものによっては美しいと言える。その種の美しさと芸術作品の美とは同じなのか。それとも別のカテゴリーに属するのか。

梅田　芸術家はもともと技術家であった。茶碗は実用品か芸術品か判断に苦しむ。美の程度に差異を認めるとしても、やはり同一のカテゴリーと考えていいのではないか。

松尾　けれども流行歌とモーツァルト、酒の広告とセザンヌの絵画とは違う。実用品の美しさは、快さという浅い印象にすぎないが、ベートーヴェンを聞くと、美の世界に吸い込まれてしまう。

梅田　美の世界と称する別世界がどこかに存在するということなのか。とすれば、その世界に入るのは、音楽に耳を傾ける余裕のある人々だけということになる。その美の世界は、いわばブルジョアの特権ではないのか。

松尾　事実、毎日の労働からいくらか解放されてはじめて、人間は、文学を読み、絵画を見、音楽を聞くのではないか。奴隷には、教養も芸術もない。

梅田　黒人霊歌は何なのか。ラスコーやアルタミラの洞窟には、二万年前の人間の描いたすぐれた絵が残っている。美が限られた階級の特権だなどとするのは、偏見もはなはだしい。人間は誰でも美を満喫できるはずだ。そして、美は、いわゆる芸術作品に限られるものでもない。すべての物、あの車も、この着物も、すべて美に与っているのである。

竹内　すると、国宝の美も電車の車内広告の美も程度の差にすぎないことになるが。

松尾　そう考えるべきではない。まず、実用品を美しいと言うときには、実用品としての美しさを言い指しているのではなく、実用品の実用性のほかに美しさがあるのだ。だから、美という観点からすれば、美しい物なら、実用品であるか、芸術作品であるかは、問題にならない。例えば、襖は、実用品としては、間を仕切るものである。その襖に狩野派の絵が書いてあるのは、実用品としての役割とはなんら関係がない。物の美しさは、美という次元においてのみはかられる。

　そこで、美という点から物を見ると、二種類の美が存在するということがわかる。一つは、単に目や耳を楽しませてくれるだけの美である。つまり、五官を通じて、快い印象を与える、官能的ないし感傷的な享受を目的とする美。もう一つの美は、人間の精神的な働きを通して、精神的な糧を提供するそれである。前者は欲求を充たす類のものであり、後者は価値へ導く類のものである。第一の美の前では、人間は、その美しいものを自分のものにしたい、それを所有したいという自己中心の態度をとっている。第二の美の前では、われわれはむしろ、それに惹きつけられ、美の世界へと昂揚される。文学に例をとれば、三文小説もあり、『カラマーゾフの兄弟』もあるが、前者は、読書欲を充たすにとどまるのに対し、後者は、生き生きした人間像を読者の胸に刻みつける。

竹内　名づけて言えば、官能美と超越美との存在を君は主張するわけだが、美しい物はどれでもそのどちらかの美に属するのか。

松尾　その官能美と超越美という二つの美は、一般には混ざっているが、芸術作品であれば、それが官能美であるか超越美であるかがだいたいわかると思う。

竹内　ということになると、芸術の種類はその区別によって決まるわけだが、例えば、漫画は必ず官能美だと言えるのか。

松尾　そうではない。超越美をもつ漫画だってありうる。美という次元においての区別なのであって、材料、大きさ、手法などとは無関係なのだ。

竹内　それでは、官能美と超越美という区別は芸術論の基礎にならないだろう。

松尾　おそらく、芸術学には役に立ちそうもない見方だろう。むしろ、美学の基礎になるのだ。

梅田　芸術学と美学とをはっきり区別してほしい。

松尾　芸術学は、芸術作品が具体的にどういうふうに美しいかを研究する。例えば、鎌倉時代の仏像では目がどういうふうに彫られているかとか、尾形光琳は誰の影響を受けたかとか、夏目漱石の言いたいことは結局何なのかとかを考究するのである。美学はそれと違い、美そのものを研究の対象とする。つまりは、美とは何かという問いに答えようとするものだ。

竹内　それで、官能美と超越美があると君は言う。しかし、その区別は、美という立場からではなく、ほかの見地から引き出されているのではないか。欲求を充たすためとか、精神的な糧を供するためとかいうのは、結局、作者の意図を指すのではないか。したがって、官能美であるか、超越美であるかを決めるのは、作者自身である。作者自身の心である。それでは心理学になってしまう。美学ではない。

松尾　相も変わらず君はすぐ飛躍するから困る。創造者とその作品との関係は、ここで是非扱わなければならない一つの重要な点なのだ。

竹内　では、創造者の側を考えてみよう。何の目的をもって、画家や音楽家や作家は、ものを造るのか。

松尾　作者は、あくまでも、自分自身を表現するものだ。価値ある芸術作品は、必ず作者の体験に基づくものであって、作者の告白だと言っても過言ではない。したがって、作者は正しく創造者と呼ばれている。つまり、自分の心あるいは自分の頭から出る創作意図に形式を賦与し、現実の世界に投げ出すのである。内面的エネルギーの結晶として作品を産み落とすのだ。産みの苦しみという表現が、芸術上の創造を指すのによく用いられるのも、そのためなのである。芸術作品はまさに作者の産んだ子である。したがって、作者にとって、生きることは創造することであり、自分自身を表現することである。作家はその小説を通して、画家はその絵を通して、音楽家はその曲なり演奏なりを通して、自分の人生論、自分のヴィジョン、自分の心情を表わそうとするのである。と同時に、それをしなければならないと感じる。彼にとっては、創造することは義務であり、生き甲斐である。結局、彼は、芸術作品を作るのではなく、自分自身を作るのだ。

竹内　したがって、作家は、その読者を考えていないし、画家は、その絵の鑑賞者を考えていないというわけか。

松尾　全然考えないわけにはいかないが、創造という行為は、読まれるとか見られるとかいう以前の働きであって、あくまでも、作者の内面的エネルギーの表現である。

竹内　そうすると、芸術作品を観るわれわれは、作者の精神と交わり、彼の心情を分かち持つのである。つまり、彼と親しくなるのだ。

松尾　そのとおり。だから、芸術作品をもっと深く理解するため、作者の生活、環境、その言わんとするところを調べる。確かに、芸術作品自体は作者のヴィジョンを伝えているのだが、しかしなお作品の鍵は作者自身にあるので、作品とは別に、人間としての作者を知ることも大いに役に立つし、時には絶対必要なのである。実際、文学研究や美術史は、そういった仕事を続けてきた。

竹内　なるほど。

梅田　僕はしばらく黙っていた。松尾君のとんでもない論法の行く先をじっと見守っていたのだが、もう我慢がならぬ。まず、創造者は自分自身を表現すると松尾君は言ったが、それにはもちろん一理ある。しかし、作者は、あくまでも、その作品の受容者、読んだり見たり聞いたりする人間を念頭に置いて仕事に取っ組んでいるのだ。誰にも読まれるはずのない小説を、それと知りつつ書く作家があろうか。初めから、誰の目にも映じないとわかっている絵を書く画家など考えられようか。芸術の心理というものは松尾君の言うようなものではない。一種のヴィジョンと言うか、そういうものを人に伝えるために芸術作品を作るのである。換言すれば、芸術作品はメッセージそのものだとも言える。作者はメッセージを伝える者にすぎない。そして、われわれはそのメッセージを受け入れようとするのである。一体、弥勒菩薩の彫刻家が誰だか知られているのか。人麿呂の生涯についてはどうなのか。そもそも、われわれは芸術作品を味わうとき、その作者などを考えはしない。

作品の物語るところそれ自体を鑑賞しようと思うのだ。作者の意図は、もしそれが作品において具現されていれば、その作品から判読できるかもしれないが、具現されなかったならば、そんなものは無に等しい。作者についての知識が豊かな場合もあるが、それは作品を理解するためには役に立たない。クローデルは小肥りの男で、裕福な大使、また気むずかしかった、こんなことが、その詩の美しさを説明するのか。また、吉川英治の生涯についての知識が『宮本武蔵』を豊かに味わわせるもとになるのか。

松尾　しかし、文学の研究も美術史も現に存在する。梅田君の説に従うならば、それは全く無意味な努力にすぎなくなる。

梅田　美術館もある。美術館は、美を説明するためにあるのではない。ただ、美しい物を展示するという役割にとどまる。文学史も美術史も、同様に、美しい物を選択し、それを指摘するのである。

竹内　美術史というのは、それぞれの時代に分けたり、その相互関係を明らかにしたりするものだ。美しい物の形を研究するのである。そういったスタイルを、何とかイズム、何とか派に分類するわけだ。例えば、現代絵画について言えば、印象派とかキュービズムなどの研究が、美術史の課題になる。ところが、ある作品は印象派に属するから美しいわけではない。印象派の作品中にも、傑作もありうるし、駄作もあろう。傑作というものは、そのスタイルによって成ったものではなく、逆に、そのスタイルをのり超えたものだ。また傑作は、その時代の趨勢、作者の手法によって説明できないものなのである。前例を使えば、印象派とキュービズムの時代の最も有名な画家は、セザンヌであり、ゴッホであり、ルオーであるのだが、いずれも、印象派にも、キュービズムにも属していない。美術史は、芸術作品の一般的傾向を究める以上には出ない。偶然、傑作を扱うことはあっても、その美の面は除外し、傑作の傑作たる所以には目もくれない。美術史は、いわば駄作の歴史である。

松尾　それは言い過ぎではないか。まず、セザンヌもゴッホもルオーも美術史のなかに登場するではないか。

竹内　美術館のように、美術史もその偉大な創造者を指摘しはするが、彼らの偉大さを説明してはくれない。

松尾　イズムとか派とかいった形のスタイルを研究するのは無駄だと言うのか。

竹内　美術史は傑作でない面をある程度説明するので、それと比較すれば、傑作の非凡な価値が明らかになる。だから、その意味からは無駄とは言えない。われわれは、すぐれた作品のみを味わいたいのであって、平凡な芸術作品を見るのはあくまでその準備である。それは傑作の引き立て役にすぎない。ちょうど、ねずみ色のビロードが宝石を光らせるように。

梅田　とすると、美の感覚は比較によって養成されることになるか。

竹内　そうだ。美の観照へと導くものは美醜の鑑賞である。それは判断であって、単なる知識ではない。その判断力を養うには、いろいろな作品を比較して、より良きもの、よりすぐれたものを決めるほかに方法がない。だから、平凡なものとすぐれたものとを並べるのは当然である。美術館では、そういう並列は偶然でも起こるが、意識して、責任者は常にそう仕組むべきだと思う。それが立派な教育の方法なのだろう。文学研究についても同様である。真の文学研究は、作者がいつ生まれたか、どういう女性を愛したかといった調査ではなく、同一のテーマを取り扱う文章を比較鑑賞したり、同じスタイルの作品群のうちで駄作と傑作とを見極めたり、つまり、比較という方法を使って鑑定する目利きを育てることである。

梅田　それは美の客観性を前提とする。

竹内　もちろん。

松尾　だから、僕には疑問なのだ。それよりも、一作家の作品をたくさん並べることの方が、現代でも実際によく行なわれるし、また、作者の精神をよく理解させるのだ。

梅田　君は、美は主観的だとする立場だから。

竹内　この辺で話題を少し変えよう。自然の美についてはどうか。

松尾　自然は、ただそれとしては、美しくも醜くもない。それはただそこにあるというだけである。人間の目に映ってこそ、風景は風景としての意味を持ち始める。

竹内　君は相変わらず主観的立場をとる。しかし、美しい風景を見る人は、皆、美しいと感ずるはずなのだ。それが、前に定義した美の客観性ではないか。

梅田　人によって多少の差があっても、美しい自然の前では、実際に、評価の一致を見る。そうでなければ、日本三景というものも無意味になるし、観光会社などすみやかに店をたたむべきだ。

松尾　君によれば、美しさは風景に内在するわけである。それでは、誰がその美を造ったのか。

梅田　そういう問いは、問いとして成り立たない。それは自然の美なのだから。自然の美は自然に存在する。

松尾　物の色と同様であるか。

梅田　そうだと思う。美醜は、実在する物にあとから付け加えられたものではなく、物の実在の一面なのである。結局、どんな物でも、それが実在する以上は、程度の差こそあれ、美しいとか醜いとかいう性質をそなえている。われわれは、その美しさが目立つときだけ、それと気がつくのである。その場合、特定の風景を指して美しいと言うが、ほんとうは、どの風景でも、ある程度まで美しいと言える。

松尾　そうすると妙な結論が出てくる。すなわち、自然の美は自然に存在する。そして、一方、芸術作品の美も、人間が作ったものとして、やはり存在する。したがって、二つの異なった美が存在する。

竹内　二つの美があるとするのはおかしい。こう考えれば、一応その点は解決できる。すなわち、まず、自然の美が存在する。そして、芸術家はそれをまねて、芸術作品の美を造る。こうすれば、芸術作品の美は、人工的な美とは言っても、自然の美の模倣にすぎないことになる。

松尾　それは成り立たない解決策だ。まず、芸術の美は自然の美の模倣だとした芸術家もいるにはいたが、それも限られた時代の限られた作者にすぎない。それは、いわゆるリアリズム派の人々である。その少数においても、模倣というのは、おそらく、自然をそのまま真似るのではなく、理想とする自然を追求することなのだろう。裸体画に例をとれば、ある特定の一美人の体であるよりは、やはり理想とする体を表現しようとしたものである。この点から考えても、作家が模倣するというのは、その実物を複製するのではなく、実物の美をモデルにするのだ。梅田君の客観的な見方によれば、富士山の美しさは国土にあり、富士山の絵の美しさはカンバスにある。それぞれやはり二つの美になっているのではないか。

梅田　二つの美になると君が言うのは、主観的な立場をとるからではないのか。つまり、君は、美しさが作者の精神の反映だと思っている。したがって、作者のない自然の美と、作者のある芸術の美は異なってくる。しかし、はたしてそうであろうか。ほんとうは、芸術家は美を造るのではなく、作品を造るのだ。石材に凹凸をつけたり、絵の具を塗ったり、言葉を並べたりするだけである。その客観的な結果のみが美しいとか醜いとか言えるのだ。だから、作家の努力が不毛である場合もあり、逆に、偶然に美しさが生ずる場合もある。誤植によって名品となりえた詩もあり、未完成のためにかえって美しい作品もある。また、「私は探すのではなく見出すのだ」というピカソの言葉も、ピカソが労を省くことをではなく、美しさが、偶然とでも言うべき出会いにおいて実現することを指すのである。さらに、古くからこういう隠喩が用いられてきた。彫刻家は、大理石の塊の中に隠れている像を母岩から発掘すべきだというのである。これも、作家が美を造るのではなく、それに陽の目を見させるのだ、ということを教えるのである。

結局、美は、線と色、もしくは音の調和にある。その調和はどういうふうにできたか、つまり、自然にできたのか作者によるのかはどうであろうと、調和それ自体が美であり、しかも唯一の美なのである。

松尾　美の代わりに調和という語を使ってもさしつかえない。ただ、調和があれば調和させるものがある。だから、調和がわれわれの精神のみにあるとすれば、自然の美にせよ、芸術の美にせよ、調和させるのは、ほかならぬわれわれ自身なのである。ごく簡単なことだ。

竹内　しかし、前の議論から言っても、そういった主観的な見方は正しくない。美は実在する。梅田君によれば、物の実在の一面である。したがって、いろいろな物の美しさが存在し、それぞれの美しさは美そのものの参与である。換言すれば、物体の美しさとは、美そのものに与えることである。美そのものが単なる概念であるならば、美しさは客観的にならない。しかし、美しさは実在するので、美そのものも存在する。

梅田　ちょっとたずねるが、美そのものの存在は物質的な存在とは違うだろう。

竹内　超越的な存在と言える。あるいは、人間の感覚を超える存在と言った方がいいかもしれない。

梅田　なぜ美そのものは物の美しさに内在すると考えてはいけないのか。

竹内　内在とか外在とかいう表現は誤解を招きやすい。空間的な連想にとどまる言葉だからだ。僕の言いたいのは、美そのものが物体とは別の次元において存在するということだ。例えば、陽光があるから太陽は存在する。陽光と太陽とは切り離すわけにはいかないが、太陽は陽光の総和ではない。

梅田　そうすると、美そのものは美しさの原因として存在する。しかし、原因としての存在というのは、はたして実在なのであろうか。

竹内　レントゲンは見えないが、その影響で実在が検証される。太陽を見なくても、陽光によってその存在を察知する。同様に、美そのものは感じられないが、美しさを感じることにより、美そのものの存在を知るのである。

松尾　では、僕も竹内流に考えてみよう。見るもののうちには赤いものもある。いくつかの物は事実赤い。〝赤い〟は単なる概念ではない。なぜなら、赤い物の赤い色は客観的だからだ。だから、赤い色は赤そのものに与るものだ。赤そのものは存在する、と。いかが。

梅田　竹内君の説はこの一撃でふっとんだか。

竹内　とんでもない。松尾君の説を正しくやり直そう。いくつかの物には赤い色という物理的な現象が伴う。だから、赤い色という物理的な共通性があることになろう。研究すれば、赤い色の原因が何であるかわかる。それは、波長が六百五十ミリミクロンから八百ミリミクロンの光波である。

　ところが、美しさは客観的であっても、物理的な現象ではない。美しさの原因である美そのものは、直接に五官の把握できるものではない。つまり、美は価値である。

　まず、創造の立場から見よう。梅田君が主張したように、作者は自分を超えるものを表現しようとする。ソクラテスは自分の霊（ダイモン）に耳を傾けたし、インスピレーションのことを語る人も多い。また、ある人は、使命を受けたと意識している。いずれにせよ、作者ははっきりしたヴィジョンを具現するよりは、どこかからの呼びかけに答えて、自分の全能力を駆使してそのメッセージを伝えようとする。作者は常にメッセージに仕える者の態度をとる。それは、美が人間の作るものではなく、人間が認めるべき価値であることを示すのである。

　次に、芸術作品の面から見よう。そこで、松尾君の区別を使ってみたいと思う。官能美と超越美とに分ければ、前者はアクセサリーのようなものであり、われわれがまさに価値として認めるのは後者の超越美の方なのだ。その美に出会うとき、われわれは強い感銘を覚え、美に吸い寄せられる思いがする。また、美に対する感覚を養成するのは、貴重な教養を得ることにもなるとは、誰でも等しく認めるところである。人々が、美を重要な価値と認めているのは、事実である。

松尾　自然の美についても同じことが言えるか。

竹内　自然の美においても、官能美と超越美とがあるのではないか。単なる心地のよい風景もあろうし、また、いわば魂のある自然と言えるものもあろう。後者の中にいれば、詩を詠んだり、自然を賛美したり、という気分になる。実際、その賛美の象徴として、そこには鳥居が立っているかもしれない。話が少しそれるが、僕は神道の真髄は自然の美を賛美することだと思う。

梅田　君が今言った、価値としての美の見方に、僕はだいたい賛成したい。美そのものの存在によりも。

竹内　けれども、言い方は違うが、結局、指すところは同じなのではないか。

梅田　僕にはよくわからない。

とにかく、美が価値だとすれば、その価値は善という価値とどういう関係になるのか。この問題を考えてみたいと思う。

竹内　美と善とは一致すると僕は思う。よいから美しい、美しいからよい。「美談」という語も、単なる美しい物語をではなく、よい行ないの話を指すのである。

梅田　しかし、美しくて悪いものもある。例えば、『チャタレー夫人の恋人』が問題を起こしたが、あれは傑作だが読んではいけないという見方があった。そして、こういったケースは、なにもエロティシズムに限ったことではない。音楽の例をあげれば、ワーグナーの『トリスタンとイゾルデ』はすぐれた作品にはちがいないが、そのなかの愛についての見解は誤っているのではないかと僕は思っている。嘘を教える作品でも〝よい〟と言えるか。

竹内　一つの芸術作品が、美しくかつ悪い、といった事実もある。しかし、それは、ある面から見れば美しいが、別の面から見れば悪い、ということではないか。同じものを同じ見地から見れば、美しくて悪いなどということはない。君の例について言えば、愛が死に勝つというトリスタンの教訓は確かに嘘だが、しかしなお、トリスタンの情熱は美しく、それは人間の真の心を描いている。嘘が美しいとは言えなくとも、嘘をつくことも、観点によっては美しいこともある。

梅田 どうも納得がいかない。文学のおもなテーマは何であるかというと、殺人、姦通、自殺などである。そこで、例えば、殺人をテーマにした作品を考えてみるに、その作品の美は、テーマである殺人そのものと離れて存在すると考えるのはおかしい。人殺しを美しく描くことは、殺人をある程度正当化することではないか。

松尾 それには、官能美と超越美という区別が役に立つと思う。官能美は、人間の欲望を充たすものであって、その欲望が悪ければ、その芸術作品も当然悪い。そこで、悪くて美しいという場合も起こるわけである。

竹内 官能美は悪く、超越美は良いということか。

松尾 そうではない。人間の欲望のうちには、良いものも悪いものもある。後者の場合のみに悪い芸術作品が生まれる。例えば、残酷さへの欲望を充たすだけの映画が何本もある。

竹内 超越美の場合はどうだろう。

松尾 君の見方によれば、それは価値に与るものなので、超越美は必ず良いことになる。しかし、僕は、超越美というものは、超越である以上、人間の善悪の区別を超えるものではないかと考えている。つまり、そういう場合、美しさは善や悪とは関係がないということだ。

梅田 官能美と超越美という君の区別は確かに有益であるが、あまりにも主観的な規準に基づく気がする。

竹内 結局、いろいろな問題点があり、どの点についても、考える余地がまだまだ残っている……。

■塾長からのアドバイス

「美」は超越的なリアリティー

美術館の閉館中、「美」は存在しない？

美術館へ行く。そこにはすばらしい作品が並んでいて、美的な魅力を放っている。観客はそれを満喫できる。美が溢れている。ところが、午後5時に閉館になる。観客はいなくなる。作品もその美しさも暗闇に沈んでゆく。翌朝の9時まで美術館の蔵する美しさはなくなるだろうか。つまり、誰も作品を見なければその美は存在しないと言えるか。いや、そうではないだろう、と誰もが思う。

一応、「美を感じるのは人間だから、美的な感覚は主観的なものだ」とは言える。つまり作品の美しさは人間の精神が決めるものであるから、作品そのものに美は内在しないことになる。そうだとすれば、すなわち、人間の精神が作品に美しさを与えるものだとするならば、妙な結論になる。たとえば〝1887年にフェノロサによって秘仏の禁が解かれる以前は、聖林寺の十一面観音は美しくなかった〟ということになる。あるいは、コソボの作品は、彼が生きている間は美しくなかったといい得るか。

さらに、人は作品を鑑賞する。そして国宝・重要文化財・傑作・佳作・駄作などとランクつける。たいていの場合、そのランク付けには大方の鑑賞者が賛成しているようである。それは、美の価値に客観的な規準があることを前提とする。もしも美醜の差が〝好き・嫌い〟のように主観的なものに過ぎないならば、鑑賞は不可能になる。

芸術家の意見

広隆寺の弥勤菩薩を眺めているとする。実のところ、鑑賞者が作品に新たな美しさを付与するなどということは全くできない。作品の放っている美に、鑑賞者が参与するだけなのである。作品の美のメッセージが鑑賞する私の心に漲《みなぎ》っている。私は受動的な態度で観賞するのみ。換言すれば、美しさはその作品に内在しているということである。美しさそれ自体は超越的な存在であるが、一方で、色と形を通して具現されたリアリティーである。

和辻哲郎は『古寺巡礼』の中でこう書く。「（彫刻家は）人の姿における超人的な存在を表現する。ここには彼岸の願望を反映する超絶的な或者が人の姿をかりて現われているのである。絶対境の具体的な象徴が生まれた」。

この見方はマルローの立場を想起させる。マルローによれば美術は「la monnaie de l'Absolu」である。訳し難い表現だが、「美術は絶対そのものの具現である」とでも訳しておこう。

　また、森有正は『遥かなノートル・ダム』の中で、自分の経験をこういうふうに述べる。

「僕が作品を把握するのではなく、作品の方が僕を把握しているのだ。事態がそうである以上、僕の方がその根拠を把握するという可能性はまったくないことになる。古代の人はこういう事態に美、イデア、フォルムなどの名を命じたに相違ない」。

　かくして、美は「超越的なリアリティー」として、作品に内在するのである。

創造者とその作品

作者不問

　弥勒菩薩の作者は誰なのか、人麻呂はどういう生涯を送ったのかについては、ほとんど知られていない。また、ホメロスやシェイクスピアも、その名前のほかは何も分かっていない。このように、古い時代の傑作は、ほとんど例外なく作者不明、少なくとも作者未詳なのである。にもかかわらず、そのために鑑賞結果が変わるということはない。

　近代の作品の場合は、作者についても多少は知られていることが多い。しかしその種の知識は、観賞するのに果たしてどれほど立つのだろうか。ポール・クローデルは小肥りで、裕福な大使で、さらに気難しい男だった。が、そんなことを知ったとて、彼が遺した詩の美しさをそれによってどう説明できるだろうか。吉川英治の生涯に関する詳細な知識が、『宮本武蔵』を豊かに味あわせる原動力になるのだろうか。われわれは、芸術作品を観賞しようとするとき、その作品自体と直《じか》に接触する。作者名が誰であるかは、作品の美を鑑賞することと何の関係もない。

ところが、こういう見方もある。「作者のメッセージというものがあり、作者は作品を通してそれを伝えようとする。従って、作者を知ることが重要なのだ」。仮に作者のメッセージたるものがあるとすればそれは、鑑賞者に作品自体を味わってもらうのが、それを伝えるための一番適切な方法である。作品以外にも、作者に関する知識がその人格を説明することがあるかもしれないが、それでもメッセージ伝達は作品に任せられているのである。ゴッホはその弟、テオに度々手紙を書いたので、それによってゴッホの日常生活はよく知られている。しかしその手紙は、ゴッホのメッセージを伝えるものではない。ゴッホの作品の美しきを味わうための役には立たない、と言っていい。

作者が表わす「美」とその周辺

ところで、いったい「作者のメッセージ」というものはあるのだろうか。「作者は作品を通して人々に訴えている」という意味でなら、確かにメッセージがあると言える。しかし、「作者に作品を作る前に〈ある考え〉があって、それを作品に現実化した」という意味なら、そこにメッセージなるものは存在しない。

メッセージと作品は同時に生まれるのである。作者はまさに〈創造者〉なのだ。作品が生まれる前、そのモデルはどこにもない。〝創造されたもの〟は創造されたものである以上、その誕生を予知できないし、誕生の過程を――いかなる方法をもってしても――説明することはできないのである。

世間の耳目を集める作品が世に出ると、決まって自称他称の評論家がその周辺に集《たか》る。美術品なら美術評論家、文学作品なら文学評論家がその作品を、自らの活動の対象とする。評論家はまず、〝傑作性〟の有無をわれわれに指摘する。場合によって（例えばニーチェやゴッホの場合）、評論家の判断が完全に狂うこともあるが、大体において彼らの鑑賞はある程度信用していい。ともかく評論家が我々に、価値のある作品の存在を告げ知らせてくれるのはありがたいことである。

ところが、残念ながら評論家はそれにとどまらず、その作品を説明しようとする。作者がどういう先輩の影響を受けたかなどを長々と述べるのはその一例だ。そういった説明は、創造された美しきを少しも味わせてはくれない。しかし、評論家はそこにこそ自分の存在理由があると思っている。作者の創造力を待ちつつその作者の後ろにくっつくサマは、〝人の褌《ふんどし》で相撲を取っている〟とでも言えようか。

美術史というものもある。美しい物の形を研究して、それぞれの時代に分けたり、その相互関係を明らかにしたりして〝何とかスタイル〟〝何とかイズム〟〝何とか派〟に分類するわけである。近代絵画について言えば、印象派やキュービズムなどが美術史の研究課題になる。ところが、印象派とキュービズムの時代に、セザンヌやゴッホ、ルオーという偉大な画家が現われたことを等閑に付すわけにはいかない。しかし残念ながら三人とも、印象派にもキュービズムにも属さない。すなわち、美術史のカテゴリーはその作品に美しさを何ら説明してくれない。そもそも、美術史はいくつかの作品の共通の形を研究するのに留まる。一つのスタイルを見出して、その歴史的な変化を捉えようとするのである。

　そういう意味でのスタイルは「美しさ」の要素ではあり得ない。傑作の美は創造されたものなので、必ず〝標準スタイル〟を逸脱するものである。だから美術史が傑作を取り扱う場合、価値のある面を差し置いて価値のない面を研究していることになる。すなわち、傑作のまたとない美しさは美術史の手の届かないところにあるのであり、美術史が持て囃《はや》されるのは結局、駄作の世界でのことに過ぎない。

　ところで我々には、傑作と言われる作品の前に立ってもその美しきを享受できない経験があり得る。そういうとき、評論家の言に耳を傾けたいと思う。つまり、「なぜ美しいか」という問いに答えてもらいたいわけだ。しかし、評論家がその美しさを説明することができないのは事実である。

ピカソ展が教えた人気画家の秘密

色と線の美を追求した生涯

過日、日本でピカソが描く作品の展覧会があった。そこに展示された作品群がピカソの創造性を全面的に語り尽くしてはいないにしろ、ピカソ芸術に入門するには恰好《かっこう》なものだった。それでも、年代による系統的観賞は条件的に無理だから、単に鑑賞者の一人として眺めるため、会場に入った。

まず小さな素描が数十点目につく。その中に、ギリシャ時代によく画かれた場面を思い出させる一点があった。お爺さんと二人の若者が描かれている。ギリシャ人にとってそのお爺さんは神であり、二人は勇士を意味していた。しかしピカソはその英雄的、ないし神的な次元を否定し、人間の姿に描くことで満足する。

それら、ギリシャ時代を連想させる素描コーナーの外に、アトリエの光景を彷彿《ほうふつ》させるコーナーが置かれている。肖像とヌードを描く作品が多い。展覧会場を見渡す限り、結局、何かがピカソの制作意欲を刺激した、というイメージは極めて乏しい。アトリエに見られるものの外には殆ど観るべき作品がない。自然とその植物、市場とそこに集まる人々の営み——といった作品は一点もない。会場内で美しい尻と乳房を鑑賞できるにしても、ピカソは果たして女性を描いただけの作者であろうか……

芸術家というより技術家として生きた人

ピカソは魂のない、生命のないモチーフで制作した。そういう作品の価値はどこにあるのか。線そのものが、色そのものが、美しいと言える。つまり、精神的な世界を全く離れて、キャンバスに置かれている線や色だけが面白いのである。自分の知らない活字を見るときのような心持ちで、ピカソの作品を見なければならない。この活字がきれいとか汚いとか、それ以上を云々することはできない。判読できないし、その新しい言葉を覚えることも不可能だ。目の前にあるのは、誰も知らない言葉、おそらくピカソ自身さえも。だが、その活字が面白いことには違いない。

或る時代には、ピカソが何かを言わんとしたことがあったかもしれない。例えば、共産主義者として、あるいは平和主義者としての訴えが見られないこともない。それにしても、ピカソがその作品を通して、そこに描かれた模様の他、何も伝えたくないことは確かであろう。リノリウム・カットのような模様の作品を見るのが鑑賞者の楽しみであることも否定できない。

結局、ピカソは芸術家よりも技術家である。天才的な職人。彼はさまざまな手法を使って、新しい形や調和を見つけたが、単なるテクニックにとどまった。ピカソが人間の顔を描くとき、その真相がばれる。即ち、ピカソは漫画家である。

しかし、ピカソは有名である。彼の人気が宣伝の産物だとしても、それだけでは有名であることの説明としては不十分であろう。彼は精神的な価値、あるいはあらゆる神を拒否するから、無神論的な社会が彼を歓迎したのである。そして機械文明に酔っている世界は当然、テクニックの天才・ピカソを讃美した。彼の最初の受賞作品は『科学と恩寵』だそうである。それは偶然ではない。恩寵を拒否し科学に全幅の信頼を置いたピカソの生涯それ自体が称賛を受けたのである。

ところで古い価値観を破壊しようと思ったピカソは、結果として最も古臭いアカデミズムを再興したのではないか。精神を離れ、ただ見て楽しませる形を提供するのは、すべての芸術流派において頽廃《たいはい》時の特徴である。ヘレニスチック時代、あるいは平安後期の艶っぽい彫刻がそうであったし、ルネサンスのグロテスクな全身像もそうであった。唯物論時代に生きるピカソは、それに似ている。

クレーが醸し出す詩的雰囲気

『花』に始まる「自分の道」探し

先ごろ鑑賞した「パウル・クレー展覧会」はいろいろの面から見て優れていると思われた。まず、

1月という展覧期間が適当な時期だった。クレーの作品に限っているので当然統一されているし、100点が上手に選択されているので、十分にクレーの画風に親しみを覚え、味わうことができた。しかも作品の配置や紹介の仕方も完全なものだった。

そういう配慮がなされているので、クレーの年齢を追いながら観ることができた。最初の作品は『花』(1905年の作)と言い、その出来自体は未熟で後年の作品を知っている者にとっては嘲笑の的に過ぎない。しかしクレーの進歩を分るためには、その端に発するこの〝くだらない絵〟を観る必要がある。事実、1928年頃まで、クレーはいろいろな試みを行った。子供のいたずら描きに似ているものがあるかと思えば、調子の狂った夢のような模様もある。当時のクレーが、その想像力をほしいままにして「自分の道」を探していることが分かる。

美の世界の扉を開けたが

1930年にもなお、クレーは一点一点に驚くほど違った手法を使っているが、この頃になると、素材・線・色などに厳密な一致が見られる。そのため、鑑賞者が理解に苦しむところはない。むしろ、どの作品にも詩的な雰囲気とその魅力が漂っている。

クレーの手法は、手法としてはピカソのそれに及ばないだろうが、クレーはその手法を通して、美の世界の扉を我々に開けようとする。その作品は我々に語りかけている。注目すべき作品があるが、彼の習作の中に『悲しみ』という1点があるのだ。そこには人間の顔が表われる。それは傑作と思われないかも知れないが、そういう「悲しみ」をピカソは描かない。クレーの作品『悲しみ』が傑作に達しなかったとしても、試みとしては貴重なものである。

1939年頃、つまりクレー晩年の作品は、いくらか劣えを感じさせる。いずれも絨毯の模様、あるいは漫画に過ぎない。作者自身はそれで十分にその心境を表現したつもりかもしれないが、観る者にとっては〝雅致のある図〟でしかない。30歳代の作品をまとめた「詩人時代のコーナー」へ戻って、新鮮な美を感じさせる「莠《びょう》」か「空港」を味わい直してみたい。私はゆっくりと踵《きびす》を返した。

文学の美を教育し得るか

教師失格

私には、数年にわたってフランス文学を教えた経験がある。しかし、『文学を教えるのは結局、不可能だ』ということを意識するようになった。自分が作家であるならば、〝作家の卵〟に何か教えることができるかもしれない。しかし文学の教師が〈なぜこの文章は美しいのか〉を説明できないなら、その存在理由などいったいどこにあるのか。名文の美しさを説明できないことは、とりもなおさず「教師失格」を意味するのである。

もちろん、逃げ道がないではない。例えば、学生に作家の伝記を教えるのはその一つである。だがそれは、前項で述べたように、文学の美そのものを観賞することには関係がない。また、思想史を教えることも考えられる。しかしそれとて、作品の思想的背景を理解することが作品そのものの理解にどれほど寄与するかは疑問であり、やはり、その美とは無縁の作業であろう。名文の美は、思想の真偽によるものではなく、美醜に関わるものだからである。

そうなると、文学教師にできることと言えばせいぜい、いくつかの作品を集めて、「これは傑作だ」「あれは駄作だ」と振り分けることくらいしかない。「観賞すること」を教えるのは、いかなる教師にもできない業である。

「鑑賞」とは、作品に心奪われること

評論、美術館、展覧会、文学教室――どの存在一つ取ってみても、芸術作品の観賞を教える役を果たせるものは皆無である。それらはすべて、鑑賞者に〝傑作〟という世間の評価を紹介し、あるいはその作品を鑑賞する機会を提供する域を一歩も越えない。それは鑑賞への招きではあっても、観賞入門とはなり得ない。

「鑑賞する」とは、自らの心を作品に奪われることである。主人公と共に愛し、共に憎み、我れ

を忘れて夢中になることである。あるいは、作品の美しきに打たれ、突如として無言の讃嘆に陥ることである。真の鑑賞はあくまで無言のうちに行われる。美の享受を強いて言葉で言い表わそうと思えば、「ああ……」と声を発する他はない。それ以外の言葉は、文字どおり雑音でしかないのである。

この「ああ……」は予想もしない瞬間、俄《にわ》かに湧き出る。教養がその出現を準備するかもしれないが、それは決して教養の結論として起こったものではないし、教養を母胎としたものでもない。「ああ……」は、美の閃光に打たれた者の目覚めを物語る。「ああ……」は作者に向かって発せられるのではない。作品に内在する美を迎え入れる声である。そして、作品の美を通して「美」そのものをも迎えるのである、文学作品であれ、美術作品であれ。

読書論

本に三種あり

本には「気晴らしの本」「道具の本」「糧の本」の三種がある。気晴らしの本については、何の説明もいらない。足があるから散歩するように、字が読めるから字を読むのである。

次に道具の本というのは、一定の知識を得るために読まれるものである。例えば、教科書はその代表格である。したがって、この種の本の良し悪しは〝便利さ〟で計られる。我々の知りたいこと――それが電話番号であれ、数字の公式であれ、一定の概念であれ――は、道具としての本の中に見出すことができる。道具の本は必要であり、貴重なものである。ただし、あくまでも〝魂のない道具〟であるが。

「糧の本」への与り方

もう一つ、「糧の本」がある。幾分か概念をも提供するが、それ以上のものをそこから汲み取ることのできるような本である。小説に例を取ろうか。小説なら、主人公との出会いにこそ意味がある。

『罪と罰』を読むのは、罪とは何かを知ることではない。ラスコーリニコフという生きた主人公がいて、我々は生きたラスコーリニコフに出会うためにその小説を読むのだ。場合によって、我々の会いたい人物は著者自身であることも多い。『変身』を読むのは、苦悩するカフカに会うためではないか。そういった人間と出会うことは、概念を知ることに比べ、はるかに優る。

同様に、プラトンを読むのは、プラトンの思想体系を知るためではなく、プラトンのビジョンに与《あずか》るためである。この場合、ビジョンは概念による伝達を拒むので、比喩（ミトス）によって伝えられる。

こういう、糧の本は詩そのものではないにしても、詩的な性格を帯びている。概念とカテゴリーで閉じ込められた世界を乗り越えて、詩人は時間と空間に限られない世界、開放された世界の扉を開け、我々を「絶対の美」へと招く。美そのものへ道の一つは「言葉」である。しかも言葉や、言葉の組み合わせである文章だけでなく、言葉と言葉の間にある空白も、それを語りかけている。無言の声、と言おうか。

糧の本の真髄に到達する方法は、一読とか再読することではない。座右に置いて愛読することである。もちろん、「糧の本」を味わうことができるのはおそらく、初めから好感を持った人だけであろう。「ビジョン」に与るためには、謙虚で人情に満ちた心を持たなければならないのだから。

文化と教養

文化は社会の尺度、教養は個人の尺度

「文化」と「教養」はよく使われる言葉であるが、その区別は判然としない。以下、その観念を突き詰めてみよう。ただしここでは、文化と言えば直ぐに連想される「文明」のことは扱わないことにする。文明において価値があると思われる要素は文化の中に含まれているし、また文明は

既に我々の身に備わったものだからである。

さて、文化と教養とを区別しようと思えば、一応次のことが言える。文化はまず、人々の生活様式に関係している。例えば、ある社会の人々が出版物をどれほど読めるかということは、その社会の文化程度を知る手掛かりになる。しかしその場合「文化」は、決してある特定の一人の読み方を指してはいない。あくまでも〝ある社会の状態〟なのである。

それに対して「教養」は必ず、一人の人物に係る状態である。文化なら「この社会の文化は高い」とか「あの社会の文化は低い」と言うことができるが、教養ではそういう言い方はできず、誰々が身に付けた教養は高い（あるいは、低い）と言わなければならない。要するに、教養は一定の人のものであり、文化は一定の社会の特徴なのである。文化と教養との間には、いろいろな共通点や相違点があるが、右の区別はその根本であり、この出発点に立った考察は間違いのない道を開くと思う。

決め手は「理想とする価値」との距離

そこでまず、「文化」とは何かを掴んでみよう。前述したように、文化はある意味では日常生活の便利度合を指す。つまり種々の〝文明の利器〟と密接に関係してくるのである。焜炉《こんろ》の上に置かれた鍋よりも、電気炊飯器の方が、程度の高い文化を示す。東京のタクシーの運転手が手袋を嵌《は》めているのも文化のしるしであろう。

結局、衣食住における利便の良し悪しが文化の一つの尺度になる。そしてそれを支える経済状況も文化の程度を表わす。

ところで、衣食住は人間の生活の枠ではあっても、その生活の全てではない。職業、余暇、個人の生活様式、社交儀礼などにおいて、文化に関する要素はより多いようである。重労働よりパソコン事務、麻雀より読書、焼酎パーティーより音楽会……　いずれも後者の方が、文化の高いしるしとなっているではないか。

本稿ではすでに「文化の程度」という言葉を使った。確かに、「文化」には程度があって、その程度を測るのが価値判断である。存在するのは文化そのものではなく、生活様式であるから、人々はその様式のいろいろな面を価値付けて、文化になるものを決めるのである。

そのようにして文化を裏付ける価値判断では「理想とする文化」、あるいは「理想とする価値」の存在が前提となる。もちろん、人々は意識の上で、理想とする価値をはっきりと形成しているわけではない。しかし、一つひとつの具体的な判断を総括すれば、一種の〝「文化」像〟を思い浮かべることはできる。

逆に言うなら、「具体的な価値判断は、理想とする文化像の具現」である。文化を分析するのは、言わば截頭円錐《せっとうえんすい》の頂点を復元するようなものである。

日本社会に潜在する「文化像」を探る

ところで、理想とする文化像にせよ、その具体的な判断にせよ、文化は変遷する。文化像は時代や社会によって違うし、常に進化している。おそらくは、一定の時代の文化像よりも、絶えず進化していく文化像の方が、その意味は深いであろう。そこで、現代の日本という社会には、どういう文化像が潜在しているかを調べてみたい。

まず、安楽の追求は日本に顕《あら》われている文化像の第一の特徴ではないか。無痛分娩からインスタントコーヒーまで、「苦痛を避け、安易な手立てを求めるあらゆる手段こそが文化的である」と定まっているようだ。労働は疲れるのでその時間を縮め、負担を軽くするのが現代労使に共通の目的である。精神的な分野においてさえ、〝苦痛を避ける意志〟が表われている。例えば、恋愛は成就の嬉しさと失恋の悲しさを差引勘定して、嬉しさという黒字さえ出れば、良いことだと思ってしまう。苦痛や苦労が「悪」と見なされている現代では、奉仕を支える犠牲心や人格を磨く試練などの価値は認められなくなっているようである。

現代の日本のみならず世界各地域において、文化像のもう一つの特徴は「自由」である。現代人は封建制度から解放されたが、その自由の歴史はまだそれほど長くない。そして解放があまりに突然だったため、人々はその自由に酔っている。政治的自由を得ると、今度は経済的自由を追求する。即ち「食うための仕事に身を縛られていたくない」と。人は密かに〝仕事のない、暇を持て余す生活〟を夢見ている。正義に基づく平等を築こうとするヒューマニズムよりも、みな個人的に自由に振る舞うことが出来るような社会への望みがはるかに強いように思われる。

金にも仕事にも縛られたくない人はさらに『伴侶からも縛られたくない』と考える。相手を自由に選び、自由に棄てたい。それは苦痛を避けることでもある。２人の同意以外には、何らの制約も受けない自由……　自由になった人は、いろいろな問題について無関心でいる権利がある、と思い込む。「自分が他人の自由な振る舞いを侵さず、他人が自分の自由を侵さない限り、無干渉は正しい」とする見方が、明治以降の教育・政治・経済などに大きく影響した。が、そういう考え方から社会的な責任感は生まれてこない。

さらに、もう一つの観点から文化像をみたい。それは「時間」という次元に立つ見方である。もし時間が新しいものを持たず、ただ前にあったことの繰り返しに過ぎないならば、現代に表われる価値がどれほど高く評価されていても、ついには無に帰してしまう。人はそれをはっきり意識しないとしても、本能的に感じないではいられない。目に見えない価値が全て亡びていくことは否定できないから、亡び得ない価値を過去に置くか、あるいは将来に置くか、その一つを選ばなければならない。理想とする価値を過去に置くのは、昔のように行動し昔のマネをすることである。いわゆる〝伝統を墨守する〟ことを意味する。確かに、現代日本にもこの考え方は根強い。しかし徐々に弱くなってきているのも確かである。

「過去にも現代にも、自分が理想とする価値は存在しない」と考える人が少なくないようである。しかもそう思っている人々は、「そういう価値を探さなくても、その日の暮らしには差し支えない」と考える。ところが、その見方に従えば、日常生活は直ちにつまらないものとなる。真の価値が存在しないので、全てが退屈である。小説や映画に誘導されて暗い厭世観に捕らわれる人は多い。あきらめ主義が常識になっていることなどはその現象の一つである。

この考え方の底に仏教があることを軽視してはいけない。現代文化に絶対価値を認めるのは、亡びてゆくものに不易の要素を、即ち刹那において超越的な今を見つけることである。それは確かに難しい。それよりも現代人にとっては、理想とする価値を将来に置き、現在をその準備期間と看做すほうがはるかに自然である。そうした考え方の持ち主は、すばらしい将来、明るい将来を樹立しようと努める。その未来像こそが、現在に生きる人に「生き甲斐」を与え、文化を価値づけることができる。この見方はマルキシズムが持っているものでもあるが、マルキシズムに限らない。アメリカ式繁栄に憧れる人も、兄弟愛による共同体を建設しようと計画するキリスト教徒も、そういう風に考える。

実際には、そのような未来像を考える人はまだ少数派だろう。が、右に述べたように、伝統的な見方から進歩的な見方へ人々の意識が移っていく過程は、文化分析の最も面白い点であると思われる。

真の教養人は「価値像」の持ち主

教養については簡単に述べるのにとどめよう。「教養は行儀作法を知ることである」とよく言われる。しかも、それは現代の作法でなければならない。現代人の作法は茶の湯ではなく、電力に関するものである。そして知るという行為は知識に接し集めるばかりでなく、判断することを含む。

従って教養を次のように定義したい、〈教養は文化を判断する力である〉と。政治、経済、芸術、文学などの分野において教養のある人はそれぞれの一点について判断を下すことができる。むろん、その判断は正しい分析を待たねばならぬ。だが分析に止まるなら、まだ教養の域には達していない。「教養」と言う以上、判断にまで及ばなければならず、その判断は「ある価値像」に依るのである。つまり教養のある人は、一定の価値像を有するのである。

もちろん、人によってその価値像は違う。結局、人間とは何か、真理とは何か、良心とは何かという問題を真摯に考え、解くことによって価値像が生まれる。そして、そういう問題を取り扱わない限り、真の教養は生じ得ないであろう。大学の教養課程がその任務を果たしていないのは、そういう価値像づくりを避けているためではないか。さまざまな学問を修めても、真理まで行き着かなければ「教養」に達することはできない。

〝文化創造〟という言葉がある。少し変に聞こえるが、「文化の未来像を実現する」ことを意味するのであろうか。もしも既にはっきりとした文化像が存在するならば、たとえ実現が難しくても、努力の目的は明瞭なのであって、その方向性は定まっている。しかし、文化創造と唱える者は、おそらく文化像を持たず、文化像を築こうとするのであろう。その第一歩は、人間に関する原理を解決することではないか。文化創造に当たっては、人間像を創るのが最も緊急な課題となる所以である。

愛──そのさまざまな形

異性への愛

恋愛と失恋の繰り返しの間に

恋愛や失恋は、学生時代に誰もが一度は通過し、一喜一憂する貴重な経験だ。交通事故や何かの抽選と同じように、事前の準備のしようがないが、その経験は、若者を成長させる契機ともなり得る。

そこで貴君に問う。次に挙げる六つの項目について、異なる意見の交わるものの中から「同感できる意見」を選択して貴君が考える根拠を簡潔に示しなさい。また、選択肢のない意見については、貴君の考えを述べなさい。

（一）A　異性に対して興味を持たないという人がいれば、その人は本心を隠している嘘《うそ》つきだ。

B　勉強や研究、スポーツへの精進に熱中していて、異性に関心を持つ暇などない人もいることを認めるべきである。

C　異性に対する興味や好奇心は不純なもの、不潔なものである。それは人間形成の妨げとなる。

（二）A　恋愛は美しくロマンチックなものであり、人生に生き甲斐や充実感を与える。恋愛は映画や小説のテーマとなる。そのような恋愛のすばらしさに対して、結婚は人生の墓場である。恋愛と結婚には何の関係もない。

B　恋愛の成功した形が結婚である。結婚に至らなければ、それは失恋。最も幸福な結婚は、初恋の実ったものである。

（三）

A　親しい友だちの間に通う情愛を友情とするなら、そのような友情は異性間にはあり得ない。それは必然的に恋愛感情を含む。そして異性間の友情が、第三者に対して排他的な気持ちを持つに至ったとき、それは恋愛のしるしであると言える。そしてその恋は、もの足りなさからプラトニック・ラブに止《とど》まることができず、必ず肉体的交わりを目指す。

B　異性間にも、友情はあり得る。そしてその友情を長く保ち続けることも可能である。また異性間の肉体関係は、結婚生活のなか以外にあってはならないと考えるのは当然である。

(四)　A　思春期から結婚の時期までを平均およそ10年として、その間に何度恋愛と失恋があっても、それは人間にとってごく自然な成長過程の一部であり、よい経験となる。

B　思春期から結婚の時期までが通常およそ10年であることを認めるが、その間、実際には結婚できないのだから、恋愛も避けるべきである。

（五） 異性の友だちが恋人に変わった。〝友だちであった時期〟と比較すれば、どのような点で、態度が違ってくるか。

（六） 恋人同士は目と目で語り合ったり、愛撫を交わしたりする。が、そんな自分を恋人自身（とくに男性）は第三者に見られたくないし、見た周囲の人は笑う。真剣な恋人たちの立ち居振る舞いや仕草がなぜ笑いのタネになるのか。

貴君の「結婚観」を問う

右の諸意見はかなりの程度、「恋愛」と「結婚」を対置して展開されている。では、現在のところ学生である貴君の「結婚とその周辺に関する意見」を、再度、聞かせてほしい。次の各論への賛否と、その根拠を述べなさい。

（一）A　「恋愛」と「結婚」は、はっきり区別して考えなければならない。恋愛は「心と心の交わり」であって、人間の精神的な面を表わす。一方、結婚は「社会制度」の一つであり、人間の本能的・生理的な欲求に応じ、夫婦和合とは別に子孫継承の役割を果たすことが期待されてる。

B　学生である間は経済的な理由で結婚できないし、在学中『結婚しよう』とは考えない。恋愛と結婚を区別して考えるべきではない。恋愛であれ結婚であれ、人と人の交わりは、『人格と人格の出会い』である。よって未婚の時期、人は、性別にこだわらず多くの友人との出会いを求める。その間に出会いを重ねるなかで、真に適わしい異性を見出すこともできるのだ。出会いによって生まれた異性間の排他的な友情は、もはや恋愛であり、そしてそれは幸福な結婚への一段階となる。学生はそのことを十分わきまえた上で行動すべきであるから、結果としてAと同じく、在学中『結婚しよう』とは考えない。

（二）「結婚生活以外に性交渉があってはならない」と考えるのは——

A　まったく正しい

B　場合による

C　古くさい

（三）　恋愛の中心は「愛」である。その愛とは何か。よく、『相手に自分のすべてを与えることである』と言われるが、貴君にとってそれは可能か。それとも、「愛する」とは『相手を所有しようという望み』なのか。だとすれば、その望みが叶ったとき、愛は消えるのか。

愛と孤独

「愛」について悩む貴君へ

貴君の関心事である「恋愛」や「結婚」について論じる前に、「愛」そのものについて少し考えてみよう。次の8項目について、貴君の考えを述べなさい。

（一）「孤独」とは「愛」の欠如であるか。

（二）「友情は孤独の救い、すなわち愛の一種である」という見方についてどう考えるか。

（三）「愛すること」は、人間にとって最高の行為であるか。

（四）愛は『本能的な働き』か、それとも『自由意思に基づく行為』か。

（五）　愛されることを目的として愛するのは、真の愛であるか。

（六）　いわゆる「慈善事業」は愛の実践、愛の実現であるか。

（七）「美しいのはプラトニック・ラブ、すなわち純粋に精神的な愛であって、結婚はむしろ不純なものである」という意見をどう考えるか。

（八）愛の深さは犠牲の大きさによって量られ得るか。すなわち〈「愛する」とは、母性愛や愛国心のように、愛の対象の犠牲になること〉であるか。

■塾生の意見

「愛」の定義は不可能か

松尾　愛について論じるのに女性がいないのは都合が悪い。
梅田　いや、かえって、女性がいたら、僕たちは女性の前をはばかって、自由に話せないではないか。
竹内　愛といっても恋愛とは限らない。友情もあり、母性愛もあり、愛国心もある。
松尾　そして、「花を愛しましょう」という立て札もそここに見られる。

竹内　愛という言葉はあまりにも濫用される。しかし、その語の典型的な用法といえば、何といっても恋愛だろう。それではまず、恋愛と結婚との関係から入ろう。

松尾　恋愛を結婚と結びつける必要はない。結婚は社会的な結びつきであって、〝人生の墓場〟とまでは言わなくとも、心の問題というより、家族、職業、金、身分などの絡んだ契約である。一方、恋愛は心の悦びであって、大学生のよく経験するところである。恋愛は、たとえ失恋に終わったとしても、成長の一段階と言えるのではないか。

梅田　しかし、本当の恋愛ならば、そう簡単にはいかない。

松尾　それでは、本当の恋愛とは何か。

梅田　ある女性をまじめに愛するならば、その人と結婚したいと思う。

松尾　したいとは思うが、実際にはしない。まず君は経済力が足りない。

梅田　だから卒業まで待つ。僕は卒業してから彼女と結婚する。互いに愛し合い、信頼し合っている。だから、落ち着いて、僕達は待っている。待つことができなければ、そこには信頼感がなく、愛が浅いという証拠になる。

松尾　社会の許しを待たないで、露骨な言い方だが、同棲すればいいではないか。

梅田　いけない。やはり、正式に結婚すべきである。なぜいけないかと言うと、よくはわからないが、結婚以前に同棲すれば、それは女性を侮辱することになるんだと、僕にはどうしても感じられる。

松尾　結婚以前に、性的な交渉は許されないわけか。それはなぜだろうか。竹内君はどう思うか。

竹内　二つの理由があると思う。第一は、理由としては弱いが、生命に関する行為だからである。そこから、新しい命が生まれるかもしれない。だから責任をとらなければならない。もし、子供が生まれるなら、その子が私生児ではかわいそうだ。

松尾　そうだが、避妊薬もある。

竹内　だから、その理由は弱いと言ったのだ。もっと深い理由は、愛の本質にある。愛の基調はすべてということである。恋人にとって、相手はすべてである。そうでなければ、愛はない。恋人に捧げるものは、自分のすべてであり、また、恋人の欲するのも私のすべてである。いい加減な愛は愛ではない。愛はすべてか皆無かである。そして、人間のすべてという場合には、その心だけではなく、実生活をも、また、その現在のありさまだけではなく、将来をも含むのである。ところが、同棲というのは部分的な交わりにすぎない。身体は譲り合うが、社会的な一致はない。心の一致はあるとしても、それも一時的で、将来を含まない。すべてをかけた、決定的な結び合いではない。同棲は結婚でないから、愛の絶対性を拒む。だから、愛を裏切るものである。

松尾　その「すべて」を強調すれば、皆、ロメオとジュリエットになってしまう。だいたいにおいて、終わりは悲劇になる。

梅田　心中は愛の絶対性を表わすものだろう。竹内君は心中についてどう考えるか。

竹内　心中は、愛が死に勝つという信念に基づくのである。しかし、それは幻想なのだ。実際には、愛が死に勝つことはなく、生が愛に勝つのである。すなわち、長く生きるうちには、人間の愛は色褪せてくる。それは事実である。恋愛は無常の典型的な例である。時間が経つにつれて、愛は消えていく。心中する恋人はそれを知っている。彼らは、時の流れを止めるために、すなわち、その極に達した愛の瞬間を時間という次元から外すために、死を選ぶ。その愛の瞬間を永遠化したいと思うが、結果は、それを無と化してしまう。

だから、心中は一種の自己欺瞞である。もし互いに信頼していたならば、一緒に生きることにするだろう。しかし、彼らの愛が続かないということを知っている。知っているから、愛の崩壊を見たくない。彼らは愛を信ずるのではなく、愛を疑うものである。

松尾　しかし、愛が続かないのは事実だろう。

竹内　そういったロマンチックな愛は続かない。というのは、ロマンチックな愛は、恋人その人を愛するよりは、自分の造った恋人のイメージを愛することだからである。ロマンチックな愛の唯一のテーマは憧れなのである。すなわち、恋人のイメージを追求することである。現実の恋人に会うときには、夢は消え、愛はくずれかかる。

しかし、現実の恋人をあるがままに愛するのなら、その愛は長続きできる。

松尾　恋愛は必ずしも続かなくてもいいのではないか。恋愛を大学時代の一種の楽しみと考えてもいい。楽しい思い出を残す経験なのである。

梅田　君は、恋を友情のようなものと考えているようだが、そうか。

松尾　そうだ。話し合ったり、助け合ったり、一緒に遊んだり働いたりすることが、すなわち愛することではないか。

竹内　君に無二の親友がいるとする。なぜ君が、彼を無二の親友と考えるようになったのか。

松尾　なぜと聞かれれば、彼が好きだからと答えるしかない。

竹内　つまり、友情以外の目的はない。例えば、出世するために彼の友人になったわけではない。

松尾　それはそうだろう。友情には目的などない。あるとすれば、それは友情を殺すものだ。

梅田　友情は利害関係に縁のない結合である。だから美しい。なぜ彼を愛するのかと聞かれても、彼が彼だからとでも言うほかに返事のしようがない。この種のものは友情である。恋愛と友情とを同一視してもいいのか。

竹内　友情は心の面にとどまる愛だ。友人どうしが、同じ所に住んだり、一つの家庭を築いたりはしない。例えば、一人が札幌に赴任したからといって、もう一人がすぐに後を追うわけではない。ついに二人は別々に結婚してしまう。したがって、友情は美しい愛ではあるが、完遂しない愛である。

梅田　友情には、確かに、愛の一面しか表われないが、友情にとってはそれでいいのではないか。君は、友情を軽視するようである。

竹内　友情は美しい花である。美しいが、早く枯れる。しかし、それでも、美しいことに変わりはない。

松尾　ますます、恋愛と友情とが似てきた。

竹内　男性の友人に対すると同じ友情を、女性に対してももつことができるか。換言すれば、異性間に友情がありうるかという問題だ。

松尾　あると思う。

竹内　その場合、親友たる彼女ともっと緊密に結びつきたくなりはしないか。彼女を抱きしめたくはないか。

松尾　もちろん、抱きしめたいと思うが、一線を越えないで、友情の域にとどまることができる。

竹内　そこにとどまることができる理由は、愛が浅いことではないか。

松尾　愛が深くても、梅田君はそうするのではないか。

竹内　梅田君は、友情にとどまるつもりではない。結婚しようと思う。ただ、しばらく待つと言った。いわば婚約者の立場なのである。

梅田　竹内君は、異性間の友情はありえないと考えるわけか。

竹内　異性間の友情はすなわち恋である。恋はプラトニック・ラヴで満足できず、結婚まで行くか、失恋に終わるかのどちらかである。友情は、落ち着いた、おだやかな愛であるが、恋はその本質から見て、ダイナミックなものである。焦燥感を覚えない恋人など考えられるか。

松尾　そう考えてくると、女性の友達はありえないわけか。

竹内　いや、一般的な意味での友達なら、もちろん、女性の友達はいくらもある。しかし、親友の女性となると、それはすなわち恋人なのだ。

松尾　友達と親友とはどこで区別するか。

竹内　単なる友達なら、第三者が居合わせてもさしつかえがない。ところが、親友なる恋人の場合は、二人だけでいたいのである。第三者は友達であっても、二人にとってはじゃま者である。そういう排他主義が姿を現わすとき、恋はもう始まっているのである。

松尾　竹内君によれば、男性と女性が二人きりで話し合うときには、君が好きという話題しかない。それは言い過ぎだと思う。

梅田　友達のグループから抜け出して、二人が二人だけで別の喫茶店に移るという場合には、恋人どうしと判断してだいたい間違いあるまい。しかし、例えば、僕のクラスに頭のきれる女性がいるとする。僕はその女性に会って、僕の就職について彼女の意見を聞きたいと思う。二人だけで話し合うことになろうが、こういう場合は、別に色恋沙汰ではない。

竹内　しかし、そういう場合に、彼女は親友と言えるのか。むしろ、尊敬する友達と一度相談してみたい、それだけのことではないか。親友なら、常に会いたくて、何の目的もなしに、ただ彼女が彼女なるがゆえに会いたいと思うのだ。

松尾　けれども、男性と女性が二人で会うからといって、なにもデートに限ったことではない。男の立場から言うが、女性は、異性である前に、一人の人間である。特に、男と同等の教育を受けたはずの女性には、ビジネスとか芸術とか政治とかの話題もあろう。恋でない友情はありえないと決めるのは、偏狭にすぎはしまいか。

竹内　僕も、君の言うとおり、男女のつきあいは、異性の出会いであるよりは、人間と人間との交わりだと意識してもらいたいと思う。したがって、ダンス・パーティーのような場があって、男女交際が盛んに行なわれ、異性意識を越えて、人間と人間との接触が自然になればと思う。だから、女性の友達は多いほどいい。排他主義は恋愛のしるしだと思うのだ。

松尾　君は常に、恋愛を悪か危険物とみなしているようである。

竹内　ちがう。しかし、愛は重大なことなので、軽々しく扱ってはいけないと思うのだ。

松尾　というのは、人間がよく注意すれば、自分の心をうまく整理できるようになる、そういう愛の合理化ということか。僕はそれは不可能だと思う。愛には非合理的な力が働いている。特に竹内君の説によれば、愛の特徴は絶対性である。その絶対的な愛は、いつのまにか抬頭して、すべてを毀すもので、理性で抑えられるものではない。恋人は夢中になった者、陶酔した者である。愛は宿命的な力である。

梅田　僕もそうではないかと思う。恋人にとっては相手が絶対必要なかけがえのない者である。前から定まっている相手である。だから、愛は運命的なものであろう。

竹内　なるほど。では、少し回り道してもらおう。愛することは人間の最高の行為であるか。

梅田　僕はそうだと思う。

松尾　最高の行為であるかどうかは疑問である。人間の最高の行為は別のものかもしれない。例えば、死ぬことかもしれない。

梅田　死ぬことは行為であろうか。自殺を別にすれば、死ぬことは人間の受ける運命であって、行為ではなさそうである。

竹内　人のために命を献げること、すなわち殉教することは行為だろう。

松尾　それはともかく、死ぬことを別にすれば、人間の最高の行為は子供を産むことではないか。種族維持は、人間にとって最も優れた行ないだと僕は思う。

竹内　それでは、愛することは、最高の行為ではなくても、人間の重大な行為であることは認めるか。

松尾　それは認める。

竹内　愛することが人間の行為なら、それは人間の自由意志によるものである。自由に行なわれていることのみが人間の行為なのだから。まして、重大な行為なら、自由意志が決定的な役割を果たすのである。愛することは、それがもし運命的なものなら、自由な行ないでもなく、人間の行為でもない。愛することを重大な行為と認めるのは、運命を否定することである。

松尾　君の議論は、次のテーゼを前提とする。すなわち、人間の行為は例外なく自由に行なわれる。そして、行為の重大さは自由の程度にかかると。しかしそれは確かではない。まず人間にとって重大なことは、だいたい運命的なのが事実である。例えば、自分の誕生が然り。また、人間の行為がはたして自由であるかどうかも問題である。人間の自由を認めない限り、君の議論は成り立たない。

竹内　もし君が、人間の自由を認めなければ、話は違ってくる。

梅田　竹内君の回り路は袋小路に入ってしまったようだ。僕達は、どうしても直接に愛を定義しなければならない。

松尾　愛を定義するのは不可能だと思う。なぜかというと、愛が人間の特定の欲求を充たすものではないからだ。性欲というものがあり、支配欲もあるが、愛欲というものはない。愛はむしろ欲求の塊としての人間に全面的な満足感を与える。だから、性欲を充たすのも、孤独から人を救うのも、快楽を与えるのも、冒険へ誘うのも、支配欲を充たすのも、生き甲斐を与えるのも、いずれも愛の働きである。結局、愛はあらゆる面において人を活かすのである。その意味で、総括的な力である愛は、一般的に極めて賛美されている。しかし、一面に限って見るなら、愛は乏しいものになる。例えば、快楽の面に限って言えば、その程度の楽しみを与えるものなら、ほかにまだいくらもある。こう言って愛をけなす者もある。

梅田　人間の諸欲求を充たすものなら、愛はその人自身に幸福を与える。その人自身とは、すなわち、その個性をもつ「我」なのである。その「我」を活かすものは、すなわち「汝」ではないか。

松尾　愛は「我」と「汝」とのつながりだと言ってもいいが、その愛の対象である「汝」とははたして何であるか。「我」は愛し、「汝」は愛されると言っただけでは、愛には愛するものと愛されるものとがあるという、あまりにも明らかな事実を指すにとどまる。問題は、「汝」とは何か、それは人間に限るか、そして、「我」と「汝」とはどういうつながりをもつのかというのである。

竹内　「汝」は必ずしも恋人に限ってはいないと思うが、今は恋愛の問題をクローズアップしてみよう。恋愛における「我」と「汝」とのつながりについて、まず考えてみたい。松尾君によれば、「汝」は「我」の全体に満足感を与えるそうだが、その見方は、愛の結果を示すにすぎない。愛するという行為は、もらうことであるよりは与えることである。「我」が愛するということは、「我」が「汝」に自分のものを献げることである。献げ物は、自分の持っているもの、そのすべて、ついには自分自身である。愛とは自分自身を相手に献げることである。

梅田　「自分自身を献げる」という表現は、あまりにも抽象的だと思う。愛することは、共に生きることであって、常に心身が一致する方向に歩むことではないか。だから、もらうとか与えるとかいうことではなく、共有すると言った方が正しい。人間にとって自分を与えるというのは、どうせ非現実的な比喩にすぎない。

竹内　物質的なものなら、物を上げるときは、その物を手放すことになる。君に本を上げれば、僕にはその本がなくなる。しかし、精神的なものなら、上げてもなくならない。知識を与えても当人は無知にならず、喜びを与えてもそれによってさびしくなるわけではない。音楽の演奏を聞く人は、みな、そのすべてを享受するように、精神的なものを分配するのは、そのものを失うことではない。喜びを配れば配るほど、ますます喜びが溢れる。愛においてもそうである。「我」と「汝」とのつながりは、そのような精神的な交換である。だから、自分自身を献げるといっても、いっこうにおかしくない。

梅田　その精神的な交換は、結局、本当の交換ではない。だから、自分自身を献げるという表現よりは、心の一致と言うべきだ。

竹内　けれども、恋人の言葉と行動を見ればわかる。恋人は相手本位になり、相手のとりこに、相手のものになる。第三者の目には、自主性を失った者とか、夢を見ている者とか、あるいは酔いしれた者とかのように見える。そして「君のためなら、たとえ火の中、水の底」という言葉の中には、自分のすべてを献げる意志が含まれているのではなかろうか。

松尾　一応、そう見える。しかし、愛することは、煎じ詰めれば、自分自身の満足感を追求することである。竹内君の言うように、精神的な交換だとすれば、交換である以上は、与えることもあり、もらうこともある。そして交換である限り、もらうことを、結局は目的としているにちがいない。したがって、愛することとは、相手を自分のものにすること、相手を所有することとである。そして、実際、恋人は「僕には君が必要だ」などと言うのである。それは、相手を所有したいという意志そのものではないか。

竹内　物質のように、人間を所有することなど可能なのか。

松尾　それならば、人間たる自分を与えることはできるのか。

梅田　精神的な交換なので、持つことも、与えることも、比喩的に使われている。「我」と「汝」とは人格のつながりなので、交換といっても、交換されるものは、人格そのものである。つまり、「我」のもらうのは「汝」であり、「汝」に献げるものは「我」である。そういうふうに考えれば、「もらう」「与える」という表現が適当ではないか。

ところで、竹内君は愛することは与えることだと言い、松尾君はもらうことだと言う。僕は、愛というものは、その二要素を併せ持っていると考える。その二つを何と言ったらいいか。献身的な愛と自己愛とでも名づけたらいいかもしれない。愛は、献身的な愛だけでもなく、自己愛だけでもない。両方が必ず含まれている。

松尾　それは、エロスとアガペか。

梅田　エロスとかアガペとかいった言葉は、すでにある色を帯びており、しかも、極めてあいまいなのだから、なるべくなら、そういう言葉は避けた方がいい。「汝」に自分を献げたいという愛と、「汝」をもらいたいという愛とを区別すればいいと思う。

竹内　しかし、「汝」をもらいたいという意志はエゴイズムではないか。そして、エゴイズムは愛の対極である。梅田君の区別が妥当だとしても、それは、二つの愛の区別ではなく、真の愛とエゴイズムとの区別なのである。真の愛は相手を向上させることだと言える。相手がもっと自由に、もっと幸福に、もっと立派になるように努力することである。

梅田　しかし、その種の「純粋な愛」には、利己主義的な欲求が、実際には混じっている。

竹内　その不純物を愛と名づけてはいけない。その混じり物は、本名をエゴイズムと言うのである。

松尾　言葉の争いではないか。

竹内　ちがう。愛の本質の問題である。献身的でなければ、愛は本物ではない。

松尾　それが理想かもしれないが、現実はそういう理想からかなり離れている。例えば、失恋がそうだ。君は、失恋をどう考えるか。

竹内　失恋は愛を失うことではなく、愛が初めからなかったことを暴露するものである。失恋は確かに辛いが、それによって傷つくのは自尊心かエゴイズムでしかない。相手を自分のものにしようと思ってできなかった場合、それは敗北ではあるにしても、愛の失敗ではない。自分を献げようと思ったのならば、結果がどうなっても、それは失恋とはならない。「ふられる」のは、本人が真面目に愛さなかったからである。だから、失恋は愛の劇的な面であるよりは、似非愛の失敗であって、ときには、真の愛へ導く試錬となることもあろう。

梅田　けれども、竹内君の説に従うとしても、片思いもありうる。愛とは自分自身を献げることだとすれば、相手はその献げ物を拒否することができる。それが片思いである。そして、もし片思いも真の愛だとするなら、愛は全く悲壮なものになる。

松尾　竹内君の説によれば、悲壮であればあるほど真の愛である。それだけ純粋に献身的な愛だから。

竹内　僕は、そんな悲劇的な結論を出してはいない。僕は愛の失敗の可能性をはかる前に、成功した愛を考えたいと思うのだ。そこで、相手を愛することは、相手の美点をではなく、相手自身を愛することである。つまり、彼女が美人だから、僕が愛するのではない。彼女が彼女だから愛するのだ。たとえ、彼女が交通事故でその美貌が台無しになったとしても、僕は変わることなく彼女を愛し続ける。

梅田　確かに、美人だから彼女を愛するのではない。むしろ、彼女を愛するから美しく見えるのだ。竹内君の言うように、愛の対象は相手自身である。したがって、長所のない人も、いやな奴も、犯罪人も愛されることがあるのである。その性質のゆえにではなく、彼が彼だからこそ愛されるのだから。

松尾　それで、失恋の原因は、相手の長所のみを愛し、相手自身を愛さないことだと、竹内君は考えている。

竹内　そうだ。そして、つけ加えて言うなら、愛は「我」と「汝」とのつながりなので、二人の身分とか趣味とか性質とかが異なっていても、なんら愛の妨げにはならない。

松尾　国際結婚はどうか。

竹内　そこでの問題は共通語である。やはり「我」も「汝」も言葉を通じて自らを表現しなければならない。だから、一人が相手の母国語を自分のものとしなければならない。つまり、二人が同じ言葉で夫婦喧嘩ができるような状態ならば、国際結婚はいいと思う。

梅田　僕は語学が弱いから、日本人と結婚するつもりだ。国際結婚のことはともかくとして、愛することとは一致への道を歩むことであるが、その道には不調和やいろいろな齟齬が避けられない。けれども、愛そのものは、それを乗り越えて、一致へと導く。

竹内　「一致」という語は誤解を招きやすい。まず、「我」と「汝」とは異なった人物である。一致と言っても、それは「我」と「汝」との混合を指すのではない。「汝」によって「我」がいっそう個性をもつ「我」になる。愛は、「我」と「汝」との区別を前提として生まれるし、つながりと言っても、その区別をなくさないばかりでなく、その区別を強化するのである。言うまでもなく、男性と女性とが愛によって中性になることはなく、むしろ、それぞれが、いっそう男性的、女性的な人格を獲得することになる。もっと具体的な例をあげれば、愛は相手の自由を奪うのではなく、相手がその道を自由に歩むようにするのである。相手を向上させるのが愛の本質なのだから。逆に、愛が相手を所有することだとすれば、相手の自由を奪うことになる。ところが、真の愛は個性を活かすのである。

松尾　愛とは相手を向上させることだとすれば、恋愛以外にも愛の例がかなりあろう。母性愛とか愛国心とか。

竹内　前に言ったように、愛の特徴は絶対性である。したがって、愛の対象は恋人に限らないまでも、ともかく絶対的なものでなければならない。人格に絶対的価値があるから、人は愛の対象になる。また、正義とか美とかも絶対的なものと見ることができるので、愛の対象になりうる。美を愛することも当然考えられる。

梅田　慈善事業はどうであろうか。

松尾　それは金持ちの自己満足にすぎない。偽善事業と名づけた方がいい。

梅田　それは君の勝手すぎる見方だ。そこには愛のある証明がない代わりに、愛のない証明もあるわけではない。

松尾　いったい、愛には証拠があるのか、ないのか。

梅田　愛はすべてを献げることだとすれば、実際にすべてを献げた人は、それによって愛したことが証明されるのではないか。けっきょく、愛の証拠は犠牲だろう。母性愛の場合にも、愛国心の場合にも、われわれは、その人が犠牲を払ったからこそ、その愛を賛美するのではないか。

松尾　そうすると、犠牲が大きければ大きいほど愛が深い。最大の愛は殉死である。こういう英雄主義は、竹内君の好みに合うだろう。

竹内　違う。犠牲を払うことは、殉死をも含めて、愛の証拠であると僕は思わない。それは、むしろ、忠実の証拠である。しかし、愛は忠実とは違う。忠実に関しては論ずる余裕がないが、愛することは、決して、犠牲を追求することではない。愛は障害にぶつかったときには、犠牲を要求するかもしれないが、愛はあくまでも幸福をこそ目指している。

松尾　そうすると、愛には証拠がないことになる。

竹内　物質的な証拠はもちろんない。精神的なものを精神的な眼で見るべきだ。

松尾　自分のすべてをすてろとか、犠牲を払えとか命ずるもの、しかも真の姿がどこにあるかもつかめないそのものが愛であるとするなら、愛とはなんとおそろしいものだろう。

梅田　けれども幸福への道である。

竹内　そして、人間の最高の行為である。

■塾長からのアドバイス

愛の諸段階

肉体は語る

現在では老いも若きも、その身体に対するケアは不思議なほど十分に行き届いている。暑いにつけ寒いにつけ、冷暖房装置が快適な環境を整えてくれるし、病気になれば病院が近所にあり、痛いところがあれば適当な痛み止めの処方で痛みを和らげてくれる。不自由な部位の恢復を図るリハビリ施設を利用でき、欠陥があれば美容整形もできる。現代人の身体はいつも清潔で、いつも調子よく働いている。

しかし、そのように大事にされている身体なら、周囲の事物を肌で感じ取れるはずだが、実のところ、生の感覚を体感するチャンスはひどく乏しい。合理化され、技術化された日常生活では、臭覚や触覚を働かせる余地はほとんど残されていないし、視覚の対象は活字の行列であり、ビルの乱立である。気晴らしにTVを見、ゲームをすれば新たな知的活動を生みはするが、身体の感覚は置き去りにされてしまっている。

ところが、そんな現代人の身体感覚にも、セックスの快楽だけは残っている。だがいまや、人々は、ロミオとジュリエットの情熱を博物館に送り込み、セックスを軽んじる傾向にある。彼らにとって性交という行為は、跡形を残すことのない一時の楽しみに過ぎない。情欲に燃えているときセックスするのは、まるで空腹のとき立ち喰いラーメンを食べることのようである。この比喩は誤っているという指摘もあろうが、いずれにしても、現代において肉欲が低下しているとはいえない。なぜ人間の肉欲はそれほど強いのだろうか。

答えの一つは、〈性欲とそれを充たす行為は、相手との関係なしには成り立たない〉という事実にある。「人はあくまでも社会的動物である」と言われるが、それは、「社会性は人間の一面を表わす」というばかりでなく「人間の本質を成している」という意味である。従って、人の個性は相手との関係を基礎とするし、相手との関係によって熟する。相手との関係の一つである肉体関係は一方的な欲求という次元において、または相互の愛という次元において発展することができる。つまり、恋人は互いに自分のエゴイスティックな楽しみを追求し、相手を自分の決楽の道具とすることもあり得るし、相手のためにベストを尽くし相手に自分を献げることもできる。ここでは、後者のあり方を考えてみよう。

愛撫、キス、そして性交の真価

サン＝テグジュペリの名作『星の王子さま』の中にこんな場面がある——　星の王子さまにキ

ツネがこう教える、「おれと仲よくしておくれよ、辛抱が大事だ。決まりがいるんだよ」。そのとおり、愛の喜びに達するためには時間を費やし段階を踏まなければならないのである。

愛撫の段階がある。愛撫するのは互いに相手の体を発見するということよりも、相手が自分の体を意識し、その個性を主張させることである。サルトルはこう書く。

「思想が言葉によって表現されるように、情欲は愛撫によって表現される。愛撫は、私の身体が相手の身体——相手自身を表現する身体および私のための身体——を目覚めさせる。同時に相手の愛撫は私の身体を通して相手のための私を目覚めさせる」

そのように、互いに交わされる愛撫によって、「我」と「汝」との関係が生まれるのである。

次にキスの段階がある。キスは必ず愛情の表現というわけではない。サンピエトロ大聖堂にあるペトロの像の足の親指は、膨大な数の信者のキスによってすり減ってしまっている。が、信者のキスにエロチックな要素はない。しかし、現代文化はキスに新しい意味を加えた。特に、映画に出てくる口づけは愛情の表現になり、見せられない性交の代用品になった。

性交について、次の報告を紹介しよう。出所は敢えて伏せておく。

「私たちは夫婦の性交を必ず愛の行為にする。そのために相手を大事にし、同じ程度にそれを欲しなければならない。ほとんど毎度、私たちは同時に快楽の極みに達する。そうでなければ、突然一人ぼっちになり、相手から離れて棄《す》てられたように感じる。こうした真の一致に達するためには、互いに相手に対する思いやりを尽くさなければならない。そして時間を費やさなければならない。楽しみを味わうためには愛情の雰囲気が要るし、前触れの愛情も要る。互いに愛し合ってこそ合致に至る。自分の快楽と相手の快楽は符合すべきてある。夫婦の間がうまくいくためには、自分のことよりも相手のことを考え、自分の楽しみよりも相手の楽しみを求めなければならない。深く愛すれば愛するほど、自分の喜びと同様、相手の喜びを味わうことができるのである」

人生の快楽

「あなたにとって一番の楽しみは何か」と尋ねると、たいていの人は「セックス、そして酒」と答える。この二点を聖書はどう取り扱っているだろうか。

酒――　聖書の時代に、ウイスキーはまだ存在しておらず、酒といえば「ぶどう酒」のことである。旧約聖書によれば、ぶどう畑を初めて作った人物はノアである。彼はぶどうで作った飲み物を飲んで酔っ払ったことがある。この美味しい液体を人々に飲ませたいと思い、ノアは「ぶとう酒」を作った。

ノアは数々の優れた行いをした人物であるが、ぶどう酒作りもその立派な業績の一つである。また詩篇に登場する「ぶどう酒は人の心を喜ばせる」という名句は意義深い。

旧約聖書の中に、『方丈記』に多少似ている『コヘレトの言葉』という短篇がある。その作者は2回にわたって「人間にとって最も良いのは飲み食うことだ」と書き、「それは神の賜物だ」と付け加えている。新約聖書を見るとイエス自身、ぶどう酒が好きだったと分かる。ある日、カナという村で結婚式があってイエスは披露宴に出席した。祝宴の最中に、用意されたぶどう酒が底をついてしまった。客が飲み過ぎたからだ。イエスは節制を悟らせるどころか、酔いが回った人々をさらに喜ばせるために奇蹟を行い600リットルものぶとう酒を提供した。しかもその新しいぶどう酒は、用意されたものよりさらに美味《うま》かった。中にはイエスを指して「見ろ、大食漢で大酒飲みだ」と言う人もいた。福音記者はその非難をそのまま伝えてはいるが、決してその悪口に与《くみ》してはいない。記者が伝えているのは、イエスが禁酒を唱えはしなかったということである。

ところで、天国のありさまを描き出すのは難しいから、聖書にもその描写は少ない。しかし天国の幸福は、しばしば「祝宴」に譬《たと》えられる。つまり、そこでは食べ放題・飲み放題なのである。「そのとき東や西から大勢の人が来て、天国でアブラハム、イサク、ヤコブと共に宴会の席に着く」とイエスは言った。さらに、キリストは聖餐における自分の存在のシンボルとして、ぶどう酒を選んだのである。

セックス――「産めよ、増えよ」という命令はよく知られている。そして「夫婦は互いに愛し合うべきだ」という教訓や、「特別な理由なしに離婚してはいけない」という戒めが何ヵ所にも出てくる。それだけではない。ソロモン王は正室の妻を700人、そして側室の妻を300人持っていた。延べ人数としても信じられない多さだ（信じる必要もないが）。ただ、そのことを伝える人は明らかに、ソロモンを褒《ほ》めるつもりだった。イスラエルの王の中でもっとも栄えある王であったソロモンは、それほど豊かであり、それほど楽しんでいた――という事実を強調したかったのである。

また聖書には、『雅歌』という相聞歌がある。「彼」と「彼女」と思しき〝恋人の対話〟から数行を引用してみよう。

彼女　あなたが、わたしに熱い口づけをしてくださるように。あなたの愛はぶどう酒よりも心地よい。

彼　ああわたしの愛する者、あなたは何とかぐわしく、何と美しい方だろう。

彼女　わたしのいとしい方は、わたしにとって投薬の袋のようで、わたしの乳房の間で夜を過ごす。

彼　ああ、わたしの愛する者、あなたは何と美しい方か、あなたの唇は紅の糸。あなたの口元は愛らしい。あなたの乳房は二頭の子鹿。百合の花の草を食むかもしかの双子のよう。

彼女　わたしのいとしい方はわたしのもの。わたしはあなたのもの。

彼　わたしの妹よ、わたしの花嫁よ、あなたはわたしの心を奪ってしまった。

無知なるがゆえに

二人が夢から醒めたとき

　最初にK君が彼女に出会ったのは志賀高原のスキー場で、1月15日のことであった。すでに満員だったヒュッテに、3人の女性が1泊したいと頼んできた。K君は同情を覚え、常客のカオで主人に話をつけ、無理にその3人を入れてもらった。その3人のうちの一人が彼女であった。彼女はそのことでK君に感謝したばかりでなく、翌日には、K君の巧みなスキー捌きに惹きつけられた。当然、2人は話し合う機会を得、知り合いになった。

　K君は東京・新宿にある登山用具の店の店員である。彼は冬のスキー、夏の登山を愛好する〝山の常連〟である。彼女は丸の内のOLであった。2人は東京に帰ってからも、たびたび会って談笑するようになった。夏の間、K君は彼女の手に負えない登山をやったが、冬になるとまた2人でスキーを楽しんだ。恋はますます激しくなり、いつの間にかK君と彼女は一線を越えてしまった。

　そこで『結婚しよう』とK君は考えた。歳の頃から言っても、仕事の充実度という点でも、何の妨げもない、と彼は思っていた。ところが、彼女は（その母親の意見に引きずられたふしもあったが）、きっぱりと結婚を断わった。K君は唖然とした。

〝二つの一致〟の間にある落差

K君には分からなかった。なぜ振られたのか。自分は間違いを犯したわけではない。彼女が好きだから抱きしめたのは自然な成り行きだったし、一緒に楽しくやってきたのだから、結婚するのも当然ではないか――　K君はそう思う。

しかし、K君の考えは軽卒に過ぎたのだ。自分の身体を容易に譲った彼女は、そうしながらも、自分自身を与えようとまでは思っていなかったのである。つまり愛してはいなかった。Kというスポーツマンのバイタリティーに魅力を感じはしたものの、Kという素朴な山男は、彼女とその母にとって、配偶者としては物足りなかった。彼女がKの好意に応えたのでなく、K自身を愛していたのなら、母の意向がどうであれ、結婚に踏み切ったに違いない。

K君は愛について何も知らなかった。自分が楽しむために彼女を抱き、自分のモノになった彼女を自分の妻としたかっただけである。彼女に捧げたものは何もなかった。無意識にではあったが、利己主義の上に家庭を築き上げようとしていたのだ。「身体の一致」が「心の一致」の表現でなければウソになる、ということを知らなかった。

結果、K君は心に傷を受けた。愛とは何かを知らなかったゆえの傷……　しかも、その傷から彼が「本物の愛」を学ぶことができるとも限らない。K君が事前に「愛とは何か」を学んでいたら、と惜しまれてならない。

結婚の神秘性に刮目せよ

「二人は一体となる」

古今東西を問わず、「結婚」は（ごく少数の例外を除くと）、「結婚式」という形を取って実現する。そしてその「式」は、多かれ少なかれ「宗教的な要素」を含んでいる。この事実は深い教訓を物語っている。すなわち、結婚が男女2人の同意によって成り立つにしても、そこには「2人の同意」のレベルを超える力が働いているということである。換言すれば、2人は結婚のお披露目をするその時点では、自分たちに幸福な家庭を築き上げる力が足りないことを自覚しているので、超越的な力を呼び求める。そして、この超越的な力の参与を願うことこそが、結婚式の本質なのである。

新郎か新婦（または双方とも）がキリスト教の信者である場合、式は教会で行われる。そこで参列者たちは、神が新郎新婦に幸福を与えてくださるように祈る。もっとも、教会で結婚式が行われているからと言って、キリスト教に特別な結婚観があるというわけではない。キリスト教は「結婚は二人の同意によって成り立つ」と教えるが、同じことは民法にも書いてあります。また結婚の絆を考えるとき思い出されるのは、「人は父母を離れて、その妻と結ばれ、2人は1体となる」

という聖書の言葉である。「2人は1体となる」というのは、「夫婦が互いに愛し合い、一致している」ことを意味する。夫婦を結ぶ愛について語るのはキリスト教だけではないが、キリスト教はその愛をひときわ強調している。「相手を愛する」とは、相手に自分のもっているものを献げることである。さらに「自分の持っているもの」とはすなわち自分の才能、自分の経験、自分の将来……　結局、「自分のすべて」である。2人は自分自身のすべてを相手に献げることをもって愛を表現する。そして同時に、相手のすべてを受け入れる。本当の愛ならば、愛するのは相手の姿・形、相手の才能や性格などではなく、相手それ自身なのである。端的に言えば「彼が彼だから、その彼を愛する」「彼女が彼女だから、その彼女を愛する」ということだ。この見方はキリスト教的な見方に違いないが、キリストを信じていない人もそれに賛成してくれる、と思う。

開かれた家庭を築いてほしい

それでは、キリスト教とは何か。キリスト教には有機的な信者の繋がりがあり、年間を通してさまざまな行事が行われている。しかしそれはキリスト教の根本的な存在理由ではない。キリスト教はまた、我々の前にいろいろな思想を運んでくるが、キリスト教は単なる思想体系でもない。さらに、キリスト教にはさまざまな規則があるが、キリスト教は道徳体系にとどまるものでもない。

一言で表現するなら、キリスト教の核心はキリスト自身である。信者であるということは、キリスト自身を信じることに他ならない。「2000年前に生まれ、活動し、そして十字架上で死んだあのキリストが、今なお生きている」という確信が信仰の中心であり、キリスト教の土台なのである。もちろん、生きているキリストの姿は我々の目には見えないが、それでも「本当に生きている」と信じるのがキリスト教の基礎なのである。信者は生きているキリストを全面的に信用し、キリストから「生き甲斐」を受け取っている。『自分が何のために生きているか』と、これまで一度も考えなかった人はいないだろう。その点、信者は「キリストにおいて生きる目的を掴み、生きる喜び――生き甲斐――を感じているのである。

それを前提として、結婚式に臨む新郎・新婦には一つ注文しておきたい。「どうか、開かれた家庭を築き上げてほしい」という願いを聞き届けてほしいのだ。現代の大都市同様、東京でも各家庭は独立性が保たれている。裏を返せば〝排他的なマイ・ホーム〟になりがちな要素を孕《はら》んでいるといえよう。事実、大都市では多くの人が孤独を感じている。若い2人が築く家庭は、世間の風潮とは逆の「開かれた家庭」となり、友情の場になるよう、心がけてほしい。そのためにはまず、新居の敷居を低くして、客人が跨《また》ぎやすいようにしておくことを勧める。

新郎新婦が誓約を交わす場に立ち会う参列者は、2人の幸福を分かち合うことができるよう、そして、キリストに見守られながら真の幸福を実現するため力を合わせて生きることができるように、と祈る。麗しい友愛。その光景は、キリスト教会における結婚式の真骨頂である。

希望と絶望

先人の卓説に学ぶ

「希望」と「絶望」に関する二人の作家の見方

次に示す二つの例文は、作家・椎名麟三氏と、同じく作家・金子光晴氏が著した『希望』と『絶望』についての考察である。熟読し、二篇についてそれぞれ、貴君の読後感を述べよ。

(一)　椎名麟三氏の叙述（氏の著作からの抜粋）

――希望というものがあるから、絶望というものがあると考える人もある。それは真実だろう。だからこの世に対して、むろん自分自身に対しても、何の希望ももたないならば、絶望もないわけである。私はこんな生き方をしている人の案外多いのを知っている。学校を出る前は、希望どころか、その大きすぎる希望に、息もできないという有様《ありさま》なのだ。ところが大会社へ入り、三年もたたないうちに自分の一生のコースが見えてくる。平社員十年、係長五年、課長十年、部長五年、定年、傍系会社へ十年、退職して後は死を待つばかりの退屈な生活といったコースだ。しかもこのコースは、運命的なものに見えるので何の希望ももつことができないほどなのだ。せいぜい希望できることは、病気になるか、仕事を怠けて会社をやめさせられるか、自殺をするかである。でなければ、自分から会社をやめるか、それだけぐらいでは足りないなら、水素爆弾のボタンを押して、世界をこなみじんにしてしまうかだ。

……………

ある婦人が私へ、夫はいい人だし、子供はかわいいし生活には何の心配もないし、あまり幸福すぎてこわいくらいですわ、と言った。私は、幸福すぎてもあまり楽じゃないな、と思った。幸福すぎても不安なのである。そしてこの不安こそが、くせものなのだ。あるときふいに私たちから絶望を引き出してしまう誘惑者なのだ。処世術の上からいえば、ちょっぴり何かについて絶望している方が、幸福な暮らし方なのかもしれない。

……………

しかし大きな希望とは何か。絶対的な希望だろう。絶対的な希望とは何か。自分の全存在がそれにかかっているとともに、（これが大切なのだが）この全世界の存在がそれにかかっているものだろう。あなたは、あなたの持っている希望の大きさによってはかられるのだから、とてつもなく大きいものを持ったほうがいい。全く、あなたはどんな希望を持っていますかと、正面切ってたずねられたとき、ボタ餅が希望だと答える人はよほどのアマノジャクだろう。むろんボタ餅を自分の全存在をもって願う場合もある。戦地の兵士で餓死にさらされているとき、どんなことをしてもいいから、ボタ餅がたべたくて、夢にまで見たという話を聞いたことがある。この話をした人は、ボタ餅なんか見ただけで胸がわるくなるといった、ビール腹をした栄養過剰気味の出版社の社長さんだった。夢にまで見られたボタ餅君の方は、いまでは、おそらく嘆いているだろうが、ボタ餅で世界全体をくうわけにはゆかないのである。だが、希望が私たちにとって真実なものとなる消息の一半は、証明してくれているだろう。

…………

大きな希望というものが、単なる空想であってはならない。しかも希望というものが、必ず自分や、世界の矛盾を反映しているとのべたように、大きな希望は、大きな矛盾を照らしだしているし、さらに絶対的な希望は、絶対的な自分や、世界の矛盾に立ち向かわせるのである。たしかに希望をもった方が得だが、この点が少しつらいところだ。しかも絶対的な希望となると、必ず不可能をふくんでいるのである。

この不可能に立ち向かうには、どんなドン・キホーテ的な勇気がいることか。私は身にしみてそれを知っている。――

（二）金子光晴氏の叙述（氏の著作からの抜粋）

――絶望とは、いったい、なんであろう。絶望者はどこにいるのだろう。それにしても、絶望という言葉は、激しい言葉である。人間は誰しも、幸せでありたいと願う。多くの人によって、たくさんの「幸福論」が書かれているのを見ても、それはわかる。

幸せとは、その幸せがあすも続くという希望からはじまる。あすに希望を寄せられない、瞬間の幸せというものこそ真の幸せだ、という人もいよう。しかし多くの人は、幸せが長くつづくことを願う。

…………

ところで、その幸せとは何であろう。ある一人に幸せである生涯が、別の人には、幸せと思えない場合もある。それと同じように絶望と一口にいっても、客観的には絶望とみなし得るのに主観的にはそうでないこともある。絶望の正体がなにものであれ、ある人が絶望したという事実は事実であるということである。

…………

人間に死のあることが、そもそも依怙贔屓《えこひいき》なく、だれでもがもっている絶望といわねばならない。運命論者は、死を自然の流れとして、あらかじめ計算されたものとして、あきらめさせようとする。宗教家は、死後の生存を強調することで、死に対する絶望から救おうとする。――

【貴君の読後感】

読後感を書き終えた貴君へ、さらに問う。右の文章を読んだ先輩塾友たちのなかに、次の意見があった。それぞれにつき、貴君の対論を述べなさい。

A　「生きるために生きる」という表現は、詭弁にすぎない。

B　人生は、虹を追うことに似ている。

C　必ず死ぬと知っていながら、死なないかのような態度を取る者を、愚者と切り捨てるべきか、賢者と評価すべきか……

D　絶対的な希望があるとすれば、それはどんなものなのだろうか。今、眼前にそれがないとすれば、我々はそれをどこに探すべきだろうか。学問に？　自分の経験に？　先輩の知恵に？

E　希望には二種類ある。一つは「自分の欲望を満たしたい」という希望。それを徹底させれば〝快楽主義〟になる。もう一つは「価値を求めれば必ず得られる」という希望だ。例えば、研究者が持つ、「自分の発見によって科学を進歩させることができる」という希望。

F　希望には、自己中心的なものと、社会中心的なものとに分かれると思う。自分が特定政党に入りたいと希望するとしても、そこで出世して党幹部になるためか、その政党の理念に賛同し実践する上での戦力になりたいからか。前者は自己中心的、後者なら社会中心の希望である。

G　希望には「大」「小」がある。『精進すればソロバン一級になれる』という細《ささや》やかな希望もあれば、『この国の政治指導者になって国民を幸せにしたい』という大きな望みもある。立派な人ほど、大きな希望を抱くのではないか。

H

絶望は、希望がないということではない。希望を失うことである。従って現在絶望しているのなら、過去には希望があったことになる。絶望から新しい希望、よりすばらしい希望が生まれ得る。同じ仕事を繰り返す中で何度も失敗を重ねていれば絶望感に襲われるが、失敗を繰り返している者に希望と幸福感は忍び足で近づいていると確信する。

I

何の希望も持たない人もあるようだ。彼らはその日その日を漫然と生きている。しかし人は、何をするときでも、それをやり遂げたいというういう希望をもっている。やる遂げることは彼にとって成功なのであり、成功は希望を生む。こうして人は、新たな希望に突き動かされ、前進する。

究極の絶望である「死」を眺める

若い世代の中にも、絶望の典型として「死」を挙げる向きが多い。そこで「希望と絶望」を考えるにあたって、「死」に触れないわけにはいかない。

「死」を『すべての終わり』と定義する論がある。自分とこの世とのあらゆる関係が、自分の「死」によって断絶され、一切〝意味〟を持たなくなるという考え方だ。しかも人間は必ず死すべき存在である。どんなに長寿を望んでも、一五〇歳を超える人生など望むべくもなさそうだ。

古来、哲学者も思想家も文学者も――つまりは『思考する人間』のすべてが――「死」の持つ意味を考えてきた。今現在、若さを謳歌している貴君にも、明日のいのちを予測することは不可能ではないのか。

そこで、「死」とはいかなるものであるかについて、貴君と一緒に考えてみよう。

（一）人の「死」を、貴君はどう受け止めているか。死は恐ろしいものか、それとも美しいものか。

（二）貴君自身、どのような死に方を選ぶか。病死？　頓死？　畳の上で家族に看取られて大往生？　交通事故死？　自殺？　死刑で？……　自分に最もふさわしいと思う死に方を選び、選択した根拠を述べなさい。

(三)「よい死に方とは、よい生き方の結果である」と言えるか。思うところを述べなさい。

(四)「人は死後も〝完全な無〟となることなく、何らかの形で実存し続ける」という状態を、仮に「来世」と名付けよう。貴君は、来世があってほしいか、それとも、ないほうがいいと思うか。確信があれば、その確信を述べなさい。

（五）「来世の有無は、人間の望みによって決まるわけではない」と考えている貴君に問う、貴君は来世が実際にあると考えるか。さらに問う、来世の有無は貴君の行動、生き方にどのような影響を及ぼすか。

（六）来世が存在することを前提として考え、A～Cの各項につき、思うところを述べなさい。

A　細胞の塊《かたまり》としての自分は〝遺体〟の焼却・納骨によりその姿を失うが、他者と区別可能な「魂《たましい》の持ち主」としての人格（パーソナリティー）は、死後も生き続ける。

B　自分がこの世（現世）でおかした罪過は、あの世で裁きを受けた後にゆるされ、永遠に生きるいのちを得る。

C

現世における人生で紆余曲折を重ねたにしろ、自分は死ぬ間際に反省した。その自分を来世で待つのは、地獄の炎ではなく、「本来あるべき愛」による歓迎である。

■塾長からのアドバイス

二つの「善」の間をさまよう願望

不利益でも「善」と感じ得る心理

実在の人物であるシュヴァイツァーにせよ、カミュの小説『ペスト』の主人公であるタルーやリウーにせよ、その人物の立派さが、献身的な行動にあることは間違いない。自分を犠牲にして人の世話をする行為は、確かに人間にとって最高の価値となる。そして、その献身的な行動の価値を、そういった立派な人物は自ら知っている。彼はその最高の価値の獲得を自分の目標としたのではなかろうか。換言すれば、自分を犠牲にすることによって自己を高め、自己満足を得たのである。そして満足を得た時点で、献身そのものが消えてしまったのである。あるいは、つぎのように言えるかも知れない。目的は他人を世話することであり、ただ結果として自己の昂揚があった――動機は献身であり、利己主義に駆られたものではない。

けれども、人間がある行動を起こす時には、その行動について「ある面から見て善いことである」という評価が前提となっているのではないか。悪いことを行う場合でさえも、その行動に善い面があるからこそ、人間はそれを肯定するのである。ある意味では不利益となる「犠牲を払うこと」が、当人にとって「善いこと」となるのも同じであろう。

良心に従うべきである。それは確かであり、十分な規則である。良心の命令の内に、利己主義に似たものも、献身に似たものもあるが、そういう区別はどうであれ、基準は良心のみである。良心に適《かな》うことが善であり、良心に反することは悪である。けれども、動機はどうでもいいとは言うまい。自己の利を求めない純粋な奉仕は可能であるか。少なくとも、不可能だとは言えないだろう。あるいは、それに近い行動がかなり多いかも知れない。

高揚と献身を隔てる矛盾が消えるとき

確かに人間は自分の善いと思うところを実践することを目的とするが、その善いことは必ずしも自分の利益に帰さない。他人にとっての善、あるいは誰のでもない単なる善と思われることもある。それは「普遍的な善」であって、〝自分の善〟ではない。言い換えれば、普遍の善の実現を目的とする行動は、自分の善を狙うことではない。人間は善を求めるが、それは利己主義とは違う。それでも実践に踏み切り、目的を果たした時には高揚感を感じることになる。

そもそも人間にとって、自己の昂揚を求めるのは悪いことであろうか。タルーは聖人になりたいと思い、我々も「立派な人間」になりたいと思う。それは決して誤った願望ではない。その願望を充たす方途《みち》が「他人のために己れを尽くすこと」だとすれば、自己の昂揚と献身の間を隔てる矛盾は消えてしまう。

次元を混同してはいけない。利己主義は自分の利のために他人を利用することである。が、別の次元においては、利己主義と異なり、自己の昂揚がある。それは献身的な行動に反しない。むしろ献身的な行動のみによって実現される。

愛と死

『トリスタンとイゾルデ』が表現する魔術

ワーグナーのオペラ、『トリスタンとイゾルデ』で、題名の2人の愛は彼らを死へ導いてしまう。2人の愛は完全な一致を目指している。トリスタンは「私はイゾルデ。もうトリスタンではない」と歌い、イゾルデは「トリスタンは私。もうイゾルデではない」と歌う。そして、2人で「永遠に、限りなく、一つに溶け合って至上の愛の快楽を」と合唱する。それは誰しもが持つ希望であり、「愛の光」である。

しかしこの世においては、そのように完璧な愛にまで到達することはできない。2人の完全な一致は不可能だ。だから愛と現実の間を隔てる「闇」に入らざるをえない。その〝愛の闇〟は「死」に他ならない。2人は「おお、降り来よ。愛の闇よ、我らが生きることを忘れさせよ。汝の懐に我らを抱きあげ、現世から解き放させよ」と合唱する。

なぜ2人は死にたいと思うのか。死の彼方に恋人同士にとってのパラダイスがあるからか。そうではない。完全な愛は不可能だから。絶望するからなのか。そうでもない。2人は愛の極みに達したその瞬間——時間の流れ——を超えて、永遠化したいと思うからなのである。だが、それは魔術に依る以外には決して起こりえないことだ。

トリスタンとイゾルデのケースは一例に過ぎないであろうか。人間は誰でも、自分で掴んだ絶大な価値が自分の死とともに消え去ることのないよう、心から願っているのではないか。ところが人間の世界には、それを可能にする魔術師はいない。

無

1959年、ジェラール・フィリップという名優が癌《がん》に襲われて数週間の闘病の後、死んだ。36歳だった。彼とその妻アンヌとは深い愛で結ばれていた。作家でもあったアンヌは、ジェラールの死に直面した自分の体験を『ためいきのとき』という短篇で語った。それは愛と死についての優れた瞑想となっている。アンヌは魅力に満ちたジェラールとの散歩、子どもと遊ぶジェラール、子どもの笑い声などに幸福のイメージを思い起こすが、それを死は冷酷にも粉々に打ち砕いてしまった。アンヌは、控え目ながら死に対する反抗を吐露している。

ところでアンヌは来世の存在を信じていない人だった。彼女はこう書く、「死に瀕《ひん》した日々、あなたを眺めながら、私は互いの愛を感じようとしたが、実際は、迫りくる死の現実に目を奪われていた。心の中で『今の私をごらんなさい。私には思い出が残っているが、あなたには何も残らない。すべてが消えてしまった。意識までが無そのもの、あなたは無に帰する』と思っていた」。

確信

そこで問う、死ぬのは「無」に帰することなのか。キリスト教において、〈死後の問題〉は一応簡単に解決される。と言うのは、まずキリストが復活したという真実がある。そしてキリストに属する信者もキリスト同様、復活する。それは正しいが、いかにも定理を図式にしたような味気なさが付きまとう。

実際には、信者は復活を信じてはいても、死の恐怖から免れえない。キリスト自身さえも死を恐れた。ゲッセマネで恐れおののきながら、死が遠ざかるように祈った。

死に対する信者の態度は、2つの原理に基づいている。まず、「自分の活動は、死とともに無に帰するのではなく、死を乗り越えた価値を持つ」という原理。それは『来世がないとしたら、果たして生きる理由があり得るのか』という問いへの答えを導く。

パウロは「あなたがたは、食べるにしても飲むにしても、ともかく何をするにしても、すべてのときに神の栄光を現わしなさい」と教える。食べることさえ神の栄光と繋がっているのだとすれば、まして仕事や家庭での行動は言うまでもない。

さらに信者は「神が人間を愛している」ことを知っている。自分がキリストを通して神を愛するよりも先に、神が自分を愛しているという原理を知っている。放蕩息子を持つ父親のように、父なる神はその子どもである人間をいつも歓迎する。

「神は愛である」と確信した信者は、神に自分を委ねる。神は愛であると考えれば、「愛は死よりも強い」という言葉はまったく正しい。

死に甲斐

人間は死刑囚である

１００年に満たない生命を全うするにとどまる人間は、しばしば〝死刑囚〟に譬えられる。極端であるとの誹《そし》りを免れないかもしれないが、それは人間の条件である。そして人間を捉えて離さない死の恐怖は、死に際の苦しみを恐れることではなく、自分が無に帰することの恐れである。すなわち、死後が無かどうかという問題が、死刑囚を襲うのである。

もし「無」であるとしたら（すなわち、肉体もろとも自分が全滅するなら）、生きることに果たして意味があろうか。むしろ現世は残酷な茶番に過ぎない。

また来世があるとしても、その来世が現にいる自分と別のものならば（すなわち、死が自分自身を活かす状態でなければ）、現世の自分は存在しないに等しい。

「来世がないからこそ、この世において豊かに生きる」と言う人がいる。詭弁《きべん》に似た断定であり、また意義深い教訓調の言葉でもある。

また、「来世が存在するなら、この世に生きることは無意味になる」と言う人もいる。これも正しいような、正しくないような見方である。

結局、この世が来世の種子であり、来世がこの世に自分が蒔いた種子の熟した実でなければ、我々にとって、来世などおよそ無意味である。

生き甲斐は死に甲斐を含む

「人間は必ず死ぬ」ということをいくら考えてみても、そこから「生き甲斐」は出てこない。「死」によってすべてが無に帰するのなら「この世にある価値はすべては相対的なものに過ぎない」と言えそうだが、であるからと言ってそれが直ちに「無価値である」ということにはならない、と思いたい。それは現代人の切なる願望である。とはいえ、結局、死を見つめるのは徒労ではなかろうか。

生き甲斐を探す者は、「自分のすべてを価値づけるもの」を求めている。人間には、抑えきれない欲求がある。それは〈「絶対」へのあこがれ〉である。その欲求を充たさない限り、真の生き甲斐とはいえない。

真の生き甲斐は、〈それを得るためになら、命をも惜しまない〉というものでなければならない。したがって「自他を〝死の絆《きずな》〟から解放する使命」のみが、我々を豊かに活かすものとなる。言い換えれば、死に甲斐を含む生き甲斐こそが「真の生き甲斐」である。

T君によれば、「人間の最高の行為は死ぬこと」だそうである。死を最高の行為とすることにはいささか抵抗を感じる向きもあろうが、よく考えると、死ぬことも人間の行為になり得る――という理解に到達する。

キリストの死も、行為であったには違いない。それは、キリストが実践した最高の行為であったといい得る。そしてその死から2000年を隔てた現代においてもなおキリストの死の価値は変わらず、人のために命を捧げる者は皆、「死」によって、立派な行為を成し遂げたことになるのである。

そのような「死」は決して〝一生の終わり〟などではなく、この世における生涯の完成なのであって、目指す次の世への凱旋である。我々が最も憧れる死が「殉教」である所以だ。

絶望を断ち希望で充たす試みを祝福する

【編者註】ネラン元塾長は1990年12月23日、元塾生が関係する医療施設の開院式に出席し、祝別のミサを執り行った。その折の説教は、人間の持つ「希望と絶望」を深く考察するヒントに満ちているので、ここに収載してご紹介する。

医療従事者の務め

皆さん、この病院は新年早々に開業の運びとなっています。おめでとう。

病院というものは、人間社会において重要な役割を果たしています。私たちはまず、患者のことを考えます。彼らは病気に苦しみ、日常の生活もままならならぬことを嘆き、早く治りたいと願っています。不幸にして、元の健康状態には戻れないことを知っている人がいるかもしれません。

次に、医師と看護師、各種技師、清掃作業者など、病院運営従事者の役割について考えます。それらすべての皆さんの使命は天職だとも言えますが、仕事は重大な責任を課せられています。

さらに、治療する人・それを支援する人と、治療を受ける患者さんの関係は、病院という機能の一番肝心な点です。が、それが理想的な状態で営まれている例を見つけるのはなかなか難しいのが実情のようです。

さて、ここで福音の一ヵ所、マルコ1章の第1節から第12節を開きましょう。

——数日後、イエスが再びカファルナウムに来られると、家におられることが知れ渡り、大勢の人が集まったので、戸口の辺りまで隙間がないほどになった。

イエスが御言葉を語っておられると、四人の男が中風の人を運んで来た。しかし、群衆に阻まれて、イエスのもとに連れて行くことができなかったので、イエスがおられる辺りの屋根をはがして穴をあけ、病人の寝ている床を吊り降ろした。

イエスはその人たちの信仰を見て、中風の人に、「子よ、あなたの罪は許される」と言われた。ところがそこには律法学者が数人座っていて、心の中であれこれ考えた。「この人はなぜこういうことを口にするのか。神を冒瀆している。神おひとりのほかに、いったいだれが、罪をゆるすことができるだろうか」。イエスは彼らが心の中で考えていることを、ご自分の霊の力ですぐに知って言われた。

「なぜそんな考えを心に抱くのか。中風の人に『あなたの罪は許される』と言うのと、『起きて、床を担いで歩け』と言うことのどちらが易しいか。人の子が地上で罪を許す権威を持っていることを知らせよう」。そして、中風の人に言われた。「わたしはあなたに言う。起き上がり、床を担いで家に帰りなさい」。その人は起き上がり、すぐに床を担いで、皆の見ている前を出て行った。

人々は皆驚き、「このようなことは、今まで見たことがない」と言って、神を賛美した。——

患者と医療従事者のために祈る

父のように人間を愛しておられる神よ、この病院を祝福してください。この病院に来る患者さんが、彼らの望むとおり、早く回復しますように。患者さんが治療に従い、苦しいときも我慢して、治療に尽くす人々にいつも感謝の念を持ちますように。入院病棟で過ごす長い夜に、患者さんが恐怖や孤独感に襲われることなく、瞑想のうちに心の平和を得られますように。

医師、看護師、その他病院活動に従事する人々がすぐれた環境の中で最善の治療を施し、いつも微笑みながら、患者さんの世話にあたり、その思いやりによって患者さんの信頼と親しみを得ることができますように。

ヤイロの娘を癒し、中風の者を治されたキリストよ、この病院に働く従事者を励まし、患者の身体と心に深い同情をお寄せください。体の傷をも、それに伴う心の傷をも癒してください。「疲れた者、重荷を負う者は、だれでもわたしのもとに来なさい」と言われたキリストよ、不本意ながら休んではいるものの、その与えられた時間を使って人生の目的を考えようとする患者さんたちに、真の生き甲斐であるあなたの道を教えてください。「あなたの信仰はあなたを救った」と多くの病者に言われたキリストよ、この病院が救いの場になるよう、恵みをお与えください。

「良心」――その在り処《ありか》

それは、意思に関係なく己《おのれ》を律するが

社会の要請か、内在律か

私たちが、日常生活の中で自分の行為に対して、また他人の行為についても、絶えずなんらかの形で、善・悪の判断をしていることは事実である。その判断の多くは瞬時の敏感な反応であるから、無意識のうちに繰り返されている。

「善い行為・善い生き方」を目指し、「悪しき行為・悪しき生き方」を排するこの心の動きは、いったいどこから、なぜ起こるのか。私たちが受け取る「べし・べからず」という命令はどこからくるものなのか。その命令が、よりよく生きるために有益なことを否定する人は、どうやらいないようである。

「善」と「悪」を区別する力――〝心の動き〟――を、仮に「良心」と呼ぶことにしよう。

今ここに、良心を定義づけるA、B二つの見解がある。貴君はどちらに賛成するか。その理由

を添えて述べなさい。

A　良心の命令とは、社会が作り上げた規範であり、教育・法律・監修の中で是認された規則などの産物である。社会はその秩序を守るために、個人の内面に浸透するかたちで命令を下す。そもそも人間は、自分に対して義務を持たない。「良心」が命じるところはすべて、社会に対しての義務である。

B　良心は、人間の主体性の顕《あらわ》れである。良心が社会の法律を作る。そしてそれが不十分な場合、良心によって修正される。すなわち、法律を是非するのは良心なのだ。当然、良心は法律に優る。そもそも法律や社会的規範は、道徳の一部分しか表わしていない。「よい家庭を築くこと」「自分の才能を生かすこと」などは法律に定められていないではないか。

日常生活で問われる「良心」

普段の暮らしの中で良心の問われる場面は案外多いと思われる。
貴君は、次のような行為を、自分の良心に照らすとき、どう判断するだろうか、理由を添えて述べなさい。

イ 通学途上の交通機関で頻発する〝キセル〟は、「問題になるほどのことではない」のか「悪い行為」か。

ロ 公務員のストライキは法律違反であるとされている。にもかかわらず、なお正当性を持ち得るか。

ハ　貴君が過激で知られる労働組合の委員長に選ばれたら、クビになる危険を冒しても就任を承諾するか。

ニ　自己の利益のために、貧乏人を見殺しにし、富裕層のみを相手にする医師の姿を見たら、貴君はどのような感情を持つか。

ホ　残虐な戦争や核兵器使用に反対する精神は、何に基づいていると思うか。

「善・悪」鑑定法

わざわざ「良心」の介在を論じるまでもない些細なことがらについても、問われてみれば即断に窮するケースはあるものだ。次のケースにつき、あらためて貴君の良心を当てた上でその是非を簡明に記しなさい。

イ　車の往来が途絶えている交差点で、なぜ赤信号を守るのか。

ロ　金を積んだり情実を利用したりして入学・入社する行為は、許されるか。

ハ　親の反対する結婚はすべきでない、と言えるか。

ニ　明日、試験がある。他方、今日のデモに参加して意思表明をしたい。勉強すべきか、デモに参加すべきか。

ホ

ある行動を選ぶ場合、自分が「善い」と判断したことを、必ず実行すべきか。

死刑の是非を問われたら

「悪」の存在を前提として

良心の判断が問われる典型的なケースの一つに、「死刑」制度の問題がある。次に紹介するのは「死刑制度を維持すべき」とする意見と、「死刑制度は廃止すべき」とする意見の代表的なものだ。両論を読んだうえで、貴君の良心に照らして死刑制度の是非を選択し、その論拠を述べなさい。

A　死刑制度廃止論

・合法・非合法に関係なく、人を殺すことは野蛮な行為である。現に、死刑執行を目撃した人の所感として「耐えがたいほど残忍な情景だ」との証言がある。
・合法的にとはいえ、人を殺すことは、人間同士の絆を断つことである。その絆を断ち切る当事者は、自らを人間ではないと表明しているに等しい。
・死刑の恐怖も、犯罪防止には役立たない。まして、見せしめと考えるなら、それは正義に反する。
・死刑の執行は、加害者が被害者に対して償いをする可能性を断ち、贖罪の機会を奪うものである。

B

死刑制度維持論

・死刑執行は、せいぜい寿命の幾分かを削ることにすぎない。人は皆、いずれ死ぬのだから。

・「死刑」の恐怖には、犯罪抑止力がある。しかし問題はそこにあるのではない。「いのちを削る罰に値する罪などない」と言い切れるか。

・「死」に直面したときにこそ、罪人は自分自身を全体として掴むことができる。その時にのみ、人間とは何か、自分は何のために生まれて来たかを理解して、犯した罪を深く意識し、悔いる。その精神的な行動によって、完全な人格を獲得するのである。死ぬ理由を理解することによって、生きる理由を見出す。それは、他ならぬ「人間性の発見」である。すなわち、他者の人間性を否定し抹殺した「死に値する罪」の代償として自分の人間性を発見する、遅すぎる発見ではあるが……

あなたは無罪か

死刑の対象となるような「悪」は別だとしても、私たちが気づかずに手を染めている「悪」が、ないとは言えない。そしてより明確に言えるのは、人間のもたらす「悪」が存在するという事実である。戦争、貧困、怠惰、背信などはその一例だ。それを踏まえて、次の設問に示されているA、Bどちらの意見に与するか、その理由を添えて述べなさい。

(一) A 人間は、無知ゆえに「悪」に手を染める。教育によって無知をなくせば、悪も消滅する。

B 教育を受けたものでも犯罪に奔《はし》るし、原子力エネルギーによって原子爆弾を造り出す。知識の蓄積で悪を克服することは不可能である。

(二) A 知識の問題でなく、意志の問題ではないか。自分の欠点や社会悪を取り除く力は、各人に具《そな》わっている。それを「良心」と呼んでもいい。良心を誠実に駆使すれば、人間は悪に打ち克《か》つことができる。

B　しかし、良心に照らして反省する人間ほど、自分の弱さを自覚する。例えば、何度も「今度こそ勉強しよう」と決心したのにその決心が長続きしない、などがそれだ。この点について誰が「自分は無罪だ」と言い切れるか。

（三）A　悪との闘いは限りがないので、あきらめた方がよい。
B　生きている限り、幾度挫折しようと、良心を信じて悪に挑戦を続ける。
C　人間は悪に勝てないので、神に救いを求める。

■塾生の意見

良心は社会の産物？

竹内 人間にはなぜ良心があるのか。あるいは、人間の道徳の基盤は何か。あるいはまた、人間の意識する「すべし、すべからず」という命令の根拠はどこにあるか。きょうは、そういった問題を取り扱いたいと思う。

梅田 君は「あるいは」と言うが、良心と道徳の基盤と「すべきこと」とはみな同じことではないかもしれない。

竹内 だから、正確に定義しよう。人間は自分の行動に関して「しなければならない、してはいけない」ということを、常に意識している。例えば、学生は勉強しなければならないとか、本を盗んではいけないとかいうときの「しなければならない、してはいけない」ということを〝良心〟と定義しよう。

梅田 よろしい。

竹内 人間に良心のあるのは既成の事実だが、良心がなぜあるのか、というところは、僕達の問題である。

松尾 ちょっと待ってほしい。人間には必ず良心があるか。

梅田 良心がなければ人間ではない。人間なら必ず良心がある。良心は人間性の欠くべからざる要素である。

松尾 僕はその点については信じて疑わない。

梅田 僕も一応賛成だ。

竹内 〝一応〟とはどういう含みがあるのか。

松尾　なぜ〝一応〟とつけるかというと、すべての人間が良心をもっているということが証明を経た事実ではないからだ。それはまず、各人を調べた上でのことではない。また、良心を人間性の欠くべからざる要素と断言する前に、人間とは何かという問題に当面し、それを解決しなければ、本来は、先に行けないからでもある。しかし一方、僕は良心のない人間というものを考えることができない。幼児や狂人などのケースもあるが、そういったものは例外と見る。というようなわけで、〝一応〟付きの賛成と言ったのである。

竹内　つまり、人間には必ず良心があるということは公理と見なければならない。

梅田　公理と考えても結構だ。良心のない人間があるにしても、そういう例外のケースは取り扱わなくてもいい。

竹内　ところで「これをしなければならない」という命令と「これは良いことだ」という判断とは同じことなのか。

梅田　それははたして判断であるか。もっと直観的な働きだから、むしろ、感覚と言ってはどうか。

松尾　判断とか感覚とかは、要するにことばの問題にすぎない。「これをしなければならない」ということは、結局、これが良いと認めることと同じではないか。ただ、それは、あれこれと理屈をこねたあげくの結論ではなく、すぐにそれとわかる判断である。だから、これが良い、これが悪いという区別を判断と呼んでさしつかえない。そして、その区別と、すべし、すべからずの区別とは同じなのだ。

竹内　良心は善悪を区別する力である。これについてはどうか。

梅田　それはいいが、ただ、こういう点に注意しなければならないだろう。というのは、それが主観的な定義にすぎないということだ。良心は善悪を区別するが、その善と悪は、当人にとっての善と悪なのである。私はこれをしなければならないと思う。すなわち、それが私にとっていいと思う。私はいいと思うのだが、実際いいかどうかは別の問題なのだ。

松尾　そのとおり。良いと思うからといって、良いということには必ずしもならない。

梅田　善と悪との区別は人によって異なっている。歴史を見ると、常に変わらぬ良心の命令などは一つもないということがわかる。例えば、〝殺すなかれ〟という原則は最も普遍的なものと思われるが、実際には、戦争とか復讐とかの場合はむしろ殺戮が要請されるし、死刑執行、切り捨て御免の場合、さらには、妊娠中絶、安楽死などの場合も、殺してもいいことになるのではないか。このように、すべての人間の良心の共通点などは存在しないのであって、各人により異なるのだ。というよりも、それぞれの社会によって良心は違うと言うべきかもしれない。

松尾　すると、良心は社会の産物ということになる。

竹内　それは早合点というものだ。まず、良心の普遍的な原則は一つもないと梅田君は言っている。それはそうかもしれない。しかし、もう少し掘り下げて考えてみると、その互いに異なった命令も必ず矛盾するというのではなく、もっと抽象的に捉える立場をとれば、むしろ合致するのかもしれない。例えば、死刑執行は〝殺すなかれ〟を否定するのではなく、逆に人命を守るためにこそ行なわれているのである。また、ちょっと滑稽な例をあげることになるが、人食い人種にとっての親孝行は、なんと老父母をシチューにして喰うことだそうだ。このやり方は確かにわれわれの観念からははるかにずれるが、しかしやはり親孝行という点ではなんら変わるものではない。

また、歴史に従ってものを見た方が正しい。僕は、倫理の歴史に詳しくないが、人類の倫理は時間の経過とともに統一されていくのではないか。一口に言えば、人間尊重へとすべての道は通じているように思える。

梅田　統一されていくようだという段階でなら、僕も賛成だが、確信まではいかない。

竹内　ようであるにとどまってもいい。僕は、ただ、良心の普遍性がないという君の主張が独断に走らないように、ちょっとブレーキをかけておきたかったのだ。しかし、別の観点からもその問題を考えてみたい。良心の命令は人によって、時代によって、社会によって異なっていても、命令そのものは統一されている。一人が打つべきだと思い、一人が打つべきでないと考えたとする。命令の内容は正反対だが、いずれにも命令はある。私が何かをしなければならないというのが良心の本質なのだ。それがドイツ人の言うDU　SOLLST　日本語に訳せば「当為《とうい》」なのである。

松尾　そこで、「何かをすべし」を分析して「何かを」と「すべし」とを切り離す。「何かを」の方は場合によって異なるが、「すべし」という当為そのものは統一されている。それが竹内君の説明なのであるが、この区別は正しいだろうか。単なる「すべし」だけの命令をわれわれは経験したことがないのであって、必ず何かをすべしという形をとって現われるのではないか。

竹内　もちろん、経験としては、「何かをすべきだ」ということしかない。けれども、われわれは物を見るときにいつも物の色を見ているにもかかわらず、色彩面を捨象して視覚を考察することだってできる。同様に、なるほど何かの問題を理解するのだが、その〝問題〟と切り離して〝理性〟を考えることもできる。とすれば、善悪を判断する良心を、善とは何かを考えずに研究することが可能なのではないか。こう考えれば、良心の本質は当為だということも、納得がいくはずである。

梅田　人間なら良心がある、と前に僕達は言った。それはすなわち、すべての人に同一の当為があるということである。当為の対象は変わるとしても。

松尾　ただ、こういう点に注意してほしい。当為そのものは認めるが、当為はその対象なしに現われるものではない。それは物ではなく、抽象的なカテゴリーとでも称すべきなのだ。あるいは、判断する権能と言ったらよかろうか。ともかく、そういうわけで、それを独立した要素として使用するわけにはいかない。当為とその対象という具体的な命令のみが、議論の土台になるのである。

竹内　その方法によると、人間の良心の存在理由は何であるか。

梅田　僕は三つの理由を具えたきちんとした結論を出そう。

　1　良心は社会のためにのみ働く

　2　良心は社会によって左右される

　3　少年時代に良心を育てるものは社会である。

　だから、良心は社会の産物なのである。

竹内　その三つのテーゼと結論とを検討しよう。

梅田　1　良心は社会のためにのみ働く。すなわち、当為の対象は必ず社会的な行動である。盗むな、働け、浮気をするな、税金を納めろ等々の命令は、必ず他者に向けて発せられる。自分自身に対しての義務ではない。一言で言えば、〝道徳的〟すなわち〝社会的〟である。

竹内　だいたいはそうであるが、しかし例外もある。自分の才能を活かすべきだと言うときは、自分を成長させるためであって、社会に貢献するためではない。もっと適切な例をあげよう。自分に忠実であるべきだとするときには、そこに社会的な面は認め難い。

松尾　社会が、まず、ある人間像を作った。そして、その人間像を私に植えつけた。そのために、その人間像を目指して研鑽を積むことが自己に忠実であることになった。こういう解釈も可能であろう。

竹内　少々うがちすぎた解釈ではないか。もし、社会が人間像を作ったのだとしたら、〝自分に忠実であれ〟は、社会の欲求に応ずる社会人となれという意味になるはずだ。要するに、1については全面的に賛成というわけにはいかない。その2はどういうことか。

梅田　2　良心は社会によって左右される。同じ社会の中に生きている者は同じ良心をもつ。社会が変われば、良心も変わる。例えば、巨視的には、現代人の良心は一致しており、封建時代のそれとは異なる。ところが、微視的には、労働者の良心と学生の良心とは違う。社会というものの捉え方一つで変わってくるわけである。

竹内　社会が良心に大いに影響することとは明らかである。しかし、そのことから直ちに、社会が良心を作るという結論には至らない。君の言う第3点についても、それは同様である。社会が良心を育てると言っても、良心を産み出すのではない。それに、君の言う社会とは、結局、何なのか。具体的な事情を指すのだとすれば、もちろん、それは影響するにきまっている。自分が貧乏であること、あるいは戦時中であることなどは、自分の良心を左右する。しかし、その事情が、良心を産み落とすのでないことは明瞭である。それとも、君の言う社会は、他人の良心から出る判断を指すのか。だとすれば、その社会的な良心の影響はむろん強いが、今度は、その他人の良心の誕生を問題にしなければならなくなる。

梅田　いや、僕の主張の主旨が君によく伝わっていないようだ。人間の周辺にはいろいろな規則がある。列挙してみれば、躾、行儀作法、学校の規則と教訓、社会の慣習、社則、六法などであり、いずれも〝すべきこと〟を教える。そのすべての規則を、今、〝法〟と名づけよう。法は人間行動の型である。その法を身につける。その身につけた法を意識するのは、良心それ自体なのである。

松尾　そうすると、良心は法の反映にすぎない。

竹内 しかし、法は外面的なものであって、良心はむしろ内面的な命令である。少年時代の反抗期は、良心が外面的な法を受け入れるかどうかという闘いなのである。それは、法と良心との次元が異なることを物語っている。

梅田 そして、ついには、社会の強制で法を良心とするに至る。

竹内 必ずしもそうではない。悪法というものもある。それは、法律になってはいても、良心に反するものなので、人間は悪法だと判断する。こういった悪法を別にしても、社会は常に、新しい法を作ったり、また法を改善したりする。そこでは、善とか正義とかを目指して具体的な規則を定めようとする。その規則が正しいかどうかを決めるのは、結局、良心なのである。良心こそ法の基礎である。

松尾 そうすると良心は法にまさる。

竹内 そのとおり。良心は善と悪とを区別する。その力によって法を是非する。結果として、人間の作る法は、だいたいいい法である。だから、良心の教育は、その法の正しさを内面的に意識させることだ。換言すれば、外面的な規則を当為のもとに置くことである。そして、法に従うことは、良心に従うことになるが、法に従うのは、それが法だからではなく、法が外ならぬ良心の命令を表現したものだからである。

だから、良心に従うために法を破る例もある。例えば、憲法によれば、公務員にはストが許されていない。にもかかわらず、良心にとっては正しいという違法的なストもありうる。

松尾 確かに、法と良心の差を理解するためには、梅田君の説は不十分である。社会の法から良心の命令は生まれえない。一方、竹内君の説には、善とか正義とかいう抽象的なものが突然入り込むのは、怪しい。僕は法と良心との間には共通点があると思う。それは利益である。人間も社会も、自らの利を追求するものだ。だから、それぞれの利を求める結果、自然に契約の状態になる。私は自分が殺されたくないから人をも殺さない。自分が尊重されるために人をも尊重する。

竹内　その契約はいつ締結されたのか。僕は、その歴史上の出来事を記憶していない。

松尾　いつということでもなく、第一、出来事などというものではない。現状なのである。人間は社会人である以上、その社会人としての生活は、その黙認された契約に立脚する。

竹内　自分が尊重されるために人を尊重するのだと君は主張するが、それは詭弁にすぎない。

松尾　なぜ詭弁なのか。

竹内　契約だとすれば、私が相手を尊重するから相手も私を尊重するという契約である。そもそも契約は守るべきものだ。だから、この契約も守らなければならない。このように、〝なければならない〟があることは、すでに良心が働いている証拠である。したがって、良心を前提とするのであって、良心を裏づけるのではない。

松尾　しかし、利益から考えれば、契約を守る方がためになる。

竹内　利益という点から考えるなら、自分は尊重されるが相手を尊重しないのが一番だ。奴隷制度なんかは、さしずめその実例だ。

松尾　しかし、自分の利以外に人間行動の動機は考えられない。

竹内　いや、考えられる。自分の子供を育てる親、国のために命をなげうつ者、真実を求めてベストを尽くす研究者、例えば、シュヴァイツァーを考えてみるがいい。利益のためにと言えるものかどうか。

松尾　一口に答えれば、自己満足だ。つまり、以上のケースでは、物質的な利益ではなく、精神的な利益が動機となっている。いずれにせよ、自分自身のためということは動かない。

竹内　それが独断なのだ。こういう二人の友達を考えてみるがいい。一人は、自分の都合で、私の電話や本などを借りたり、また、自分の出世のために、私のコネを使ったりする。私は彼をエゴイストだと思い、反感を覚える。もう一人の友達は、自分のものを喜んで貸したり、私にいいものを紹介したりする。この人は好人物だ。このようなときに、二人はともに利に駆られているとは言えない。人間関係において、相手を利用しようとする利己主義的な態度もあり、相手にサービスしようとするいわば愛他主義的な態度もある。実際には、純粋な利己主義も、純粋な献身的愛も存在しないかもしれない。おそらくは、常に両者が混じっていることだろう。しかし、こういった二つの動機があるのは事実である。

松尾　けれども、無意識のうちにも利己主義は働いている。献身的な愛のうちにさえ、利己主義が隠れている。

竹内　無意識の動機というものは、まさに自家撞着ではないか。

梅田　利益は良心の説明にはなりえない。損得の判断と善悪の判断とは全然違う。有益であることとなすべきこととを同一視するのは全く無理だ。良心は社会の産物だと僕は主張したが、その意見はかなり攻撃された。良心は社会の産物ではないにしても、良心は社会への貢献と固く結びついていると僕は思う。

竹内　ともかく、良心が利益に基づいていないのは明らかである。われわれはしなければならないと意識するとき、ほとんどすべての場合、努力とか苦労とかが命ぜられている。遊びたいのに働かなければならない、まだ寝ていたいのに起きなければならない、贅沢をしたいのに倹約しなければならない、等々。それは利益を追求することではない。また、良心に背いたとき「すみません」と言わなければならない。これは、損したこととは違った意識である。

松尾　それで、竹内君によれば、まず良心は社会の産物ではない、そして利益によるものでもない。ということになると、良心はいったいどこから生ずるのか。

竹内　良心は人間性の一要素である。人間の類のない価値がそこにある。だから、良心がどこから生ずるかという質問は無意味だ。良心こそ絶対的な規準である。人間の理性の場合と同じことだ。理性を説明しようと思えば理性を使わなければならないように、理性は基礎である。良心も、ほかの何かによって説明されるものではなく、それ自身が人間の行動の基礎なのだ。

松尾　つまり、良心の存在理由は良心である。君の説明は説明にならないではないか。僕たちの議論は堂々めぐりをしているようだ。

竹内　そうではない。良心は社会の法から生まれるものでないということも、また、それが利益によって説明できる筋合のものでないということも、やはり貴重な結論なのである。そしてこのことは、良心の絶対的な優越性を物語っている。それを事実として認めることは有益な結果ではないか。更に、その確かな立場から、いろいろのことが考えられる。まず、社会の法は良心の産物であるということが。

梅田　そこには飛躍がある。良心が社会の産物ではないからといって、社会の法が良心の産物だという結論は出てこない。

松尾　それに、良心は主観的な善悪の判断だと前に認めた。客観的な善を指すとは限らない。僕はすでにそのことを指摘したが。

竹内　梅田君の反論と松尾君の反論とは互いに関係があると思う。では、良心が主観的な面において絶対的な善悪の判断力である、この点に異議はないか。

梅田と松尾　よろしい。

竹内　自分ではこれが良いと思うが、実際には悪いとか、あるいは逆に、自分では「悪かった」と思って後悔するのに実際には「良かった」のだとか、こういうことは一般的にありうるか。

松尾　区別しよう。主観的に言えば、「良い」と思うこと自体のうちに、それが実際にも良いという断言が含まれている。だから、本人の良心の正しさは疑いえない。しかし、客観的に見れば、確かに違うかもしれない。

竹内　違うとすれば、すなわち僕の良心は騙されているか狂っているかになる。

松尾　そうだ。

竹内　狂っていない証拠は、他人も自分と同じ判断を下すことだ、ということになろう。

松尾　以前の良心の定義に従えば、外の証拠はなさそうだ。

竹内　とすれば、梅田君、人々の判断はだいたいにおいて一致しているのではないか。例外があるが、まさに例外なのだ。盗んではいけないとか、人妻に手を出してはいけないとか、親が自分の子を育てるべきだとかいう良心の命令は、誰でも認める。実際には、泥棒もおり、姦通もあるが、その人も良心の命令を知らないわけではなく、その命令に従わないだけのことなのである。

梅田　現代のわれわれの社会においては、人の良心はほぼ同じだと言えるとしても、古代人とか未開民族とかになるとそうはいかない。例えば、一夫多妻を良しとする社会も少なくない。

竹内　しかし、そういった社会には、われわれは〝古代〟とか〝未開〟とかいう限定辞をつける。すなわち、その社会はまだ教育されていないと考えているのだ。換言すれば、彼らが教育を受けさえすれば、われわれの正しい判断を理解できる、とわれわれは考えているわけだ。もっと広く考えれば、良心の命令が違う場合には、互いに話し合えるし、その話し合いによって相手の立場を理解できる。例えば、裁判があるから復讐は許されていないが、もし裁判と称するものが存在しなければ、あるいはその裁判が正義にのっとっていない場合には、復讐はむしろ義務とさえなる、という考えもわかる。ちょうど、理性があっても、見解の相違があるのと同様に、良心の命令が違っても、良心は常に善を示すのだ。

松尾　そうすると、善そのものが先天的に存在し、各人の良心があとからそれを発見するということになる。

竹内　そのとおりだ。

松尾　もし、その抽象的な善が存在しなかったら、どうなのか。

竹内　善そのものが存在しなければ、各人の良心が一致するはずはない。各、自分で勝手に、正、不正と決めることになるわけだが、現実はそんなことはない。

ところで、前に、良心が主観的に良いと判断するが、それは必ずしも客観的にも良いとは言えない、と君自身が主張した。その主張は、むしろ客観的な善の存在を前提とするのではないか。

松尾　ちょっと違う。やはり、人によって異なる善なら、そんなものは善ではない。だから、実際、異なる善しかなければ、善は存在しないと考えるべきなのだ。そのときは、良心は錯覚だということになる。

竹内　ところが、僕には良心が錯覚だなどとは考えられないし、人々の良心の命令が一致していることを確認したことでもある。

梅田　したがって、先天的な善が存在すると君は断言する。

竹内　そうだ。そして、善を発見するのは人間の良心だ。

梅田　もし、良心の命令と社会の法とが違うときはどうするか。

竹内　良心に従うべきだ。

梅田　必ずか。

竹内　必ずだ。まちがいなく良心の命令であれば。

梅田　というのは。

竹内　良心の命令は条件つきの命令ではない。絶対的な命令だから。命がけでも良心に従うべきだ。例えば、戦争をなくするために徴兵を拒む者のように。君は、こういう態度を誤りだと思うか。

梅田　いや、立派な人物だ、英雄と言ってもいい。

松尾　竹内君の見方は、結局、常に英雄を志向しているのだ。

竹内　人生の目的は、英雄になることではないか。偉い人の言葉を引くのはあまり好まないが、「人間とは乗り超えられるべきあるものである」とはニーチェの言うところである。

梅田　それはそうかもしれないが、あの徴兵を拒否する英雄が犠牲を払うのは、平和のため、人が殺されないため、より良き社会が生まれるためなのである。彼らの良心の命令は、あくまでも社会に貢献することへの呼びかけである。抽象的な善と言われたが、そこでは、具体的な善、社会的な善こそ、彼らの良心の動機ではないか。

竹内　確かに、彼らの目的は社会的な善であり、彼らは社会的な善へ招かれている。しかし、良心の根底は命令にあるのであり、なるほど呼びかけは社会から来るとしても、その命令の方はそこから来はしない。

松尾　命令は自分自身にある当為である。

竹内　われわれは命令を受ける。誰が命ずるのか。

松尾　われわれは命令を受けるのではない。自分自身の裡に命令があるのだ。つまり、良心が、自分自身を成すのだ。

竹内　自分の裡から命令が発する、もし、そういう自分自身から出る命令ならば、自分勝手にそれを変えることができる。しかし、そうではない。否応なしに、良心の声がその命令を聞かせる。命ぜられるとすると誰にか。

松尾　まず、命ぜられるとすれば、自分が命ずるのではないか。それは矛盾なのかどうか、僕にはしかとわからない。

竹内　自分が命ぜられると同時に自分が命ずる、そんなことは不可能だ。

梅田　命ずるものは君の言った善そのものではないか。先日の羅針盤の例を思い起こそう。羅針盤は良心であって、善は北極に当たる。善が良心を自分の方向に仕向けるのだ。そして、竹内君に従えば、羅針盤の存在から北極の存在を推定できるように、良心の存在から善そのものの存在がわかるのだ。

竹内　その善は人格的なものであるか。

梅田　そんなことはない。むしろ、大自然の法則のようなものではないか。

松尾　善そのものが人格的ならば、命令を受けることは、人格的な出会いのようなことであろうが、実際はそうではない。

竹内　自分自身が人格である私が、非人格的なものから命令を受けるなどと、考えられるであろうか。

■塾長からのアドバイス

善と悪を区別する力

判断基準が明確とは言えないにしても

人間には良心がある。すなわち、人間は善と悪が区別できるし、「なすべき善」と「なすべからざる悪」が何であるかが分かる。とはいえ、人間がいつも良心の命令に従うとは限らない。「盗んではいけない」と分かっていても盗んでしまうことがある。すると、盗んだ者はその良心に背いた罪で裁かれる。また、善と悪が区別できるといっても、その区別は必ずしも明瞭ではない。スピード違反はいつも罪なのか。避妊は本当に罪なのか。そして、嘘をつくことはどうだろう。嘘も方便と言うではないか。このように判断基準は必ずしも明らかとは言えないが、良心は我々の行動を常に監督しているのである。

また、良心の判断は人により、時代により異なるが、いかに異なっていても、良心の声は消えるものではない。良心の存在は否定できないのである。小林秀雄も言うとおり、「良心の朦朧《もうろう》性などを信じているのは現実逃避である」。

どの民族にも国民にも法律はある、と社会学は教える。人々は大体において法律を認め、法律に従う。考えてみれば極めて不思議なことだ。人間はどのようにして互いの争いを収め、利己主義を超えて法律に従うのか。それは、法律が良心に適《かな》っているからに他ならない。良心が法を支持しなければ、法は直ちに崩れてしまう。良心にはそれほど力があるのである。

かくして法は、良心の命令を反映するものとして顕在化し、良心は潜在化する。その結果、残念ながら日常的には、良心の貴重な存在が忘れられがちになる。

もちろん、法の在り方と良心の判断が食い違う場合も出てくる。そのときは「良心は法に勝る」ことを強調しなければならないであろう。そのような事例はいくらでもあるが、ここでは文学から二つの例を取り上げてみよう。

『アンチゴネ』

紀元前442年、ソフォクレスは『アンチゴネ』という劇を書いた。アンチゴネの2人の兄はともに戦いで殺されたが、国王クレオンは政策上の理由で、1人の兄のためには盛大な葬儀を定め、もう1人の兄のためには、いかなる葬儀の挙行も禁じる。その兄の遺体はそのまましばらく晒されなければならない。アンチゴネはクレオンの命令を無視して、兄のための葬儀を執り行おうとし、クレオンの衛兵に捕まる。アンチゴネはクレオンに向かって、「あなたの命令は文字で書かれてはいないが、神々の定めた永遠の法を覆すことはできない」と抗議する。この反抗により彼女はクレオンの命令により殺される。

1944年、ジャン・アヌイは全く同じストーリーで独自の『アンチゴネ』を書いた。その中で、アンチゴネはクレオンに向かって「兄を礼儀正しく葬らなければならなかった」と繰り返し断言する。アヌイはソフォクレスと違って〝神々の法〟には言及していないが、大筋において差はない。
ソフォクレスの「文字で書かれていない法」も良心の命令であり、アヌイの「兄を葬らなければならない」というのも良心の命令を意味する。アンチゴネは良心に従うゆえに死んでいく。良心は法に勝る。命を懸けても守るべきものなのである。

『杜子春』

芥川龍之介の『杜子春』という短編はよく知られているから、その要点だけを言おう。杜子春は「沈黙を守るべし」との掟を承知の上で、鞭を受ける母親を見て「お母さん！」と叫んでしまう。教訓は次のとおりである。すなわち、もし杜子春が黙っていても母親は殺された。掟を破って叫んだ瞬間に母親は我が子の愛を感じ、杜子春は自分の良心に従うことができ、人間としての〝らしさ〟を貫くことに成功した。人間らしさに忠実な人は良心に従う。良心の存在は、人間の偉大さを物語っているのである。

第Ⅲ章

「真の生き甲斐」発見への道

人間性から自我へ

自他の価値を評価する

人間評価の在り方

前章で見てきたように、人間のあらゆる行為は〈善・悪〉と結びつく。従って、人の一生も必然的に「価値」を伴う。私たちは、特定の人物を指して「この人が立派な人物であったか、つまらぬ御仁であったか、そんなことはどうでもいい」とは言えないのだ。

私たちは内心、『善人は報われ、悪人が罰せられるという形で、人間評価が具体的になされるべきだ』と考えている。ところがそこには、二つの問題が横たわる。

一つは、人間を外から眺めるのでは、その審判を公平に行うことができない、ということである。その人物が持っていた才能なり、置かれた環境なりを斟酌しなければ、個々の行動を裏付ける責任の追及は、十分になされ得ない。

もう一つは、人間の評価が、本人の良心や世間の評判という面にのみ寄り掛かっていたのでは、十分な評価になり得ないということだ。もしそれが真の評価であるとすれば、人間の責任はその人物の死と共に消えてしまう。

貴君の知る人を、貴君自身が評価すると――

貴君も知ってのとおり、人間が他の人間を評価する方法はさまざまだ。それは、評価の基準が多様であることによる。我々は実際、日々の生活の中でそうした判断を下している。そして基準のとり方により、人間の価値はたやすく変動する。卑近なところで、長者番付、美人コンテスト、ノーベル賞、オリンピック競技……

しかしそれらの分野を超えた観点に基準を置いて、最終的に人間を評価することもできることを、我々は知っている。

例えば、学業成績の面での評価を別にして、級友の中で誰が一番立派な人間か、言うことができる。ただしそこで言う「立派な人」とは、いわゆる〝偉い人〟や〝一芸に秀でた人〟のことではない。彼らは確かに人の目を引くが、必ずしも立派とは言えない、

手始めに、貴君がもっとも立派だと思う人を3人、できれば順位を付けて選んでみなさい。その人が一般に知られていない人物の場合は、簡単に人物紹介を付けること。またその人がなぜ立派なのか、端的に説明を書き添えなさい。

自分自身をも見つめ直してみよう

人間評価の在り方については、〝自分自身を見つめ直す〟というアプローチの仕方もある。例えば、次のような自問について自答してみてはどうか。各々の問いに答えなさい。

（一）　10年前の私と今の私とを比較すれば、私は全面的に変わったと言える。にもかかわらず、同じ私である。その「不変の私」とは何か。

（二）　私には肉体があり、精神がある。しかし「私」と「私の肉体」は違うし、「私」と「私の精神」もまた違うものである。それなら、「私」というものは、いったいどこにあるのか。

（三）　私は、「考えている私」を意識する。同様に「食べている私」を、「喜んでいる私」を……しかし、「何もしていないただの私」を意識しているか。

（四）

私は存在する。その私の存在には、必然性があるのか。あるとすれば、それは生き甲斐となるだろう。だがもし、自分が存在しなければならない理由がないとすれば、存在していること自体、不自然ではないのか。

人間——この未知なる存在

本項が求める考察を通じて「私」を見つめながら、「どうやら、『人間とは何か』という問いに答えはなさそうだ」と思いはじめている貴君に、先人が思い思いに展開したいくつかの意見を紹介する。それぞれの意見につき、貴君の賛否と、対論があればそれを記しなさい。

（一）人間とは何かという問いは、本来答えられる性質のものではなく、むしろ永久に答えの得られない問いと言うべきである。この種の問題を研究する方法などはない。

人間を対象とする科学——例えば医学——をもって答えようとしても、それは人間の自意識を度外視するので、問いの本質を見失うのである。一方、自意識を中心とする哲学などでも、明確な結論は得られない。

結局、人間にとって人間は未知数だとあきらめるほかはない。その不条理に反抗するか、それとも服従するか…… その時々に当面する課題を考えて生きるより仕方がない。

（二）人間は、まだ知られていないものだ。しかし人間は自意識をもち、認識することができ、反省と思考を繰り返しつつ何かを造り出していく多様な働きを持っている。

このことは、人間が何かになっていく過程にある、ということを示しているのではないか。今何であるかが分からないのは、人間が〈何かに向かって成長している〉ものだからである。この生成過程にこそ、人間の本質が現われている。

（三）人間を研究する方法はある。すなわち、次の二つである。

1　世界との対決によって「善と悪」「美と醜」「真と偽」「生と死」「幸福と災禍」などを発見し、その基盤の上に自己を造り出すこと

2　他人の知恵と学識を吸収すること

学者の研究、英雄の偉業、芸術家の傑作などは、「人間とは何か」を如実に物語っている。さしあたり、ソクラテスの至言「自らを知れ」は、極めて示唆に富む教訓となる。

人間を向上させるもの・障碍となるもの

人間が向上したいと願っているのは確かであるが、そこには次のような問題が立ちはだかっている。

【困難】
・生きる目的がどこにあるのか分からない。
・一つの目標を立てても、それに達する力がない。
・ある目標に達しても、それで満足できない。
・人との交わりの中に幸福を見出したいと思っても、実際には、孤独に出会うことになる。
【失敗】
・勉学に励んでも、なかなか成果が上がらない。
・失恋。
・ある道を選んでも、その度に〝大きな障碍〟にぶつかる。
【罪】
・自分を〝清廉潔白・完璧な人物〟と言い切ることのできる人は、果たして存在するのか。
・読書もせずに、遊び呆《ほう》ける自分。
・嘘をつく自分。
・他人の困惑に無関心な自分。
【時の流れ】
・この1年間にやらなかったことは、永遠になし得ない。

・過去の空白は埋められない。
・募りに募る無常観。
右のような条件下で、人間はどこまで向上し得るか、貴君の意見を述べなさい。

人間評価が導き出す「理想の人生」

右の各項を通じて、人間評価の在り方をマクロ、ミクロ両面から考察したが、その結果が我々に迫る中心的課題として「信念（a）と行動（b）の一致（c）」がある（abcはそれぞれ変数）。すなわち、どのような信念に基づき、どんな行動を選択するか、そしてその信念と行動がどの程度一致しているかによって、人間評価が決定づけられ、変数cが高くなるほど、理想の人生に近いと考えられる。

すべての人が持ち、他の生物が持たない『人間としての特性』を「人間性」と呼ぶなら、人間性があるということは、全人類が唯一の人間像に近づいていくという意味になる。人によって歩む道は異なっても、究極的に目指すところは一つである。立派な父親、立派な芸術家、立派な政治家……　それぞれの道において、価値の基準は一様でないにしても、それを超えて、唯一の「理想とする人生」を目指している。とするなら、人間一人ひとりが前述の変数を課題に当て嵌めれば、理想の人生への距離を測ることができるだろう。

信念と行動とが一致する場合、信念の価値と行動の価値とは、互いに置き換えが可能である。そのとき変数は、①信念と行動の「一致」②信念または行動の価値——の2変数となる。そのような2つの変数を合わせ持つ概念こそが、「理想の人間像」なのである。

右の考察について、貴君の意見を自由に述べなさい。

■塾生の意見

「人間性」は客観的、科学的に存在する

竹内　自分は何のために生きるかと、自分とは何かとは、結局、同じことを問うことになるだろう。そして、自分とは何かを考えていくと、まず、自分は人間だという自明な回答が出てくる。したがって、僕たちは、人間性とは何かをさぐらなければならない。

松尾　人間性とは人間であることである、と定義してはどうか。

竹内　もちろん、そのとおり。

松尾　とすれば、すべての人に人間性があり、人のみに人間性がある、ということになる。

竹内　当然だ。では、人間とは何か。

梅田　定義ならいくらでもある。例えば、考える葦、猿に毛の生えたもの、理性を具えた動物、体を具えた精神、〝我〟と言えるもの——すなわち自意識のあるもの、社会においてのみ生きるもの、良心のあるもの、いつかは死ぬと知っているもの、等々である。

松尾　いずれも正しいが、いずれも人間性を言い尽くしていない定義である。

梅田　もっと深い、もっと核心をとらえた定義を考えてみよう。人間は常により良き状態を追求している。人間は目的性を具えたもので、向上心をもっている。より美しい世界を造り、より良き人格者になり、より大きな幸福を得ようとする。この点から見て、人間とは無限の可能性を蔵するものだ、と言うことができる。ところが、反面、その力は限られており、あくまでも有限の存在である。その有限の代表は

免れえない死である。楽観主義者は主として人間の可能性を見、悲観主義者はその有限性の方を見るが、人間にはその両面があるのである。

松尾　そうすると、人間の定義は謎に陥る。あるいは、人間とは本来、不可解そのものなのかもしれない。

竹内　不可解かどうかはともかく、人間を定義するのはむずかしい。今、梅田君は普通の定義の仕方を使ったが、それではうまくいかない。普通の定義の仕方というのは、一つの広いカテゴリーの中に位置づけることである。ここでは、人間とは理性を具えた動物であるとする場合、「動物」という広いカテゴリーの中に人間という特別な動物を入れることになる。しかし、人間ははたして動物の中に入ることができるか。動物ではないことこそ、人間性の特徴なのではないか。結局、人間を受け入れうるカテゴリーはなさそうだ。だから、そういうふうに定義するのは不可能である。

松尾　「人間、この不可解なもの」か。

竹内　しかし、ものを定義するには、もう一つの手がある。それは目標を表示することである。例えば「教育学部とは教師を養成するためのものである」とか、「寒暖計とは寒さや暑さを計るためのものである」とかいう定義がある。その内容の分析からではなく、その目標からものの本質を把握することもできる。それでは、人間は何のために存在するか。

松尾　それはいっそう不可解な問題だ。

梅田　人間の目的を探そうと思えば、全人類のことを考えなければならない。そうすると、人間の進歩の問題が出てくる。僕たちは、その点に関してはすでに議論したが、人間が進歩していくと認めるなら、人間性も変化し、進歩していくことになる。したがって、人間性とは何か、という問いは、無意味になる。人間とは何であるか、ではなく、何に成るかを問うべきではないか。

松尾 人間性が固定したものでないかぎり、とうてい定義し尽くせるものではない。人間であることは、時代によって異なった意味をもつからだ。

竹内 それは重大な点である。人間が進歩すれば、前の人間性は蒸発する。梅田君はどう思うか。

梅田 僕は、どうしても、その二者択一を避けたいと思う。人間の進歩は、上辺だけではなく、本質的な進歩である。また、人間性も厳として存在する、矛盾のようだが。

竹内 しかし、解決はある。人間性というものは物質的なものではなく、人類全体の目標を指すことだと思う。人間はそれを目指して向上しつつある。その目標に達すべきだということが人間の本質であり、人間性なのである。そういうふうに考えれば、人間性には根拠があるし、また時代によって、その人間性は異なった形を帯びて表われることになる。

梅田 そうすると、人間が進歩するにつれて、人間性は異なってくる。人類の目標が引力のようなもので人間を牽きつける。しかしそれは、その目標がすでに実在していることを前提とする。つまり、その目標は超時間的でなければならない。それについて、松尾君はどう思うか。

松尾 僕は賛成できない。少なくとも、今の論じ方は正しくない。人間とは何かという質問に答えようと思って、君たちは人間性の内包から考えてみた。そして、その道はむずかしくて行き詰まってしまった。われわれは、そこで、外延の方から人間を考えるべきだと思う。すなわち、人間であるものと人間でないものとを区別するのである。その区別の規準はいろいろあるが、そのうち四つだけあげておきたい。第一は、人間の歯である。人間の歯とサルの歯との区別は、専門家には明らかである。第二に、人間の二十三対の染色体の構造も、人間の決定規準となる。第三は、精神的な面であるが、自意識が人間の特徴になる。第四は、人間は必ず人間社会の中に生きる、ということである。そういった人間社会は、蜜蜂の集団のようなものと明瞭に区別できる。今言った規準にであれば、そのうちのどれによっても、人間であるか否かの区別がはっきり出る。南アフリカのホモ・ハビリスについては疑問があるが、それはこの類人猿についての資料が乏しいからにすぎない。もしわれわれがそのホモ・ハビリスに出会うならば、人間であるかどうか区別できるものと思う。

もう一点に注意を促しておきたい。いろいろ異なった規準があるが、どういう規準によっても、人間と人間でないものとがはっきり区別されるにとどまらず、その結果が、依った規準の別に関せず、全く同じになるという事実である。つまり、諸規準は全く一致するのである。例えば、猿の歯をもちながら、同時に自意識を有するものなど存在しない。この諸規準の一致は、人間性が主観的な見方ではなく、客観的に、科学的に存在するのだ、ということを教えている。

外延から人間性を考えれば、そこまで行けるにちがいない。

竹内　君の、外延からの定義については別に異論はない。しかし、それは現代人の立場から見たホモ・サピエンスの定義である。そのホモ・サピエンスが類人猿から生まれたことは、一般的に認められているところである。そして、その進化については君は説明しない。

梅田　松尾君は、人間は進歩しないと思うからか。

松尾　人間性は変化しないと思う。人間はより良き人間になるかもしれないが、人間であることに変わりはない。換言すれば、進歩があるとしても、人間性という枠の中の進歩なのだということである。

梅田　枠、つまり限度があるとすれば、人間は完成することができるか。それは大いに疑問ではないか。

竹内　もちろん、大きな疑問である。ともかく、松尾君の外延から定義した人間性はどういう内包をもつかを考えなければならない。

松尾　それはむずかしい。人間の特徴を統一する原理があるかどうかはわからない。ある、と僕たちは考えたいと思う。外延があれば内包があるだろう。だが、今まで、その内包は見出されていない。それぞれの特徴のつながりはどこにあるのか。例えば、染色体の二十三対と自意識とはどういう関係があるか。人間性の内包という問題に当たると、サジを投げざるをえない。

梅田　けれども、人間はみな互いに人間であることを認め合っている。いわば、意志疎通ができるという事実があるのである。それは人間性の内包ではないか。

松尾　それは単なる人間性の外延である。

梅田　だから、君はそれを認める。そして、その意志疎通の可能性はどういう意味をもっているのかを考えてみよう。各人は、人間であることを知り、またそれを他人から認めてもらう。互いに人間としての存在を認め合うことである。自分自身にある人間的な要素は必ず他人にもある。そうすると、意志疎通は人間性の試金石になる。それによって、人間性の中に、自意識とか良心とかが芽生えるのである。ここに到って、人権が明らかとなる。例えば、平等がいかに大切かを、人間は互いに話し合うことを通して理解するのである。生きる権利、平等、移動の自由、言論の自由などのような人権は、すべて、その意志疎通によるものである。

竹内　その意志疎通の働きは、人権を決定するための方法であるか。それとも、意志疎通は人権の根拠であるか。

梅田　君がそう区別する意図はどこにあるのか。

竹内　意志疎通が人権を決定するための方法だとすれば、人権そのものはその以前にすでに存在しているが明らかにされていないのだ、ということになる。人間は互いに話し合うことによってそういった人権を公に表わすのである。それなら、君の言ったように意志疎通は試金石のようなものである。具体的な例をあげよう。国連は、その意志疎通の上に立って全世界に認められる人権を定めようとする。しかし、意志疎通は、人権を造るのではなく、どこかに根拠をもつ人権を公に打ち出すだけである。

それとも、意志疎通はその人権の根拠そのものだと言うのか。人間は互いに約束を交わし、これが人権だと決めるのか。実際そうではない。その人権が根本にあるから、人間がそれを発布するのである。例えば、昔は捕虜を殺すのが当然であったが、ジュネーヴ協定でそれが禁じられた。ジュネーヴ協定は、その生きる権利を造ったのではなく、公示したのである。つまり、人権はその発表に先立って存在するわけである。

梅田　君によれば、意志疎通は人性を啓示するという役割にとどまる。

竹内　ちょっと聞くが、君の言う意志疎通の可能性は、人がみな兄弟であることと違うか。

梅田　「みな兄弟である」ということばの感情的な色あいを別にすれば、同じことだろう。

竹内　人はみな兄弟である。なぜか。自分でそう決めたからではない。兄弟であることの根拠は何なのか。

松尾　話は堂々めぐりしているような気がする。

竹内　それなら、君の立場を攻撃してみよう。外延から見れば、人間性が明らかである、と君は主張したが、歴史を見ると、その意見には首をかしげたくなる。近代まで奴隷制度があった。それは史実である。そして、奴隷制度とは、人を者と見ず、物として取り扱うことである。奴隷は人間と見なされていなかった。したがって、君の人間性の見方は、現代人の眼を通しての見方にすぎない。そして、人間性は、現代人の見方からさらに進歩を遂げるかもしれないのだ。

松尾　しかし、僕の規準に従えば、昔の奴隷も人間である。

竹内　つまり、現代人である僕達は正しく、昔の人は間違っていたというわけである。将来の人は僕達をどう見るだろうか。

梅田　竹内君の反論は当たらない。松尾君は、人間性を外延から定義しようと思った。そして、その定義は正しい。竹内君は、人間平等という内包の一面について論ずる。だから、反論は成り立たない。なお、人間性の内包において、例えば、人間の平等という点において、進歩のあったことは確かである。どれほど奴隷制度が普及していたかはよくわからないが、少なくとも、近代まで、ほとんどすべての国家が不平等の上に建っていたにちがいない。西洋では、一七七六年のアメリカの独立宣言、ならびに一七八九年のフランス革命は、人間の平等を提唱したのであるが、つまり、十八世紀ごろ、人間平等の思想が熟し、認められて来、宣言は、まさにその結実だったのである。日本では、明治以前、奴隷制度こそなかったが、徳川時代の制度は、あくまでも不平等の上に、そしてその階級の厳格な維持によって組み立てられていた。このように、今では、ごくあたりまえと考えられている人間平等の権利も、実は、つい最近になって獲得したばかりなのである。

ところが、人間平等が原則として認められていても、すぐ実現したわけではない。人々は、今に至るまでその実現に尽くしてきたし、これからも、その実現への努力を惜しんではならないだろう。

竹内　十八世紀に人間平等が宣言された。同じ時代に、また、人間の進歩という思想が行き渡った。この二つの思想が同時に表われたのは故なしとしない。両者は結びついているのだと僕は思う。人間の平等を打ち出すことは、人間にとって一つの決定的な進歩であった。

松尾　平等と考えるときには、どうしてもある面での平等と見ないわけにいかない。例えば、試験の際に学生は平等だと言われるが、知識という点になると、まさに不平等である。本来、各の人間は、健康においても、能力においても、身分においても不平等を背負って生まれてくるし、しかもその不平等はだいたいにおいて是正できない種類のものである。十八世紀に宣言された平等にしても、政治的な平等だけであった。経済面での平等については思いも及ばなかった。現在でも、男女平等、教育の平等などは、なおはるかな夢である。したがって、単なる〝人間平等〟ということばは、空虚な表現と言っていいのではないか。

梅田　人間平等は、人間はみな人間性において平等であることを意味する。

松尾　人間性の一面である人間平等は、本来存在するものなのか。人間平等の認められる前にすでにあったのかどうかということである。

梅田　あったとかなかったとかいう問題ではない。ここでは、進歩というカテゴリーを使用しなければならない。君の言葉を借りて言えば、人間性という枠の中に、人は、人間平等を設定した。それは創造に類する働きである。一体、人間の尊さは、自分の手で人間像を築き上げることではないか。そこに人間の偉大な創造力が働いている。

竹内　創造と言えるか。目的のない創造などありえない。というのは、人間が人間性の具象を創造すると言ってもいいが、それはあくまで人間性を具現しようという努力である。人間は常にいくつかの具体的な人間像をとおして真の人間性を追求するのである。

僕は前に「人はみな兄弟である」と言ったが、ほんとうは、それよりも、「人はみな兄弟にならなければならない」と言ったほうが、われわれの考えを忠実に表わす。

松尾君は、人間は平等だという言葉にはあまり意味がないと言っているが、人間が平等にならなければならないと言ったら、われわれの考えに合うのではないか。

梅田　つまり、人間性は人間の本質であるが、君にとっては、その人間性は同時に人間の目的である。
竹内　そうだ。哲学者が、ものの本質とその目的とは結局同じことだ、と普通言っているように。
梅田　なるほど。しかし、その目的なる本質はすでに実在していなければならないのではないか。
松尾　ところが、実在するのは人間性そのものではなく、各々の人間だけだ。
竹内　しかし、人間性が単なる抽象的な概念だけではなく、科学的な事実だと、君は認めた。
梅田　僕達の議論があまり進んでいないことを認めざるをえない。人間性があるのは確かであるが、人間性とは何かという問いには満足するほどの答えは出てきていない。
竹内　だから、最初の問題に戻れば、「〝私〟は人間だ」と言うときに、人間とは何かが分からないので、その言葉はあまり役に立たないことになる。
梅田　それにしても、僕の言った人権は、いくらかは人間性を表わしているし、「私は人間だ」という表現の中身をも表わしているのではないか。
竹内　たとえ、人間性を定義することに成功したとしても、それは、〝私〟の存在理由を教えることにはならない。〝私〟は人間だが、他の人も、すべての人がみな人間なのだ。だから、特に、〝私〟はなぜ存在するかが明らかになるわけではない。
松尾　それは哲学の失敗を告げるものだ。
竹内　失敗ではない。限度だ。哲学には限度がある。同じように、自然をそのすべてにわたっては知りえない科学も、それによって失敗の烙印を捺されるわけではなく、ただ、知識には限度があるということだ。

なお、哲学は学問である性格上、一般的な事柄を扱い、個々の問題を対象にしない。だから、人間性一般を研究し〝私〟のことはさしおく。これが当然の見方であろう。しかし、〝私〟を問題にする哲学もないとは言えない。そういった可能性はあるかもしれない。

梅田　ともかく、今は、なぜ私は存在するのかを考えてみよう。換言すれば、人間の個性を問うことである。なぜ私は私であって他人ではないかという問題である。

松尾　「なぜ私は存在するのか」と「なぜ私は他人ではないのか」とは同じ問題なのかどうかは疑問である。だから、第二の問題にだけ答えることにしよう。すなわち、人間の個性の根拠とは何かという問いにである。

竹内　では、人間の個性の根拠とは何か。

松尾　それは人間の物質的な条件である。すべての人間に人間性があると僕たちはすでに認めた。そして、その人間性とは何かはよくわからなくても、ともかく、どういう人間にも同じ人間性がある。だから、各人の個性はその人間性によるとは考えられない。また、人間性そのものは、目に見えるものではないし、具体的なものでもない。あくまでも抽象的な概念である。それに対して個々の人間の個性は具体的な事実であり、物質的に表われるものである。したがって、人間の個性の根拠は物質にある。なぜ私が私であり、他人ではないかというと、それは私がこの体をもっていて、彼の体をもっていないからという以外にはない。この場合の私の体は、もちろん生まれた環境、育てられた環境などをも含んでいる。だからあらゆる物質的な条件が〝私〟を成す。同じ条件、特に同じ体をもつ人はほかにいないので、〝私〟が唯一の〝私〟だということがわかる。私の物質的な存在が私の個性を定める。

竹内　物質というものは必ず空間という次元に置かれている。すなわち、二つの物質が同時に同一の空間を占めることはできないし、また、一つの物質が同時に二つの場所を占めることもできない。言い換えると、個としての性質は、物質のぬきさしならぬ要素なのである。したがって、人間が物質的要素としてのからだ体をもつ以上、個々の人間である。君はこう考えるわけか。

松尾　そのとおり。物質性は個物性を含む。人間の場合は個人性である。

竹内　仮に、人間とは魂と肉体との結合だとすれば、肉体から離れた魂には個性がないわけか。

松尾　肉体のない人間なんて考えられるか。

竹内　だから、仮にと言ったのだ。

松尾　こちらも仮にということで答えれば、肉体から離れた魂は個性をもたない。人間性そのものだ。

竹内　君によれば、唯一である人間性が具現すると個性があらわれる。一体軀、すなわち一名。なるほど。

梅田　人間の個性は物質的な条件の結果だと松尾君は言うが、僕はそれには反対だ。少し考えてほしい。だれでも、いつか、なぜ私は存在するかと苦しそうに自問したことがあったろう。私がいなくてもこの世は少しも変わらない。私の生きる必要はない。私は意味のないものか、余計なものなのか。その悲壮な問いに、「お前は物質的な条件の結果なのだ」などと答えられようか。何とみじめな答えなのだ。もし僕の存在が物質的な結果だけだとしたら、僕は物質によって、まさしく疎外されたとより考えようがない。

松尾　そして、自殺しようと思う。

梅田　そうかもしれない。一体、自殺しようと一度も考えなかった人は、それだけでもう異常なのではないか。しかし、自殺は何らの解決をももたらさない。生きる理由を知らないからといって、自殺しなければならないことになるのか。なぜ「死ぬべき」なのか。あるいは、死が生のカギを握っているとでもいうのか。

それはともかく、今は自殺の問題ではない。松尾君の説に従うなら、人間は物質によって疎外されていることになるだろう。とすれば、僕は、その疎外に対して反抗しようと思う。僕の存在理由は、物質という冷たい岩ではない。ぶつかっても、押しつぶされても、僕は物質以外に生き甲斐を追求するのである。

竹内　そして、君を活かすものとは何か。

梅田　決して、物質的な条件ではない。人なのだ。僕達は「我」の根拠をさがしているが、「我」の存在理由は、実は「汝」にあるのだ。人間に生きる理由を与えるものは他者なのである。すでに「愛」について議論したが、あの時、僕達は「我」と「汝」とのつながりを考えたりもした。確かに、他の人間とのふれあいによって、人はその真の「我」をつかむのである。それを僕に教えたのは、正直に言えば、彼女の愛である。彼女こそ僕を活かしているのだ。僕にとって彼女の存在が必要であるように、彼女にとっても僕の存在が必要である。つまり、この〝私〟の存在理由は彼女にあるのである。

竹内　けれども、君の存在理由は彼女に限ってはいないだろう。彼女が君の生活のすべてを占めているわけではないし。

梅田　それはそうだ。人間の生き甲斐は恋人に限っていない。しかし、彼女の愛が僕に教えたのは、一人一人の価値は物質的な結果にではなく、人格のつながりにあるのだ、ということである。恋人を別にしても、子供は母親によって生き、母は子のために生きているし、大人は社会を成す人々のために生き、また自分の作った家庭の人々のために生きている。いつも「我」対「汝」が人間の真の個性を表わす。

松尾　しかし、君の例から見て、「汝」が「我」を活かしていても、その「汝」と「我」とのつながりができる以前からともに存在していた。君が恋人を知る前にすでに君は生きていた。

梅田　生きていたにはちがいないが、生きる理由がなかった。真の「我」を知らなかったのだから。

松尾　だから、僕が前に区別したことに戻らなければならないのだ。個性の根拠と自分の存在理由とは別々の問題なのだ。前者だけに答えようとしたら、梅田君はそれでは後者に答えないことになると抗議したが、この抗議は当たらない。

竹内　では、仮に、君の区別を認めよう。梅田君は「我」の存在理由は「汝」にあると言ったが、君はそれに賛成するか。

松尾　梅田君の例から見ると、ああいう見方はおかしいと思う。もし、彼が彼女によって生きる理由を発見したとすれば、それは彼が彼女に出会うために生まれたことになる。そういう運命的な見方には賛成できない。

梅田　僕はなにも運命などを考えているのではない。「我」と「汝」とは同時に生まれるのだ。その「我」対「汝」がない限り、各人には生きる理由はない。

松尾　しかし、「我」と「汝」とのつながりが生まれる前にも、個人として生きていた。君によれば、その個性を活かすために、人間は「汝」を追求する。「汝」の例として、恋人、親、子供、社会人を君はあげた。はたして、そういった「汝」は各人に存在理由を与えるだろうか。

竹内　そういった「汝」は多少は存在理由を与えるかもしれぬが、不十分なことは明らかである。

松尾　人を完全に活かす「汝」とは誰か。

梅田　それは知らない。しかし、「我」に語りかける「汝」であることは知っている。

竹内　ところで、個性の根拠と存在理由とを別々に考えるのははたして正しいか。もし、なぜ私が私であるかを知っているならば、それは同時に何のために生きるかにも答えられるはずではないか。

梅田　それは言うまでもない。

松尾　もし、私の存在理由が徹底的にわかるならば、竹内君の言うとおり、個性の根拠をも理解できるだろう。しかし、実際、その条件はまだ充たされていない。だから、部分的に答えようと思って、僕は個性の根拠の説明を出したわけだ。

梅田　それは部分的な説明にさえなっているだろうか。むしろ現実の記述にすぎないのではないか。人間がみな異なった体をもっていることは事実だ。なぜ各人が異なった人であるかというと、異なった体をもっているからだと君は言う。それは、説明などと言える代物ではない。

松尾　僕は、そんな中身の空っぽな説をふりまわしたおぼえはない。それはともかく、竹内君にはその個性の根拠について、なにか別の見方があるのか。

竹内　まず、個性の根拠または私の存在理由の問題について、満足できる解決法を僕達がつかんでいないのは明らかである。言い換えれば、〝私〟とは何かという問いに答えることができないということである。もし、〝私〟とは何かが理解できるなら、何のために存在するかもおのずから明らかになる。

松尾　あたりまえのことだ。

竹内　そして、その理解できない〝私〟を〝自我〟と名づけたいと思う。

松尾　〝自我〟と言っても、別に悪い意味は含まれていないのだろう。

竹内　そうだ。ただ、〝私〟の根底にある、が、何であるかはわからないもの、それを〝自我〟と名づける。

　したがって、人間がその自我を理解できないという事実そのものが人間の条件なのである。人間はいわば〝自我不知〟である。

梅田　人間には自意識があるけれども。

竹内　だから、自意識と〝自我不知〟とについて、しばらく考えてみたいと思う。私自身と私の体とは違う。私の家族、私の学校、私の考え、私の喜びなどがあるが、それはいつも私のものであって、私そのものではない。いくら考えていても〝私〟をつかむには至らず、いつも私の何かをつかむにとどまる。自意識とは〝私〟に属するものを意識することである。とりもなおさず、〝私〟を直観的にみることができないということである。それはすべての哲学者の認める人間の条件である。そこで、その直観を超える私を〝自我〟と名づけたわけである。

　また、自意識を別の観点からみてもいい。本を読みつつある私を意識する。あるいは頭痛に苦しみつつある私を、泳ぎつつある私を、瞑想しつつある私を意識する。こういう「何かしつつある」という形をぬきにして、私だけを意識することはできない。この点からも、自我の直観が不可能なことは明白だ。

梅田　それでは、自我は超感覚的に存在することになるか。

竹内　そのとおり。自我は超感覚的であるが、その超感覚的な自我が、感覚的な〝私〟によって表現される、と僕は考えている。そうすれば、個性の根拠は物質的な条件によるのではなく、本来、自我によるのだ、ということになるだろう。物質は、その自我を、〝私〟において具現するわけである。

梅田　なるほど。うまい説ではないか。

松尾　仮説にすぎない。それを証明するためには、〝自我〟という物質的な条件を超えるものが存在することを示さなければならない。

竹内　完全な証拠にはならないだろうが、こういうことを考えてみてはどうか。十年前の君と今日の君とは全くと言っていいほど違う人間ではないか。十年前の君はまだ子供だったのだから。体も精神もまるっきり違ってきたし、感覚という点でも、君は変わった。しかし、十年前の君も今日の君も同じ〝自我〟である。

松尾　〝私〟は全面的に変わったという感じもする。

竹内　とともに、同じ松尾君であることとも否定できない。これは、〝私〟が変わっても、〝自我〟は変わらない、という経験である。このことは、〝自我〟が物質的な条件を超えるものであることを示すのではないか。

梅田　十年間の私の変化には、その変化を貫く変わらないなにかがある、という暗示があるのではないか。

松尾　しかし、そのなにかを〝自我〟と名づけてもいいのか。人間の根元が超感覚的な次元にあるとすれば、まず考えられるのは、その根元は無ではないかということである。竹内君は、自我に悪い意味をもたせないが、いわゆるミスティックな思想家は、自我を追求したのではなく、無我を追求したのだ。つまり、非人格的な状態こそ、人間の完成であると思ったわけである。

竹内　松尾君がミスティックな証言をもってくるとはいささかこっけいだ。

梅田　ミスティックな思想家はミスティックだから一種の無にひかれるかもしれないが、僕達は自己完成を追求しているのであって、断じて無などを目的としているのではない。つねに自分自身を活かす道を探している。〝私〟に超感覚的な芯があるとすれば、それは超感覚的な〝我〟である。

松尾　しかし、人間には超感覚的な要素があると思う人は、その要素に、善とか美とか真理とかいう名をつける。すなわち、超感覚的な要素は普遍的な価値である。そこには、人格的な面はない。そういった普遍性は〝私〟を産み出すことができない。善そのもの、真そのものは、人間の個性の基礎になりえない。

竹内　君によれば、僕の言った自我は無か普遍的な価値かのどちらかである、ということになる。君は物質的な条件以外には個性がないと思うからだ。

梅田　竹内君の使った〝自我〟という語は適当でない。現象としての〝私〟に芯があるなら、その芯は超感覚的な「我」であると言ったほうがいい。

竹内　「我」とするなら、それでもけっこうだ。しかし、「我」があるからには「汝」もあるにちがいない。

梅田　そうだ。だから、〝私〟を活かすものは「汝」であって、その「我」は本質的に〝汝へ〟である。繰り返して言うが、人間の個性というものは、ただ他人でないというところにとどまらず、〝汝へ〟という要素を含む。あるいは、「我」であることと〝汝へ〟であることとは、一つのものの裏表をなしていると言ったほうがよかろう。

竹内　それでは、君の言う「汝」とは誰か。

梅田　他の人間である。人間共同体において、各人は「我」であり、〝汝へ〟である。僕達は個性を考えるときに、人間が一人一人であるかのように扱うが、実際に、全く孤独な人はいない。人間はあくまでも社会的な存在なのである。したがって、個性を研究するときも、複数の人間を対象としなければならない。

松尾　それなら、君の言う「汝」は「汝等」である。

竹内　その「汝等」は「我」を存在させ、〝私〟を活かすという見方に対しては疑問を感じる。複数にしたからといってそれで解決するというものではない。むしろ、「我」を存在させる「汝」は一人でなければならないと考えざるをえない。

松尾　しかし、真・善・美などは「汝」ではなく、普遍的な概念にすぎない。

梅田　にもかかわらず、「我」の存在理由は「汝」にあるということは確実である。

■塾長からのアドバイス

人間の本質と存在価値――古今の英知に学ぶ

「お前は鳥の茂みになれ」

我々は、「人間」について、その本質と存在価値を知りたいと考え、模索している。そこでまずは古今東西の英知に学び、それを示唆する古《いにしえ》の言葉に耳を傾けてみよう。

○己の欲せざるところを、人に施すなかれ。（孔子）
○外国人にもあなたの壺の油をもらう権利がある。神は貧しい人が尊敬されることを望んでいる。（アメノペ、エジプト、紀元前13世紀）
○憎悪を知らず、善を行うために身命を賭け、悪を行うことを拒むかの如く、己のためでなく、他人のために善行を施す人がある限り、世も存在する。（インド、紀元前1世紀）
○犠牲を払う人のみが喜びを得る。（インド、紀元前7世紀）
○弔鐘が聞こえるとき、だれのために鳴るかを聞くな、お前のためなのだ。（英国、1624年）
○身の破滅になっても、仲間を救え。（ロシアの諺）
○毒をくれる人にバターを与えよ。（ソマリヤの諺）

○鳥が茂みに避難する。お前は鳥の茂みになれ。（トルコの諺）
○罠《わな》にかかった鳥を嘲笑《あざわら》うな。（マダガスカルの諺）
○一人の人間を軽蔑することは神を軽蔑することだ。これは、全世界に害を及ぼすことだ。（ガンジー）
○天は人の上に人をつくらず、人の下に人をつくらず。（福沢諭吉）
○知識があることを誇るな。その知識をもって、無知な人々と語り合え。良い言葉はエメラルドに隠れているよりも、臼をひいている女のところにあるかもしれない。（エジプト）
○老人はその分け前を要求しない。その前に、みんなが持ってきてくれる。（イスラエル）

「被抑圧者には闘う権利がある」

次に、もう少し社会的、具体的なシーンを対象に語られた言葉を挙げる。観念的・一般倫理というよりは、道徳律、不文律に近い響きを持つ言葉が多い。

○自分にいやな点がある場合は、それを自分より下級の者に向けてはならぬ。（大挙）
○社会における女性の地位によって、文明の段階がわかる。（アルゼンチン、1880年）
○大衆に、政治に対する興味をもたせるために、女性の参加が不可欠である。（レーニン）
○交戦国は、救急車および陸軍病院を中立地域として認め、保護し尊重する。（赤十字協約、

1864年）
○国民は、自分を守る城壁としての法律が崩されないように闘わなければならない。（ヘラクリトス、紀元前5世紀）
○ハムラビが来たのは、正義を栄えさせるため、強い者から弱い者を守るためである。（紀元前17世紀）
○王は捨てられた幼児、老人、立場の弱い人、また子供のない女を扶養すべきである。（インド、紀元前4世紀）
○喉の渇いた人は川の方へ行く。不当な仕打ちを受けた人は王のもとに行く（エチオピアの諺）
○すべての信者を司る人は、すべての信者の選挙によって選ばれなければならない。（教皇レオ、5世紀）
○抑圧されている人々には闘う権利がある。神は彼らを見捨てない。（コーラン）
○弟を葬るなというあなたの禁令が、神々の定めた法律に勝るとは思わない。死刑を受けるのは私にとって苦しみではない。苦しいのは私の弟がふさわしい墓を得られないことだ。あなたは私が気違いだというが、私を気違いにする人こそ気違いなのだ。（クレオノに向けたファノチコーネの言葉＝ノフォクレス、紀元前5世紀）
○私の良心は神の御言葉によって支えられています。それゆえ私は何ものをも取り消しえないし、取り消そうとも思いません。なぜなら、良心に反して行動することは不確かでもあり、論理的

にも正当でないからです。（ルター、1521年）
○総督クァトラテユスは、ポリカルボスに向かって、「キリストを否認すれば死刑は免除する」と言った。ポリカルボスは、「私は86年前からキリストに仕えている。その間私は一度も彼から悪い仕打ちを受けたことはない。どうして私の救い主、私の王を否認できようか」と答えた。
（西暦155年2月23日）

イエスの見方・考え方

福音書にはこういう譬《たと》え話がある。

「一人の金持ちがいた。その畑は豊作だった。金持ちは『どうしよう。作物をしまっておく場所がないが』とあれこれ思い巡らしていたが、やがて言った。『そうだ、こうしよう。あの倉を壊して、もっと大きいのを建てて、そこへ穀物や財産をみなしまっておこう。そうすればこれから先、一生働かなくていい。さあ、飲んだり食べたり楽しくやろう』。しかし、神は彼に言った。『愚か者よ、お前は、今夜、死ぬことになっているのだ』」

これはなかなか良いたとえ話だと私は思う。ずいぶん昔に言われたことばだが、これを読むと、その教訓は今もなおピンとくる。フランスにもこんな諺がある。人はその金とともに墓へ行くわけではない。

実は、あの金持ちの愚かさは金に頼ることにあり、金に仕えることにある。「だれも、二人の主人に仕えることはできない。あなたたちは、神と富とに仕えることはできない」と福音書は言っている。金は束の間の価値しかもたない。お金のために生きる人は愚かな者だ。とは言え、金を軽視するわけにはゆかない。金がなければ、生きられないし、あれば好きな物を手に入れられる。考えれば考えるほど、金には不思議な能力があることがわかる。楽な生活の原動力のようである。だから、たれでも金持ちになりたがるのだ。（読者の皆様も、そうでしょう。一体、今年の所得はいかがでしたか。今なら、おわかりでしょう。確定申告の時期なのですから。）金があれば物が買える。そして買った物を使って楽しく暮していける。しかし、物を持ちたいと思うのは、人間のエゴイスチックな態度であり、醜い面ではないか。

持つことよりも与えることの方がはるかに優れた態度である。人間らしい生き方は物を持つことではなく、者に仕えることである。物と者とははっきりと区別しよう。物を物として取り扱うのは当然である。が、者である人を物にしてはいけない。者たる人を物にすること、すなわち、これは奴隷そのものの定義である。

者を者として迎えるのは、結局、人を愛することである。愛するのは、相手をわが物にするのではなく、その相手のためにベストをつくすことである。愛するのは相手に自分の持っているものを与えることであり、端的にいえば、自分自身を献げることである。これは、もちろん、相手を絶大な価値のある者として見ることを前提とする。人間は者の世界のみによって生きられる。もちろん、衣食住に関しては、人は多かれ少なかれ物を利用しているのだが、人間が生き甲斐を感じ、喜びを見出すところは、者の世界にほかならないのだ。父であれば、子の存在こそ生きる喜びになり、夫であれ妻であれ、相手によって生きる理由が与えられる。組合にしても、同好会にしても、何かグループに属するとすれば、それはそのグループの目的よりも、そこで出会うリーダーやメンバーの魅力の方が強いのではなかろうか。「我と汝」という関係は人間の存在の土台である。人間は人間だから、互いに語り合って生きていく。その言葉は「我と汝」を表現する。しかも「我と汝」を作る。「汝」があるから「我」は生きる。「汝」は「我」を生かす。

ここに一つ、現代が生んだ物語がある。サンテグジュペリは『人間の土地』の中でどういう風にギヨメが奇跡的に生存したかを述べている。

ギヨメはある冬、アンデス山脈の３０００メートル以上もある高地で遭難した。飛行中、嵐に襲われ、着陸と同時に転覆した。48時間、機体の下で嵐が収まるまで待ってからギヨメは歩き出した。5日4晩歩き続けた彼は、後にこう言っている。

「雪の中では自己保存の本能がまったく失われてしまう。2日、3日、4日と歩き続けていると、人はただもう睡眠だけしか望まなくなる。ぼくも眠りたかった。だがぼくは、自分に言い聞かせた。ぼくの妻がもし、ぼくがまだ生きているものだと思っているとしたら、必ず、ぼくは歩いていると信じているに相違ない。ぼくの僚友たちも、ぼくが歩いていると信じている。みんなが、ぼくを信頼していてくれるのだ。それなのに歩いていなかったたりしたら、ぼくは意気地なしということになる」

ギヨメは眠りたかった。実際、苦しみに耐えて歩くよりも、死ぬ方が楽だと思った。しかし、彼は妻を思い出した。彼を助け、彼に生きる力を与えたのは「妻の愛」であった。

全ての人のために命を捧げた人の言葉を引用して、この文を締め括ることにしよう。「わたしが来たのは仕えてもらうためではなく、仕えるためである。」（キリスト）。

人格論――ＪＥとＭＯＩ

「私」と「私の属性」の違い

フランス語の人称代名詞を使って、ＪＥとＭＯＩとを区別する哲学者がいる。ＭＯＩ（英語のme）は私に関するものを指す。ＭＯＩは私の身体であり、私の考えることであり、私の感じることである。その領域は、具体的な環境から精神的な状態に至るまで極めて広い。

結局のところ国籍、身分、年齢、健康、職業、学歴、経験、趣味などの総括が私を成す。それらは客観的な要素と言えるが、私に関する限りにおいて私のものであり、その意味でMOIと言うことができる。

ところで、私の身体と私とは違うし、私の考えと私とは違う。すなわち「私」と「私の属性」とは違うのである。それを表現するために、MOIを持つ私をJE（英語ではI）と言う。

ここで、MOIとJEとの区別をもう少し掘り下げて考えてみよう。

まず、人間であるゆえに、私は自己を意識する。というのは、私が考えている時に私の考えを直観するということだ。あるいは、私は〝感じつつある私〟を直観する、と言ってもいい。直感されるものはMOIである。

しかし「感じる」あるいは「考える」といった具体的な行為を離れて、私そのものを直観することはできない。JEを直観することはできないのである。その点について哲学者は一致している。

もう一つの経験を考えてみよう。「10年前の私」と「今の私」は同じ「私」である。が、10年前の身体や精神であるMOIはすっかり変わっている。同一のものはJEである。

JEとMOIは同じ世界のものではない。MOIは経験し得るもので、均質の世界に属しているが、JEは経験し得ないもので、霊の世界に属している。MOIを教えることはできる。JEを教えることはできない。MOIは常に変化し、JEは変化しない絶対価値である。

また、JEとMOIとは二つの要素として並列することが可能なものではない。MOIを統一させるのはＪＥであり、ＪＥを実現したものがＭＯＩである。人間においてＪＥとＭＯＩは不可分である。そして人間関係はＪＥとの関係があるとしても、ＭＯＩの関係を通してしか成立しない。

人間論や社会論が置き去りにする「ＪＥ」

人間論ないし社会論を書く人々は大体、ＪＥを置き去りにしてＭＯＩだけを取り扱う。実際、彼らのうちには二つの傾向が表われる。すなわち「個人主義」と「社会主義」。忘れてならないのは、〝純粋な個人主義〟あるいは〝純粋な社会主義〟は存在しないということである。それはいずれも〝傾向〟に留まる。

個人主義では、人間は1個の石のように独立したＭＯＩである。人を人との間には先天的な関係は何もない。人間がその間柄を作るのであり、結局それは利害関係に過ぎない。そういう個人的な雰囲気に気づかないでいるうちに、孤独感が生まれる。「隣人は赤の他人に過ぎない」という認識は、ルソー流であると言っておこう。

純粋な社会主義はマルクスにおいてさえ存在しないが、傾向としては次のように定義できる。すなわち、「社会主義の下で、ＭＯＩは社会全体の一部分に過ぎない。しかもその一部分をできるだけ等しくしようとする」。結局、人間は番号に過ぎなくなってしまう。具体的には「自己喪失」となる。

正しい社会論を立てるためには、ＭＯＩという平面に止まらず、必ずＪＥの次元を考えなければならない。確かに、ＪＥとＪＥとの関係はＭＯＩによって実現されるが、人間関係はそのＭＯＩを通してＪＥに及ぶ。したがって、調和を保つ人間関係が成り立つためには、ＪＥとＪＥとの関係が本質的に存在していなければならない。ＪＥとＪＥとの関係が本来あるかどうか、我々はまずそれを自問してみなければならない。

キリスト信者が持つ確信

その点について、哲学者の意見はどうであれ、ともかくキリスト教はＪＥとＪＥの間柄について「本質的に存在する」とはっきり宣言する。それは〈キリストによって、すべての人間が結合している〉という真理の表われであり、それこそが〈あらゆる意識に先だつ人間の本質〉である。

それを簡単に表現すれば、「人間は皆、キリストの兄弟である」ということだ。少し正確に言えば、〝信仰によってキリスト者が互いに兄弟になる〟というよりも、「キリスト者は、事実である『兄弟性』を意識する」と言った方が正しい。ＪＥとＪＥとの間には、キリストによって結ばれた「兄弟性の絆」があるのだ。だからＭＯＩはその兄弟性の本質を表わし得るのであり、また表わすべきなのである。

この事実の上に社会を立てるならば、現在の社会の姿は全く変わるに違いない。兄弟の間に意見の違いや小競り合いは起こっても、戦争や殺人等は存在しないであろう。兄弟間の商売、あるいは兄弟間の財産分配を想像してみれば分かることである。

「人間尊重」を産んだ価値観

ベルクソンの洞察

人間の普遍的価値は、今日、どこでも認められている。〈人間は、人間であることによって、すでに価値を有している〉という考え方は、しかし初めから存したのではなかった。それはキリスト教の貢献によって生まれ出たものである。この点に関して、ベルクソンの言を引いてみたい。なお、ベルクソンはキリスト教の信者ではなかったことに留意してほしい。

「閉じたものから開いたものへの移行（人間の普遍的価値を認めるに至ったこと）がキリスト教のおかげであったことは疑う余地がない。単なる哲学によってこうした移行が遂行されたであろうか。

哲学者たちはこの進歩の的を探りだしたが、射当てることはできなかった。人間の観念を確かに超感覚的イデアの中に含めたプラトンの考え方によれば、あらゆる人間は同じ本質のものであるという結論が出てくるはずであった。そこから、〈すべての人々は人間である限り同等の価値を有し、その本質が共通であるゆえに、すべての人は同じ基本的権利を持つ〉とする思想に至るには、ただの一歩しかなかった。しかしその一歩が越えられなかったのである。それには奴隷制度を非とする必要があったし、『外国人は野蛮人であるから何等の権利も主張し得ない』というギリシャ思想を放棄しなければならなかった。

ところで、それはギリシャ固有の思想であるだろうか。我々は、古代人においても近代人においても、キリスト教の浸潤しなかった所では、到るところにそうした思想が基底的に存するのを発見する。例えば、中国では高遠な道徳説が多く現われたが、しかしそこに『全人類のために』という考えを見ることはできない。それらの道徳接が実際に拘《かか》わるのは――そう言わないまでも――ただ中国の社会だけである。

キリスト教以前には、ストア哲学が存していた。哲学者たちは、『すべての人間は兄弟であり、賢者は世界の市民である』と宣言した。しかし、こうした宣言は哲学者らが頭で考えた（彼らも心中では〝恐らく実現不可能〟と考えた）理想の言葉であった。我々は、ストア派の偉大な人々は一人として――皇帝の位にまで上り詰めたあのマルクス＝アウレリウスでさえ――自由人と奴隷との間の、ローマ市民と野蛮人との間の垣根を取り除くことに着手しなかったことを知っている」

権利の平等と人格の不可侵性とを包含する普遍的同胞愛の思想が活発になるには、キリスト教の到来を待たねばならなかった。

キリスト教によってなされたこの移行は、しかし、全く緩慢だったと、ひとは言うであろう。人間の権利がアメリカのピューリタンによって宣言され、フランス革命の人々によって宣言される前に実に十八の世紀が流れた。しかしその進歩は、福音の教えとともに始まり絶えることなく続いてきた。そこには、その昔、賢者達によってただ提示されただけの理想ではなく、世界中に広まり愛を呼び起こした、愛を基盤とする福音が働いていたのである。

答えなさい

ところで、現代人に「なぜ人間を尊重しなければならないか」と問えば、往々にしてこういう答えを見かける。すなわち「自分が尊重されるために人を尊重する」。換言すれば、自分の行動の自由を守ってもらいたいので、他人の自由を守る、と言いたいのだろう。しかしこういう答えは詭弁《きべん》に過ぎない。

検討してみれば次のようになる。〝私〟は相手を尊重する。そうすれば相手は尊重されるが、なぜ相手は〝私〟にも同様の態度で臨まなければならないのか。それは相手が一種の平等を認めるからである。つまり、相手も私同様に〝尊重には尊重を〟と考えているからに違いない。その〝尊重には尊重をもって応じる〃という認識が〃人間尊重〃それ自体である。その説明は〃人間尊重の土台は人間尊重だ〃という詭弁に過ぎない、というわけだ。

「人間尊重」は自明の真理ではない。歴史を見ればそのような価値観は、わりに近代になってから現われたことが分かる。奴隷制度の時代はおろか、江戸時代期を見渡しても、「切り捨て御免」の社会に人間尊重が考えられた痕跡はない。けれども今や「人間尊重」とか「人権尊重」とかは、我々現代人の信念である。確信と言ってもいい。人間一人ひとりにとって『またとない価値なのだ』ということを、我々は直感的に知っている。しかし繰り返すが、昔はそうではなかった。今『確かな確信』となっている認識は、歴史の流れのなかで、いつの間にか生まれたのである。

それではこの信念はいつ、どこから生まれたのか。また、どういう基礎の上に立脚しているのか――　この二つの質問が同じ事を問うているかどうかは別にして、そのような問いが投げかけられるのは当然であろう。歴史上のどういう出来事が人間尊重を生み出したのか、考えてみる気はないか。

価値を求めて得ることの醍醐味

ところで、「価値」と〃値段〃は違う。価値に市場はない。価値は抽象的なものである。例えば「真」「善」「美」は価値である。否、〈あらゆる価値の基礎〉であると言った方がいっそう正しい。

けれども、真・善・美はあまりに抽象的であって、日常の価値観からかけ離れている。

また、価値は規則ではない。良心の命令それ自体は価値とは異なるものだ。例えば「勉強しなければならない」という義務そのものは価値ではないが、その義務は価値を含んでいる。親を喜ばせるために勉強するなら、それは『親への尊敬』という価値を認めることになり、真理を把握するために勉強するのならば、それは『真理』の価値を認めていることになる。つまり、〝なぜそうすべきか〟という問題を深く究めていけば、そこに価値観が見出されるのである。

さらに、価値は単なる〝自分の欲求の対象〟ではない。今、『映画を観たい』としよう。娯楽を求めるだけなら、価値は出てこない。しかし映画の中で美に類する何かを味わいたいならは、それは価値の探求となる。

「価値」を物質のように所有することはできない。むしろ謙虚にそれに近づいて、自分を超えるものに与《あずか》ることが、価値の醍醐味《だいごみ》なのである。それに近づけば近づくほど自分が善くなるものでありながら、価値は〝有益〟というカテゴリーには属さない。また、価値は人間が決めるものでなく、人間にとっては「認めるもの」にとどまる。だから価値の探求は容易なことではなく、場合によっては大きな犠牲を払うことにもなるが、価値は価値であるゆえに、それを得るために犠牲を払うのは当然のこととなる。

価値観を持たない人などいないだろう。誰でも、自分のやることにはやり甲斐があると思っている。自分が持つ価値体系を意識しているかは別として、価値観は誰の胸のうちにも存在する。

例えば、我々は学者である教師を尊敬するし、彼の専門分野の知見と学問領域を重んじる。また我々は科学の実用価値を認めるばかりでなく、本当のことを知ることに価値があることを知っており、真理の把握に価値を認めている。さらに、我々は民主主義を支持し、人間の自由と平等に価値を見出している。あるいは、我々が死刑廃止論に傾くのは、生命を「またとない価値」と認めるからなのだ。そういえば、結婚する者は、それにどういう価値を認めるのだろうか。何となく結婚するのか、それを最大の価値である愛の実現と見るのか……　いずれにせよ、一つの価値判断があるに違いない。

以上のように、我々の行動は常に『価値判断』を含んでおり、各々の価値判断が体系を成して「価値観」となるのである。究極的にはすべての価値が「真・善・美」に収束するかもしれないが、ともかく我々は日常生活の中に、身近な価値観を持っている。

「価値」の真偽の見分け方

日常生活にある〝盲信〟

目を、我々の日常生活に転じてみよう。例えば裁判において、判事は目撃者の証言によって事実を確かめようとする。が、どこまで証人を信用できるかは定かでない。彼らはウソをつくかもしれないし、記憶の間違いもあり得る。だから、判事は物質的な証拠を追求する。それでも結局、人の証言に大きなウエイトが置かれているのが現実である。

日常生活において、我々は常識（またはマナー）として他人の言うことを信じている。「『エポペ』はどこにありますか」と、パトロール中の警官に尋ねてみるとしよう。警官は知っているならば——この近所を管轄する交番の警官ならだいたい知っている——正しく教えてくれる。

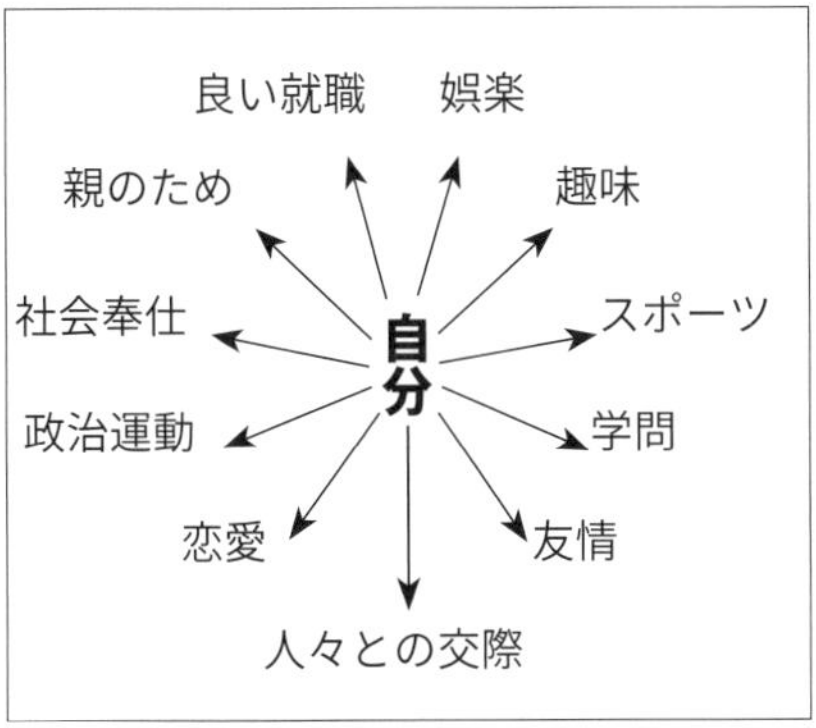

ホテルの宿泊料を電話で訊いて１泊１万２０００円だと言われれば、宿泊した翌朝、実際にその値段を払えばよい。無人の公衆電話に置かれた電話帳も、駅で無料配布される時刻表も信用できるから、書かれた番号にダイヤルし、外出計画を立てる。テレビや新聞の伝えるニュースもだいたい信じられる。〝某大統領を暗殺か〟といった類いの誤報がないわけではないが、すぐに訂正され、情報の受け手は安堵する。つまり、「他者の言うことは信用していい」ということになっているのである。

「クイズ面白セミナール」というテレビ番組がある。出演したゲストらがクイズに答え、本当かウソかを断言する。陪席する判定役の先生は必ず正しい答えを掴んでいる。〝先生〟と名の付く人は必ず正しいことを教えることになっているから、誰も先生の解説を疑わない。しょせん「学ぶ」というのは〝先生の言うことを聞いて、それを脳裏に詰め込むこと〟であるようだ。言い換えれば、権威のある人の言ならアタマから信用しなければならない、ということになる。日本人に多く見られるその態度について、私は疑問を感じる。おかしいと思うのは私だけか。

専門家の権威

我々は、自分が処理できない問題に出くわしたとき、専門家を呼び寄せる。専門家の種類はさまざまだ。経済学者もいれば骨董品の鑑定家もいる。分厚い新刊書籍を読もうと思うときは、書評を書く評論家の紹介文に頼る。ビデオが故障すれば、その方面の専門家に来てもらう。

専門家の典型的な例は医者である。医者は病気のことを知っており、患者は彼を信用しなければならない。医者は生殺与奪の権を持っているので、患者はその命令に服従するしかない。手術が必要だと宣告されれば、「どうぞ手術してください」と言わざるを得ない。医者に自分の命を預けるのである。考えてみればこれは〝不思議な賭け事〟ではないか。それとも〝白衣の不謬《ふびゅう》性〟を物語っているのだろうか。

もちろん医者は国家試験に受かっている（はずだ）し、治療技術に習熟している（はずだ）。

それでも、その人物に自分の生命《いのち》をすっかり任せてしまう行為は、驚くべき冒険ではないか。医者は親切に症状を説明し、検査結果を解説したりレントゲン写真を見せてくれたりするが、素人である患者にはよく分からない。結局、専門家である医者を全面的に信用する他ないのだ。

「キリストの証言者」の特徴

正直に言えば、私は医者の権威を見てうらやましく思う。彼には患者を絶対服従させる力があるからだ。一方、私はキリスト教の専門家であるが、「キリストが生きている」と主張していても、ほとんどの人はそれを信じない、私は〝ウソつき〟などではないのに。キリストの存在を証明する物質的な証拠はないので、それに代わる証人の証言を考えてみよう。キリストを信じる人が、キリストの存在を証《あか》す証人となる。

ところで、「証人」という言葉の歴史はおもしろい。新約聖書の時代においてはMARTYRが「証人」を意味していたが、その100年後、この言葉は「殉教者」という意味を帯びてきた。つまり、真のキリストの証人は殉教者である。キリストのために命を捧げた人こそ「キリストの証人」なのだ。とすると、熱心な信者は皆、殉教に憧れていることになる（事実はどうであれ）。

殉教者の証言は確かに説得力を持つ。「死を顧《かえり》みぬほどの証人しか信用しない」とパスカルは言っているのである。

真の生き甲斐を得る道

「生き甲斐」と「やり甲斐」

生き甲斐を求めて

我々の生活にはいろいろな目標がある。自分自身を中心において図示すれば、ざっと上のようになるだろう。

目標には三つの方向性があるようだ。一つは、娯楽系。趣味やスポーツもこのジャンルに入る。それは幼少期からの延長として慣れ親しんでいるからか、それとも、対処すべき重大問題から逃げるため、それに没頭しているのか。

二つ目は、さまざまな知識やテクニック修得系。学問・実習をはじめ、習い事などのジャンルだ。いわば〝何でもやってみよう〟の精神。語学力を身に付けたり、自動車運転免許証の取得を目指して教習所に通ったりするのもこの方向性に含まれる。勉強しなければならないという義務感が我々の背中を押す。

三つ目の方向性は、やがて身を置くことになる社会に、すばらしい道を見出すための「準備」となる行為である。「絶対に必要だ」「正義に適う」などの動機に突き動かされ、「面白いこと」「有意義なこと」をやりたいという本能も手伝って、この方向性を強く意識することになる。

以上の一般論を踏まえ、ここで次の諸点について、貴君の考えを聞かせてほしい。

（一）次に挙げるA、Bのうち、貴君に充実感を与えるのはいずれか。理由を添えて述べなさい。

A　本能的に興味を持つことのできる活動に、我を忘れて打ち込む。

B　甘えの出がちな自分と闘うため、敢えてイヤなことに自分を鞭打って取り組む。

（二）貴君が持つさまざまな目標の、源泉となる欲求を、簡明に述べなさい。

(三)「学問へ真剣に取り組み、娯楽に興じる時間に恵まれても、それでは十分だと思わない。それは生活の枠組みであり、生き甲斐にはなり得ないのではないか」と、級友から疑問が提示されたとする。貴君の答えを簡潔に述べなさい。

（四）「友情の時代は終わった。今や孤独の時代である」という意見がある。貴君は同意するか。異論があれば、要点を記しなさい。

（五）政治運動・音楽・スポーツ・読書などへの取り組みに、果たして真のやり甲斐があるか。それらによって、自己を磨き上げることは可能か。

（六）「社会奉仕や慈善活動に取り組むのは『身を捨てても他人のために尽くす』という決意の表われ。そうでなければエゴイストの自己満足に終わる」という意見について、貴君は同意するか。異論があれば述べなさい。

利己主義と英雄主義

もしも貴君が、「前掲各項の問いには、利己主義への警告が内在している」と看破したとするなら、その慧眼は敬服に値する。

ところで慧眼を持つ貴君にとって、次に紹介するA～Eの意見は、同意できるものであるか。それとも反論すべきものか。

A　利己主義は、人間の行為の動機が常に、自己のみの利益に向けられている立場である。その認識を肯定するなら、人間は皆、多かれ少なかれ利己主義者である。

B　人間は、他者が示す利己主義を嫌悪し、奉仕的・献身的行為を好んで行おうとするし、自己犠牲を厭わぬ英雄的な生き方を称賛する『英雄主義』の立場を採る。それはなぜか。

C　英雄主義者は多くの場合、〈英雄的に生きる他者への憧れ〉という形を取り、自己が充《み》たすことのできない夢を、他人に転嫁して満足するのが一般的である。偉業の達成者として世に名を顕《あら》わす人物に憧れるのは、その人物が名声を得ていることによるのか、それとも行為そのものの偉大さによるのか。

D　人が英雄として名声を得るためには特別な才能、勇気と決断、人知れぬ努力、チャンスなどが関係する。それらを掴み育むには、常人よりはるかに強い意志をもって目的に邁進する情熱が必須条件となり、誰にでもできることではない。

E　英雄主義は、自己の利益を顧みず特定の目的に向けられる情熱の肯定と賛美である。人間は純粋に利己主義を押し通すことも、英雄主義的行為に専念することもできない。むしろ両主義を常に自分の中に有して生きているのが、人間の姿である。

以上の各論を一読した上で、貴君自身の考えるところを記しなさい。

■塾生の意見

人間が目指す終極目的——それは来世への憧れが生むのか

竹内　きょうは人間の終極目的と称するものがあるかどうか、そして、あるとすれば、それは何であるか、といった問題を取り上げて論じたいと思う。

　すでに、こういった点にはふれたことがある。僕達が人類の進歩について論じ合ったときに、梅田君は、進歩の事実を肯定し、終極目的の存在を認めた。そして、その終極目的をXと名づけた。
梅田　僕はXが存在することを認めはするが、それが何であるかはわからない。
竹内　松尾君は進歩を認めなかったが、科学の議論のときに、自然のうちに理性があることを認めた。
松尾　僕は自然現象に理性が内在することを肯定したが、それは、そうでなければ、科学が不可能になるからである。しかし、その内在する理性が、君の言うXと同じものであるかどうかは疑問である。
竹内　Xとは、存在する一切のものの存在理由である。進歩を認める立場に立つなら、Xは終極目的になる。その目的だけが存在に意義を賦与するからである。また、進歩を認めなければ認めないで、やはり万物には存在理由がある。その窮極の存在理由をXと命名したいと思う。
松尾　それは結構だ。ただし、それには一つの条件がある。すなわち、存在するものには、必ず存在理由がある、とすればのことである。存在するためには存在理由が是非とも必要であるという鉄則があれば、まさにそのとおりだ。だが、その原則があることは証明されていない。だから、それを仮説と考える僕は、君の言うXに条件つきで賛成することになる。
竹内　そういうところでスタートしよう。では、まず、Xは時間を超えるものであるか。
梅田　進歩は時間という次元に置かれている。その目的であるXも同じ次元に置かれていなかったら、真の目的ではありえないだろう。また、Xは進歩の各瞬間にその力を発揮するので、時間的な面もある。しかし、時の流れを支配するものとして、Xは時間を超えるものだと言わなければならない。超時間的なものでなければ、時間的な進歩をその目的にさし向けることができないからである。
松尾　君によれば、進歩があって、終極目的がある。それでは、万物がその目的に到達したときに、換言すれば、すべてがX化されてしまったときにはどうなるのか。

梅田　時間という次元はなくなるだろう。

竹内　確かになくなる。変化が全然なければ、時間は存在しない。だから、すべてがX化されたときに、普通の意味での時間は消えうせてしまうわけだ。

松尾　いったい、時間という次元に置かれていないものなど存在するのか。それは無であろう。Xに達するとすべてが時間とともに消えてしまう。Xとは無である。

梅田　進歩の目的として無を考えるのは全くおかしい。Xは存在理由なのである。Xは無などではありえない。無は存在理由になろうはずがないからである。もしすべてが無に帰するならば、万物の存在がナンセンスになってしまおう。

竹内　だから、時間に置かれていない存在を認めなければならない。Xは超時間的に存在する。それは「流れない持続」とでも言おうか。つまり、Xにとっては「前」も「後」もなく、流れているすべての瞬間はつねに〝今〟である。そして、完成の時にすべての歴史的発展がその「今」に吸収される。「流れない持続」を想像するのはむずかしいが、それにしてもXが超時間的であることに変わりはない。

松尾　僕は進歩があると思わないから、僕の立場からは、「流れない持続」のようなむずかしいものを考える必要はない。Xは、時間という次元に置かれている現象に内在する、というあたりにとどめたい。

梅田　そうすれば、すべては永遠であって、Xも永遠であることになる。始まる理由も終わる理由もないのだから。無からは何も出てこないので、有は永遠でなければならない。松尾君はXの永遠性を認めるか。

松尾　例の条件の上からは認めざるをえまい。

竹内　進歩を否定すれば、万物の永遠性を肯定しなければならないのは確かである。そして、変化とはすべてがぐるぐる回ることだと言い、振り子運動にすぎないとも言うが、つまりは繰り返しだけである。いわば「永劫回帰」のことである。それなら、Xの永遠性は、始まりもなく終わりもなく「いつまでも」という意味である。

ところが、そういう場合にも、Xの永遠性がすべての存在理由になりうるだろうか。変化させる力としてXはその変化の次元を超えなければならない。変化が永遠であっても、その必要性は変わらない。もし変化が全然なければ、万物は永遠に同じ状態に存在するが、それがいわゆる「流れない持続」である。しかし、実際、万物には変化がある。その変化の理由を追求する科学は理性ならびにXの存在を認める。Xは変化の次元である時間を必ず超えるものである。どう考えてみても、Xは超時間的である。

梅田　万物の永遠性について議論してもいいが、いずれにせよ、万物の永遠性が現代の科学の見方と合致するものだとは思っていない。

竹内　それでは、別の観点からXを見ることにしよう。人間はつねに絶対なるものを追求しているのではないか。

梅田　人間性の議論のとき、人間がつねにより良き状態を追求することを僕は示したが、そのことか。

竹内　そのことだが、それは絶対への憧れであって、絶対そのものの存在を前提とするのではないか。

梅田　君の言うことには飛躍があるようだ。確かに人間は自己完成を望んでいるし、確かに人間はより豊かな生活、より良き世界を作ろうとする。つまり、人間は幸福を追求している。しかし、この果て知らぬ憧れに対して、成功の方はきわめて限られている、というのが現実ではないか。

竹内　人間はどれほどの幸福を現に得ているかという点を今はさしおこう。ともかく人間は、完全な幸福を追求するのである。自分のあらゆる欲求を充たす完全な喜びを味わい、全く美しい世界で暮らし、良き他人と良き自分との交わりの中で充実した生き甲斐を感じることが、幸福の一つのイメージである。それは、絶対そのものを追求することではないか。

梅田　それは違う。人間はより良きものを追求する、より豊かな幸せなどを。相対的なプラスを望んでいる。それは、絶対そのものを追求することとは明らかに違う。

竹内　しかし、人間は幸福のどの段階に達していても、それで満足しないということを、自分で知っている。人間の望みが無限だとは君も認めたはずだ。相対的な幸福に満足できないという事実が絶対幸福を追求することを伝えるのである。

梅田　人間は、人間である以上、絶対そのものを追求するというわけか。

竹内　そのとおり。

梅田　けれども、人間が絶対そのものを追求するからといって、絶対そのものが存在するという結論にはならない。望むから、その望みの対象が存在する、というのは飛躍だ。

竹内　一般の望みなら、あたりまえである。しかし、本性から出る欲求なら、話は違う。つまり、人間であることは、絶対を追求することを含むのだ。その対象が存在しなければ、人間の存在そのものがナンセンスになる。人間の存在がナンセンスであるか、絶対そのものが存在するか、の二者択一なのである。

梅田　そうではない。人間は外在する絶対的なものに達しようとするのではない。人間自身が絶対的なものになりたいという欲求なのである。人間は自己完成を望むが、それは自分以外の対象に達するということではない。

竹内　自分自身が完全になりたいという欲求がある。その欲求は自分で起こしたのではなく、人間性にかかわるものである。なぜなら、自分で決めた望みなら、それを放棄することができるからである。しかし、実際には、人間はその欲求を抜き去ることができない。それでは、完全への欲求はどこから来たかと言うに、完全さそのものが、人間を惹きつけるのではないかと思うのである。

梅田　けれども、僕の望んでいる完全さは僕に内在するものである。

竹内　君は、恋愛の経験を通して、人間の幸福に対する欲求を充たすものが「汝」である、ということを理解した。人間の追求するのは絶対的な物ではない。絶対者である。人格をもっている人間の存在理由、その人間の目的となる絶対的なものは、少なくとも人間のような人格者である。

梅田　君の考えに従えば、その絶対者は超人格でなければならない。

竹内　そして、それをXと名づけたい。

松尾　君の話を聞いている間に、反論のタネが山ほどたまった。終わりの方から言うと、今の、人間の欲求の対象としてのXは万物の存在理由というXとは違う。論理的に進めてもらいたい。

竹内　承知した。万物の終極の目的をX1としよう。そして、その人間の欲求を充たす絶対者をX2とする。

松尾　次に、人間がつねにより良き世界と、より良き自分を作り上げようとしていると梅田君は言ったが、まさに当を得ている。ところが、人間が実際にはある程度しかそれに達しないことを梅田君が示そうとしたときに、竹内君はそれには取り合わなかった。そういう消極的な面をも忘れてはいけない。人間はつねに悪や苦痛を避けようとし、より良きものを作ろうとするが、同時に自分の限界を感じている。たいしたことはできないと認めざるをえない。理想を抱くとしても、つねにその理想を現実に合わせなければならない。絶対への憧れを抱く者は虹を追いかける子供にも等しい。

梅田　喩えも美しいし、確かにピンとくる。

竹内　絶対者を追求するのは無駄だと君は言いたいのか。

松尾　そうだ。いったい君は、人間の限界を認めるのか。

竹内　認める。

松尾　そして、人間がどういう状態に達しても、それで満足しないということを自分で意識していると君も言った。結論は明白である。すなわち、人間は絶対者には達しえないのである。それを意識していても、なお、人間は絶対者を追い求めると君は思うのか。

竹内　絶対者への憧れは人間性に根を下ろしている。相対的なものに満足できないのは、とりもなおさず絶対者への欲求があるからだ。

松尾　なるほど、限界は無限を前提とする。そして、不完全は完全を、相対は絶対を前提とすると君は考えている。僕は人間が初めからその限界を知っていて、やり甲斐のあることをやってみたり、やれないことを諦めたりするのだと思う。人間の行動には、絶対という観念の出る幕はない。

竹内　行動は行動、本性は本性である。

松尾　次に、君の言った完全幸福には矛盾がある。幸福は能動的な働きとか進歩とかいう動きと結びついている。が、人が完全になれば、変化はできなくなる。くだいて言えば、絶対者に達した者は退屈してしまうのではないか。

竹内　しかし、X２もX１のように超時間的である。「流れない持続」には退屈など起こりえない。

松尾　次に、君の説によれば、絶対者への欲求が本性的なので、絶対者と呼ぶべきものが存在する。だが、君の説に従うと、別の結論も導かれる。それは、すなわち、人間が必ずX２に達するということである。そうしなければ、人間性はナンセンスになるからである。ところが人間は絶対者に達しえないと君も認めた。

竹内　僕はそれを認めたおぼえはない。君の言うとおりの結論を出した。人間は絶対者に達し得ると思う。

梅田　しかし、人間は死ぬ。

松尾　人間は死ぬのだから、絶対的なものがあるなどと考えるのはもってのほかである。

竹内　人間は死ぬ。だから、人間の問題を解決するものがあるとすれば、それは死を超えるものでなければならない。

梅田　死を超えるものとは何か。

竹内　君もいつかは死ぬ。死んでからもなんらかの形でなお生き残る、そういう死を超える生命があってほしいと君は思うか。僕が聞くのは、来世があるかどうかという問題ではなく、来世があってほしいかどうかということだけである。

梅田　あってほしいと一応答えたい。しかし、来世とは何であろう。いろいろな説がある。仮に、生まれ変わるという意味だとすれば、すなわち、僕が死んでから、他の人が生まれる、ということなら、僕にとって、そのような流転はどうでもいい。新しく生まれる者とは関係がないからである。それに、死人から新しい生命が生まれるとする説もあるが、いかにも突飛にすぎる。あるいはまた、来世とは、自分の業績とか他人の思い出に残ることとかをさすという考えもあるが、そういうものがあってほしいとは言えても、それは僕にとってはたしていかなる意味をもつのか。僕自身がそれによって生きるわけではない。あるいはまた、僕の蔵したエネルギーが死のときに消えることなく、エネルギー全体の本流に帰することだと言うのなら、僕はそういった来世にはこだわらない。僕自身とは関係がないからである。結局、生きたいのも、死にたくないのも、ほかならぬ僕自身なのだ。僕の一部分が死を超えると言っても、僕自身が生きられない限り、それは空論に等しい。

竹内 全く賛成だ。来世の問題は、自我が死を乗り越えるかどうかということなのである。松尾君は、今言った来世があってほしいか。

松尾 死ぬときに、この僕自身が無に帰することは事実である。もし死ななかったらと思ったことがあるが、それは一時の空想にすぎない。ほんとうは僕自身が消えてしまうのだ。その事実から目をそむけて、なんらかの来世への希望を燃やすのは、不健全であり、真摯な態度ではない。

竹内 君は来世がないことを事実としてとるが、それは独断にすぎない。来世がないことは証明されているのか。

松尾 なるほど証明されたわけではないが、来世があるということだって証明などできようか。

竹内 できるかどうかは疑問であるが、ともかく、来世の存在が可能であるという点をまず明らかにしなければならない。そこで来世とは、私が死んでも、自我がなお存在するということだと考えよう。ここには、二つの問題点が含まれている。すなわち、死を超える自我が私の自我であること、そして、存在する自我は、時間や空間を超えた次元において生きていることである。X2の議論のときに、「流れない持続」という次元を考えかけたが、その次元になら自我が存在することができる。

梅田 体もなしにか。

竹内 もちろん。物質的な体は流れる時間に置かれているのだから、「流れない持続」にそのまま持ち込むわけにはいかない。肉体は明らかに死のときに消えてしまう。

梅田 肉体もなしに、僕自身が生きられるか。

竹内 「自我」のことについて議論したときに、自我が物質的な条件を超えるものであることを示したつもりである。この結論が正しければ、自我は必ずしも肉体と結びついていなくてもよい。死後にも自我が存在するという可能性は存するわけである。

梅田　可能性は可能性であって、証明にはならない。

竹内　もちろんそうだが、まず、来世の存在の可能性を示さねばならなかったのだ。証拠の方はむずかしい。決定的な証拠はないかもしれない。だが、こういうことは言える。どの国の人も、あらゆる時代を通じて、来世の存在を信じてきた。古今東西にわたって死者を葬る儀式の行なわれている事実がそれを示している。

松尾　葬式は、生者の手により、生者のために行なわれている。

竹内　とはいっても、来世がないと断言する人でさえ、死骸を単なる物体として見ることはできない。唯物論を唱える国にも国葬という儀式がある。これは矛盾だと思われるが、同時に、あらゆる国民が来世を信じているという証拠なのである。

松尾　葬式ははたして来世に対する信念を示すのか。

竹内　少なくとも、死者が無に帰することを否定してはいる。

梅田　葬式が漠然とした来世への信念を示すかもしれないが、自我の生存はその信念の中に含まれていないだろう。

松尾　葬式は生者の願望を表わすだけだと僕は思う。

竹内　それほど普遍的な願望であれば、決定的な証拠にはならないまでも、考えさせる事実である。
　別の観点に移ろう。人間のみが、自分が必ず死ぬことを知っている。そして、その死を決して望まない。

松尾　自殺する人をのぞけば。

竹内　例外があっても、人間が死を最大の不幸と見ることについては変わりがない。一方、人間はつねに自己完成を追求するのに、死はその追求を無に帰する。しかもそれは、まれに起こる事故ではなく、すべての人にとって避けられない矛盾である。本来、人間が存在するのは間違っても死ぬためではなく、生きるために違いない。人間にとって、死という壁にぶつかるのは不条理である。だから、人間らしく生きることは、その不可避の不条理をなくして、死という壁を乗り越えることである。来世は人間性の絶対的な欲求である。

梅田 今の理屈は、X2へ導く論説の二番煎じにすぎない。

竹内 それはそうかもしれない。しかし、自分が死ぬことを知り、かつそれを拒むことは、死を超える道があることを内に秘めているのだと僕は考える。もし死が人間にとって当然の終焉であるならば、人は知らずに死ぬか、あるいはその死を知っていてもその自然の結末に甘んじることだろう。死に対する人間の逆らいは、人間が自ら死を是非する立場にあり、死にまさる位置にいることを前提としているのではないか。

松尾 僕は納得がいかない。君によれば、死を超える道がある。そして、その道は絶対者に到達する。早くその目的を遂げるために、君はなぜ直ぐに自殺しないのか。

竹内 仮に、僕が自殺すべきだと思ったとしても、来世については疑問が残るとか、そのような未知なる所はこわいとか、この世の人と別れるのが辛いとかいうことを口実にして、当然その決断を延ばすと思うだろう。しかし、もし死ぬべきだということに確信をもてたら、僕は実現に移すつもりである。

ところが、僕は自分が自殺すべきだとは少しも考えていない。なぜかというと、来世はこの世との断絶の上に立つのではないからである。来世は、むしろこの世の孕んだ自我の誕生である。あるいは、この世に蒔いた種の収穫とでも言おうか。すなわち、この世が全く消えて、来世に真新しい状態になるのではなく、この世はいわば来世の準備なのであり、来世はこの世の完成なのである。

　自己完成というのは、自分のすべての可能性や欲求が充たされるという意味なのであろうが、そういった可能性は人によって違うし、一人の人生の段階によってもまた違う。子供の完成と成人の完成とは、同じ完成とは言いながら、それぞれ違うのである。だから、僕がこの世において豊かな人間であればあるほど、高度な完成に到達する。喩えを使おう。各の人間は容積の異なる器だと思えばいい。いずれも一杯にはなるが、本来の容積差が完成品の差を規定することになる。

　したがって、僕にとって、自殺は自分の完成をそこなうだけである。自分の進歩を止めるからである。

　要するに、来世があるから、この世の価値も無に帰さないのだ。この世の価値は来世につながっており、来世の存在によって活かされるのである。来世があるからこそ、この世に対して愛着を覚えるのだ。

梅田　逆に、来世がなければ、この世に価値がない、と言えるか。来世がないとすれば、すべては無常であり、なにもかもが無に帰する。美しい思い出さえも消えていく。思い出す者がいなくなるからである。すべてゼロになる。もしそうだとすれば、人間の働きはすべて無駄になり、人間の存在そのものもナンセンスになる。

松尾　違う。常住でないからといって、価値がないとは言えない。この世のものには、この世における価値がある。竹内君は多少とも自分を欺いているのではないか。生きることに価値があると、初めから信じているのだろう。そのことは当然であるが、それを裏づけるために来世の存在をもってくる、そこに問題があるのだ。そのような遠まわしをせずに、ごく自然に、この世に対する愛着をもっていると、素直に認めた方がよかろう。

竹内　僕はこの世の価値を認めるが、その価値には一種の透明さがあるのだ。その相対的価値はすきとおっており、向うに絶対的な価値がすけて見えるのである。いったい、やり甲斐を感じて努力する者は、誰でもその働きの結果がなんらかの形で残ると思っているのではないか。人間の労働は、それがいかに些細なことであろうと、人類への貢献として不朽の価値を帯びている。ほんとうは、愛する者はその愛が永遠だとつねに信じているのではないか。

梅田 そうだと思う。しかし、それはあるいは錯覚かもしれない。錯覚なら、すべてが無に帰して、生きる理由はないことになろう。ということになれば潔く、自殺すべきだということにもなるのではないか。

松尾 自殺してもいいではないか。僕は人の自由を侵すつもりはない。自殺する自由をもだ。

竹内 もし梅田君が自殺する意図を君に洩らすなら、君は「どうぞおやりなさい」と彼に言うか。

松尾 正直に言えば、おそらく梅田君を思いとどまらせようと努力するだろう。

竹内 だとすれば、君も、自殺を肯定するわけではない。

松尾 君は誤解している。僕は自殺を推奨しはしない。むしろ、絶対的な価値がないからといって、生きる理由がないというわけではない。相対的な価値でも人間の限られた命に十分に生き甲斐を与えるのである。しかも、人生は限られたものだから、それを最大限に活用すべきだと思う。来世がないからこそ、この世を豊かに生きようとする。

竹内 それは詭弁だ。

松尾 なぜ。

竹内 なぜかというと、君は「来世がない」ということばに二重の意味をもたせているからだ。第一の意味は、時間がそのために限られているということだ。時間の制限が、その時間を有効に使っている人に拍車をかけることは、明白な事実である。だが、君はその明白な事実の中に、第二の意味、しかも最も疑わしい見方を忍び込ませるのである。その第二の意味とは、「来世がなくても生きる理由がある」ということである。明白な真実に包んで、疑わしい、あるいはまちがった見方をのみ込ませるのが、詭弁というもののからくりである。だから、「来世がなくても、生きる理由がある」という判断は、依然として疑問のままである。とにかく、僕の言った意味の来世なら「来世があるからこそ、豊かに生きようとする」と考える立場の方が正しいのだ。

梅田　竹内君の説は道理に適ってはいるが、それは来世の存在という仮説にのっかっているのである。だから、松尾君の説が辻褄が合わぬとは言えない。その説は、相対的な価値が真の価値であるという考えの上に立っているのである。

ところで、この議論の端緒は死についてであったが、いつのまにか死からそれ、来世に関する議論になってしまった。死そのものは、それが免れえない運命だということ以外に、おそらくは何らの教訓をも授けないだろう。死には消極的な面しかない。生から生の意義を得て、それを死と対比するとき、初めて死が思考の対象になる。松尾君の立場からは、死は命を断つが、生き甲斐を断つことはできない、ということになり、竹内君の側からは、真の生き甲斐はすなわち死に甲斐を含むものだ、ということになる。いずれの場合にせよ、死ではなく、生が基調になっていることに注意したい。死そのものについて瞑想にふけるのは不毛ではないか。

竹内　それでは、不毛の地に別れを告げて、実りある土地へ移ろう。良心について議論したとき、僕達は善そのものの存在に辿り着いたが……。

梅田　わかった。善そのものが存在し、それをX３と名づけよう、と竹内君は言いたげな顔だ。

竹内　図星だ。善そのものが、結局は絶対者なのだと、主張したいと思う。

松尾　僕はこの前、善の存在をあまりにも容易に受け入れすぎたようだ。その点については考え直す必要がある。竹内君は、良心を分析した結果として、絶対的な善があるという結論を出したが、そこには飛躍がある。

では、良心とは人間の行動における善と悪とを区別する力である、と定義してはどうか。

竹内　よろしい。

松尾　したがって、人間の行動は相対的なのだから、その判断も相対的である。相対的な判断をくだす良心は、当然、相対的な判断力である。

竹内　しかし、この前の分析から言うが、当為は次の三つの点を必ず含んでいる。すなわち第一は、人は、誰でも、私の立場に置かれたならば、私同様に判断する、ということである。第二は、私があるときになにかを「良い」と判断したら、後に同じことについて「悪い」という判断をくだすことはありえないということである。第三は、良心の命令に背いても、その命令は以前のまま残るということである。要するに、当為は人によって違うわけでもなく、時間によって違うわけでもなく、実現によって左右されるわけでもない。だから、絶対的と言わなければならないのである。

松尾　君の言う三つの点に、僕はだいたい賛成だが、それは善の絶対性ではなく、良心の普遍性を指すのである。普遍的である人間性がそういった良心の普遍性を蔵するのは当然であろう。善と悪とを区別する力が一つの普遍的なカテゴリーに属するということだけを君は示したのだ。

梅田　松尾君の言うことは正しいと僕は思う。もし良心の普遍性が善そのものの存在を前提とするなら、同様に悪そのものも存在することになる。そして、どの普遍的な判断の場合にも同じことが言える。例えば、数学が普遍的であれば、三角形そのものも存在することになるなどである。

竹内　それでは、別の観点からものを見よう。私は「すべし、すべからず」という命令を受ける。これは、誰が命ずるのか。

松尾　誰がと言うところではない。何がと言うべきだ。そして、その何、の答えは人間性である。食欲を覚えることも、良心の命令を聞くことも、同じく人間性のあらわれである。質が違うと言われるかもしれないが、前者は本能を通しての肉体の法であって、後者は自意識を通しての精神の法である。人間は精神的な面をもって、自分自身を知っているから、自分の行動に関する法は、本能にとどまらず精神においてもあらわれる。そして、本性の精神的な欲求を表現するものが良心なのである。

竹内　食べたいという欲と勉強しなければならないという義務感とは違う。同じく人間性のあらわれだとは言えない。それぞれの次元が異なるのは明らかである。まず、良心の命じる義務はつねに自然な欲に反する。例えば、遊びたいのに働けとか、浮気したいのに妻に忠実であれとか、金持ちになりたいのに盗むなとかいうのが、一般の良心の命令であるにちがいない。だから、自然な欲に反する義務は、欲と同様に人間性から出てくるとはいっても、その出どころが違うのである。

次に、その義務は私自身に命じられるのである。当為そのものは、外からくるものではなく、自分自身のうちにあるのである。例えば、友人が勉強しないから僕も勉強しなくていいということにはならない。たとえその理屈を口実として使うことはあっても、それが自分をだますことであるぐらいは知っている。

さらに、良心が本能的な欲のように人間性のあらわれだとすれば、自由も責任も消えてしまう。そのとき、人間はロボットになる。ロボットは良心のないものである。そのような非人格的なものである人間性など、私の良心の根拠にはなりえない。

梅田　竹内君の攻撃は当たっていると思う。良心に命じるのは誰かと言うに、僕は自分自身ではないかと思う。一見、矛盾しているようだが、しかしよく考えれば、矛盾でないことがわかる。
　まず、命じる、命じられるという語の用法には、竹内君の場合、多少、比喩のにおいが感じられる。「そうしなければならない」と意識するのは命令のようであるが、命令する者を知らない点で、一般の命令とは分かれる。
　次に、人間の自意識であるが、それは自分が自分を知ることなのである。これが驚くに価する現象であるかどうかは別にして、ともかく否定できない事実である。同じく、自分が自分に命ずることも可能ではないか。

竹内　可能は可能だ。例えば、私が私に毎日英語の単語を五つ憶えることを命ずるとする。それはすなわち、私が決心したということである。よくある例だ。しかしこれは、良心の命令とは違う。決心した私がいつでもその決心を廃止することができる。しかし、良心の命令を私は拭い去ることはできない。それに背いたところで、命令が消えるものではない。私の命じたことではないのだから。

梅田　もし、命ずるのが、いつか君の言った〝直観できない自我〟だとすればどうか。

竹内　〝自我〟とは、様々な形を帯びた〝私〟の統一性そのものである。だから、〝自我〟は私に対して他者の役割を果たすことはできない、どう考えても。私に命ずるものは、私でない他者でなければならない。そして、私が人格をそなえたものなので、その他者も人格をそなえた者でなければならない。

梅田　なぜ他人が私に命ずるのか。私は自由なのだ。私は、自分を奴隷に化す物質的な力に逆らうように、他人の命令を拒否するのだ。それは人格をそなえた者としての私の権利でもあり、義務でもあろう。

竹内　けれども、良心の命令を拒否するわけにはいかない。

梅田　だから、君によればこうなる。命ずる者が他者でなければならないとすれば、その他者は人間のレベルの人格を備えた者ではなく、私の存在を超えた者、他者でありながら私に内在する者、いわば超人格者でなければならない。

竹内　そして、その超人格者をX３と名づけよう。

松尾　なるほど。良心の本質を「命じられる」というところに認めさえすれば、芋蔓式にX３の存在が引き出される。さて、これからX４か……。

竹内　いや。これからX１とX２とX３はXの別名にすぎないと主張したいのだ。Xは絶対者である。X１は全世界の終極目的としての絶対者であり、X２は人間完成としての絶対者であり、X３は人間の良心に命ずる絶対者である。

松尾　なぜX１とX２とX３は唯一のXなのか。

竹内　いくつかの絶対者があるとは考えられないからだ。

松尾　しかし、X１・X２・X３はそれぞれ別の道の終着点なのであって、その終着点が唯一であるかどうかはわからない。言い換えれば、それぞれの次元において絶対的なものが存在し、次元が違うからには、その絶対者も違うと推論することも可能なわけである。

梅田　松尾君の言うことは筋が通るし、竹内君の主張も妥当なように聞こえる。しかし「絶対」という段階に達すると、はたして数字というようなものはありうるのか。絶対者を数えることなど、初めから無理な企てではないか。絶対的なものの存在まで辛うじて辿り着いた僕達が、それで絶対者をわが物としたかのように議論することは許されない。むしろ、竹内君の論を成り立たせているものについての論議に戻りたいと思う。それは、要するに、相対的なものがはたして絶対的なものの存在を前提とするかどうかということである。

竹内　相対的とは、自己のうちに存在理由をもたないことである。例えば、私は相対的な存在だというのは、私が存在しなければならないという存在理由が私のうちに存しないということである。そういう存在理由が内在しないので、私は、相対的ではない、すなわち絶対的なものに依存するわけである。

梅田　私の存在理由は、事実、まだ見出されていない。が、時間をかけて探せば見出すことができるかもしれない。

竹内　人間のレベルのものでは、どんなものでも、人間のあらゆる欲求を充たしえないということは、万人の等しく認めるところである。人間の存在という謎を解くのは絶対的なもののみである。そして、その絶対的なものは自分のうちにはないのである。

梅田　けれども、自分の存在は相対的だと認め、しかし絶対者の存在は認めない、という立場もある。それは、換言すると無常観である。この種の考え方も成り立たないとは言えない。結局、すべてが無常なものかもしれない。

竹内　無常でないものは何一つとして存在しないというわけか。

梅田　そういうことになる。

竹内　実在するものは無から来たわけか。それは矛盾ではないか。

松尾　竹内君の発想は、存在するものには必ず存在理由があるという仮説の上にのっかっている。しかし、この仮説に対して僕は疑問を感じる。僕達は、いつのまにか因果律を信じ込んで、つい竹内君の仮説を公理のように見てしまいがちだ。しかし、実在が理性に合わないこともあるかもしれない。すばらしい進歩を見せたと言われる物理学でさえ、謎が謎を産み、ついには全く別世界であるアインシュタインの世界を解釈として提供するにとどまるのも、また哲学が何百年間かにわたる研究をもってしても、人間の肉体と精神との関係を解く緒口《いとぐち》さえ与えないのも、僕達の議論が様々な障壁にぶつかるのも、すべて、現実が理性とそりが合わないことを物語っているのではないか。

竹内　つまり、人間の存在は不条理だということか。

松尾　そうだと言えば、いったいどうなのか。

竹内　私の存在が不条理であることは、私にとって生きることはナンセンスだ、ということである。そういう結論なら僕としては拒否するしかない。

　次に、不条理だと判断するのは私の理性なのだ。だから、人間の不条理を裏づけるのは理性の正しさである。少なくとも理性は不条理ではない。

松尾　君は、相変わらず飛躍する。僕は、人間が不条理だと言ったおぼえはない。理性は正しくその機能を果たすのだが、現実は必ずしもその理性に適わない、というだけのことだ。換言すれば、理性が現実に適応しない場合があるということなのである。

　特に、存在という点についての理性の適用には明らかに限界がある。物が存在するというのは、理屈によって導き出された結果ではなく、その物自体を体験によって確かめうるのである。物があるとすれば、その物を見ること、その物に触れること、あるいはその影響を感じることができるのである。もしその物が私の感覚となんらの関係もなければ、それは存在しないことになる。

竹内　しかし、存在することと体験されることとは違う。物が存在するのだから、それを感じるのであり、感じるから存在するわけではない。レントゲン線は発見される前から存在していた。

松尾　体験されない存在であったとはいっても、体験しうる存在ではあったのである。発見の可能性が必ず存在のうちに含まれている。そして、その発見によって存在が確かになるのである。実例をあげよう。一八六五年、ルベリエという天文学者は、天王星の公転が不規則であるという現象に目をつけ、その原因を考えた結果、未知の惑星の影響によるものだと推論した。存在するはずの惑星の位置を計算によって推定し、ガレというベルリン天文観測所長にその辺を調べてみるべき旨、手紙で依頼した。ガレは、一八四六年九月二十三日に、指摘された点に望遠鏡のピントを合わせたところ、はたして未知の惑星が目に入った。それは海王星と名づけられた。ルベリエの推論は正しかったが、ガレの発見以前には、海王星の存在は不確かだったわけである。

竹内　物が存在するからには、その物をなんらかの形で体験しえなければならないとは僕も認める。だから、絶対者は人間が体験しうるものだと僕は言ったのではないか。絶対者は人間の終極目的なのだから、人間は絶対者に到達すべきなのである。

　仮に別の次元において、私と関係をもたない絶対者が存在すると考えてみてもいい。そういった絶対者なら、存在しようが存在しまいが、私にとっては全く同じである。存在すると断言することさえ意味があるのかどうかはなはだ怪しい。そういった絶対者について論じてみても実りは得られない。だから、僕はあくまでも人間を活かす絶対者が存在すると言ったつもりである。

梅田　それは結構だ。しかし、君は何度となく、絶対者が存在しなければならないという言い方をした。とすれば、それは理屈であって、体験ではない。つまり、松尾君の話に例えるなら、君はルベリエの態度にとどまる。僕達はガレのような実験があってほしい。一口に言えば、絶対者が存在するのならそれを見せてくれということである。

竹内　絶対者を見せる望遠鏡などあろうはずがない。絶対者は時間や空間に置かれた現象ではないのだから。すでに、絶対者が超時間的、超感覚的、超人格的な存在だと定義したではないか。

それはそれとして、ルベリエの推論がガレの実験以前にも正しかったごとく、絶対者を導くわれわれの推論もまちがってはいない。

梅田　推論の域に満足するわけか。

竹内　単なる理屈ではない。これに似たことはいくらでもある。われわれは人の心にあふれる喜びを見ることはできない。それを見せる望遠鏡などあるはずがないのだから。しかし、笑顔からその人の喜びを読み取ることができる。これと同じように、世界の姿を凝視することにより絶対者の存在を読み取ることも可能である。きょうは、絶対者へ到る道を辿ったりしたが、それは議論と言うよりも、全洞察力を傾注して万物の真意を視る努力であった。学問のある人が前提から結論をすぐに見破るように、われわれも万物に刻印された絶対者のしるしを直観的に読み取ったわけである。

松尾　僕は暗中模索といったところだ。この世界も、この僕も、判読できない碑のようなものだ。常識では頼りないし、理性には限界があるし、頼れるのはせいぜい科学ぐらいのものだと思っていたが、その科学にしろ、確実ではあっても、ほんとうの意味では進歩を遂げていないようである。科学では、一つの未知数を解くことは、無数の未知数を産み落とすことになるのだから。人間は迷宮に住み、歩き回りながら、新しい部屋、新しい廓下、新しい階段を発見したりするのだが、出口というものはどこにもない。僕は無知だ。せめて、自分が無知だという確実な知識を、かけがえのない宝として、いつまでも保存したいと思う。

梅田　無知ではあっても人間は万物の霊長であることにゆらぎはない。明日のより良き世界を作ることこそ今日の僕達の課題である。ただ、絶対者とか終極目的とかいうものが存在するのかどうか、という点には確答できない。しかしながら、「汝」を愛すること、より幸福な社会のために積極的に働くこと、自分の心にも社会の秩序にも平和をもたらすこと、つまり、自分が成長を遂げ、そして社会を進歩させること、それが僕の生き甲斐なのである。

竹内　戦争で全滅の危険に晒されても、経済的圧迫により悲惨なまでの耐乏生活をしいられても、また、未知の果て知らぬ闇に置き去りにされても、人間、この死んでいく人間が、いつも力いっぱいに生きようとする、この生命への欲求は、単なる本能などではなく、また、盲目的な信念などでもない。考える葦は万物の終極目的を知りうるのである。現に、絶対者の影は、この世界を照らしている。今という時は、幸福に充ちた日の曙なのである。

■塾長からのアドバイス

我、幸せなりといえども

時間とともに増す「完全な幸福」

幸福とは何か――難しい問題には違いない。一口に「人間は常に幸福を追求している」と言うが、そこで追求される〝幸福〟とはいったい何だろうか。人間が追求するのは「完全な幸福」だと言う向きもある。が、「完全」と言える幸福とは何だろうか。

「完全な幸福」のありようを考えてみると、二つの特徴があることに気づく。一つは、その幸福は「時間の流れにつれて消えることなく、むしろ増していく」ということである。この世に存在するものは何であれ、〝時間が経つにつれて消えていく〟ことを、我々は否応なしに認めざるを得ない。むろん、折に触れて感じる〝幸福〟感の多くも例外ではない。ところが「完全な幸福」と言うとき我々は、それがまず「消えない」ことを前提としている。それだけではない。我々の心に留まる「完全な幸福」は、決して老いることもない。スタティックな幸福は最早、いずれ消え去る〝幸福もどき〟の外ではない。完全な幸福は増していく幸福でなければならないのである。

もう一つの特徴は、「完全な幸福は自分のすべてに及ぶ」ということである。何らかの犠牲を伴うものならそれは「完全な幸福」とは言えない、完全な幸福は文字どおり〈完全無欠な幸福〉なのだから。

私自身の「幸福宣言」

かく言う私は幸福、それも「完全な幸福」に浸《ひた》っている。そのことを誰憚《はばか》ることなく宣言する。私の幸福の源泉は「キリストを知り、キリストを愛すること」である。人間の最高の行為である「愛すること」は私に真の幸福を与える。しかし完全な幸福であるかと聞かれると――そうだと即座に答えたいが――、なにがしかの躊躇《ちゅうちょ》を感じざるを得ない、というのが偽らざる実感である。

確かに、キリストの愛は無尽蔵な宝であって、愛すれば愛するほど幸福が増していく。そして確かにキリストの愛には際限がないから、完全な幸福の第一条件を充たしている。だが今、「キリストの愛は私のすべてに幸福を与えているから、それを受ける私のあらゆる面に幸福が溢れている」といってしまえばウソになりそうだ。やはり、私は幸福だとは言うものの、『日常生活の中でさまざまな不愉快、犠牲、苦しみなどを、まるきり感じない』というわけではないからである。しかし「キリストは、本当に完全な幸福を与える存在である」という事実を、私は知っている。キリストを愛するために何かを割愛する破目になるなどということはあり得ない。私の現在の幸福が不完全である理由は、キリストの愛が物足りないからではなく、私がキリストを十分には知っておらず、十分に愛していないからなのだ。

だが、私の幸福が完全になる時が、必ず来る。それを確信している。だから今のところは、現にある幸福を味わいながら、それが完全な幸福への第1歩であることをありがたく感じ、そこに生き甲斐を見出している。

〝完全な幸福の寸前〟もまた、完全な幸福なのではなかろうか。星の王子様もこう言っているではないか、「あんたが、4時にやってくるとすると、おれ、3時にはもう、うれしくなっていたものだ」。

生き甲斐の在り処

何のために生きているのか

学生に「君は何のために生きているか」と尋ねたことがある。その学生の答えは、「生きるために生きる」というものだった。一見、答えらしくない答えのようだが、よく考えると意味深い答えだと思われた。なぜならその答えが、「生き甲斐は生きることそれ自体のうちに潜んでいる」という真実を教えているからである。

別のケースを考えてみよう。あなたが定年間近なサラリーマンだとして、あなたは、土曜日や日曜日の休みを楽しむために5日間苦労しているのか。5日間の労働は2日間の休みの準備に過ぎないのか。40年間も会社で働いたのは、退職後に慰労一時金と年金を手にし、隠居後の余生をゆっくりたっぷり味わうためなのか――　どのような答えが返ってくるにしろ、納得するのは難しそうだ。

プラトンによれば、「哲学とは死に方を学ぶこと」だそうである。本当の生命の営みはこの世を離れてから始まるという。また、来世の存在を信じる人の中には、この世における営みは天国に入るための準備、あるいは試練にすぎないと考える向きもある。

ここまで挙げた例はいずれも「生き甲斐は日常の営みの外にある」という考え方に立っている。ところが、実際にはそうでなく、生きる目的は生きることとの真っ只中にあるのである。

我々は普段、「『生きる喜び』や『生き甲斐』を感じている」と口にする。その場合、生き甲斐は理屈・理論の結論ではなく、身に沁《し》みた感情である。すなわち「生きることはすばらしい」と確信することである。実際、いつでもどこでも――たとえ病院に入っていても刑務所に入っていても――、生きることはすばらしい。

人は、日常生活の中に生きる喜びを見出す。そこに生き甲斐を感じるなら、過去の思い出に耽《ふけ》る必要はないし、輝かしい未来を夢見る必要もない。その日、その時、その瞬間の働きのうちに生きる喜びを感じるのだから。

それは、「理想を刹那主義に求めている」と非難されるだろうか。刹那主義は、享楽主義的で軽率な態度と見られているが、その中心が常に生きる喜びを感じ得ることだとすれば、それも良い生き方なのではなかろうか。

ともかく人は「意義のある人生のプランを立てたい」と夢見るようである。例えば幸福な家庭を築き上げること、事業の成功を目指すこと、慈善事業に身を献げること――どれも立派な計画である。しかし「必ず実現できる」という保証はない。もし失敗すれば、彼の生き甲斐は崩れ去ってしまうのではないか。幸いにもこうした人生計画が成功したとして、「生きる喜び」は成功の時まで〝お預け〟になるのだろうか。

いや、そうではない。真の生き甲斐とは、目的に向かって進むか進まないか、またその結果がどうであるかなどには囚《とら》われず、今日の生活においても、明日の活動においても生きる喜びを満喫することなのである。

生きる喜びを得る秘訣

我々にとって、「生きる」ということは贈り物である。いったい、自分の生命《いのち》を自分に与えた人がいるだろうか。「生きること」は与えられたものなのである。生きる喜びを感じるためにはその贈り物を、贈り物として素直に受け入れなければならない。

現代人にとっては、金銭を介した売買はじめ、利害関係の全く介在しない贈り物は存在しない。現代社会においては、どんな小さな物のやり取りにも利害が絡《から》んでくる。だから、現代人にとって〈生きることは贈り物〉と認めることは〝信じ難《がた》い断定〟と映るのである。人々は自分で生きる意味を創造したいし、自分で生きる目的を決めようとする。そうした態度は当然ながら、緊張や挫折を引き起こす。喜びを生み出すことにはならないのだ。

生きることはすばらしい賜物である。それを賜物として単純に受け取ることこそが、生きる喜びの秘訣である。そしてその賜物をくださった方に感謝すべきではないか。

貴君にとって生き甲斐とは何か

「物質的分配」と「精神的共有」の差

生き甲斐を探している貴君に、ヒントとなるかもしれない話を披歴しよう。

「お菓子を10人に配れば、各人は全体の10分の1しかもらえないが、音楽会なら300人が聴いても、全員が曲の魅力のすべてを味わえる。」

この譬《たと》えは、「物質的な分配」と「精神的な共有」との差を物語っている。すなわち、人々の間には物品交換と違った「精神的な共有」があり得る。そしてその共有は、売買の規則に従うものではない。

経済の分野においても、人と人とを繋ぐのは利害関係に限らない。いわば「賜物《たまもの》の経済」もある。賜物の経済においては、配り手はタダでやり、受け手はロハでもらう。しかも配り手は、配ったからといって乏しくなるのではなく、むしろ配れば配るほど豊かになる。賜物は精神的なものだからである。人を喜ばせて自分が淋しくなることはあり得ない。配り手も喜びをもらう。双方の価値を互いに量ろうとはしない。

人の価値を量ろうとするのは、例えば奴隷を売買する商人である（キリストの時代には奴隷の相場は、1人当たり銀貨30枚だった）。現代にも、相対的な基準で人の価値を量ろうとする考え方は無くなっていない。〝彼と知り合いになるのは有益かもしれない。現にそれは処世上の楽しみであるし、後にはそこから斯界《しかい》にコネもできるだろう〟といった思惑や計算はビジネスの世界に溢れている。しかし「彼」という存在を役に立つものとしてしか見ないのは、結局〝私の道具〟として利用することではないか。彼にとっても私にとっても、その関係にとどまることは人間失格というべきである。

「かけがえのない彼」に手ぶらで会おう

どのような出会いであれ、本来、「彼」という人間を知りたいことに理由はない。彼を知りたいのは、彼が彼だからである。彼が「またとない存在」であることを、私は知っている。彼は「かけがえのない彼」である。私はその類のない価値を尊重する。彼の尊さが見えないとすれば、それは私の視力が弱いからであって、彼に尊さがないのではない。彼をあくまでも信用するべきである。

そして彼は、私が近づいてくるのを待っている。無言のうちに、彼は私を呼んでいる。私が応えなければ、その無関心は彼にも私にも傷を負わせることとなる。彼の呼びかけに応えなければならない。

私の存在は、彼にとって重要である。本当は彼に差し上げられるものなど、私には何ひとつない。しかし彼は、ありのままの私を望んでいる。頼むのが彼だから招きを断るわけにはいかない、手ぶらでも行こう。

彼に巡りあわなかった人は、人間味というものを知らず、自分が何であるかさえわからない。彼はだれ？ 彼はあの人でも、この人でもあり、それ以外の人でもあり……すべての人である。

「受けるより与える方が幸いである」（使徒言行録20章35節）。

人生の目的は「真理の把握」である

真理把握の第一段階

「真理」と「真実」の差異

我々は日ごろ、友人との会話の中で「真理」という語をよく口にしている。ではそのとき我々は、「真理」と「真実」の違いを意識しているだろうか。好んで「真理」を語る学友に、真理と真実の違いについて説明を求めたことがあるだろうか——そう問われて、鳩が豆鉄砲を喰《く》らったような顔をしている貴君に、まず、次の主張を紹介しよう。

「真実」とは、ただ「本当のこと」というだけの意味である。例えば、「我々が乗降に利用するJR・御茶ノ水駅には出口が2つある」「3月28日、アラスカで大地震が発生した」「人間はいずれ死ぬべきものである」「大学合格を知ったとき私は狂喜した」「酸＋塩基→塩＋水」——のように、断定と証明の可能な事実。誰の目にも確実なことを断言したとき、「真実を掴んだ」ということになる。

問題は、どういうふうに真実を把握するか、である。一方「真理」は、証明可能な事実や科学的な真実に限らない。換言すれば、すべての真理が実験によって捉えられるものではない。科学においてさえ、自分で実験して知ったことはごく少なく、たいていは先生の教えをそのまま受け入れたものだ。また、自然界の進化を疑う人はいないが、その証明を実験室で行うことはできない。

では、どのようにして真理を把握すべきか……

右の文を読んだ後、次の問いに答えなさい。

1　1942年2月25日、日本にとって大きな出来事が起こった。それは歴史的真実である。その出来事とは何か。また、出来事が史実と認められるための条件は何か。

2

友人が長崎から「今から急行列車『雲仙号』に乗って東京に着く」と電報を打って寄こした。もしそれが間違いなら出迎えは徒労だ。何時に東京駅へ迎えに出たらよいか。

3

「ミロのヴィーナス」は美しい。それは証明できるか。

4

急な腹痛に耐えかねて病院へ駆け込んだ。医師は「盲腸炎だ。今すぐ手術が必要」と言う。

その診断を疑うのは〝正気の沙汰ではない〟のか。

5

大学入試の合格発表を、自分の代わりに見に行った兄から「受かったぞ！」との電話が入り、その知らせを自分は疑わない。なぜか。

6

私の生年月日は〇年〇月〇日である――　それは確かか。なぜ確かだと断定できるのか。

7

電話帳に載っている電話番号は正しいか。信用すべき理由を答えよ。

8

交番で道を尋ねた。教えてくれた警察官を信用すべきか。

9

恋人が「あなたを好きだ」と言う。信ずるべきか。

10

ネラン塾長が「神は存在する」と断言する。信じるか。

■塾生の意見

「信じる」という行為の裏と表

信じることは妥協することか

前項を考察している途中、塾友の間に議論が巻き起こった。我々が普段何気なく使っている「信じる」という語の曖昧《あいまい》さが俎上《そじょう》にのぼったのである。交錯する議論を整理すると、次のようになる。

A君の主張　信じることとの前提は、知ることとである。自分が信じて疑わない人生を歩むつもりなら、何のために生きているかを知っていなければならない。すなわち、生きることについて、既に得ている知識、もしくは今日初めて得ることになる知識に頼り、その知識を肯定することが確信――つまり「信じる」という行為――を生むことになる。

B君の反論　普通は、少なくとも「よく知っている」とは言えないからこそ、「でも、信じるよ」と言うのではないか。

A君の主張　確かにそういう立場もある。その考え方に立つなら、信じることは、妥協することに他ならない。しかし例えばキリスト教では、「確かに知っている」からこそ「信じる」と宣言する。

C君の反論　その場合でも、「神のことなどよく分からないが、とりあえず信じてみる」という態度なのではないだろうか。

A君の主張　キリスト教の信者にとって、「人間の存在理由は、いつか神のもとに到達すること」だけである。それを知っているから、信じることができる。それは、自分に関する『最も深い真理』を把握することに他ならない。

B君の反論　生きている間に起きる〝自分の問題〟は、自分で解決すべきである。他の何かに頼るのは弱虫のやることだ。神に頼るのもまた、自分に忠実な生き方とは言えない。やはり「妥協」というべきではないか。

A君の主張　君の言う「自分」とは何か。この世に生を享《う》けた私は、何のために生きるのか——まずこの問いに答えたい。自我とは「神に生かされている自分の在りよう」である。そして自分自身の存在理由は前述したように、神のもとに到達すること。それが「真理」であることを知るのは妥協ではなく、まさに「真の自分を見出すこと」なのだ。

C君の疑問　人は、失敗を犯して自信を失ったとき、神を信じるのか。それとも、知って神を信じるからこそ、本来の自分を見出すことができるのか。A、B両君の言い分のどちらに軍配を上げるべきか、迷っている。ただ、「キリスト教は理性を超えるものを教える」と聞いている。たとえそれが『神からの賜物』だとしても、それは人間を侮辱するものではないだろうか。

A君の主張　神への絶対的信頼を『信仰』と呼ぶとして、信仰が神からの賜物であることは間違いない。しかしその賜物を頂く行為を「安易」とか「卑怯」とは必ずしも言えない。その賜物が、善き人生を送るうえで欠くべからざるものであるなら、素直にそれを受けるべきだと思う。

もしも右の討論に加わったとしたら、貴君はどのような意見を述べるか。思うところを記しなさい。

■塾長からのアドバイス

目に見えないものこそが存在する

大いなるパラドックス

プラトンは『国家』の第7巻で、一読したところ奇妙にも思えるが貴重な教えである『洞窟の譬え』を書いている。それを現代に置き換えてみると、こうなる。

――人々は子どもの時から、映画館で座ったまま全身を縛られて動くことができない。また、頭を回すこともできず、スクリーンしか見ていない。そういう状態に置かれた人々は当然、スクリーンの映像が本物だと思い込む。スクリーンで活動する人物が実際そこにいて、彼らの交わす言葉を彼らの本当の声だと思うに違いない。しかし実は、人々が見るのは映像に過ぎず、声は録音された音声の再生に過ぎないのである。――

映画館の人々（それを『囚人たち』とプラトンは言う）の状態は、私たち人間が置かれた状態に似ている。人間に見えるもの、聞こえるものは、あたかも映画館の映像のようである。本物は

〝囚人たち〟の場合と同様、目に見えていない。

プラトンはもちろん、映画フィルムや撮影所などを考えているわけではない。その代わりに彼は、譬《たと》えとして「影絵」を用いる。つまり、人形を操る芸人の背後に光があって、その光が囚人たちの眼前に人形の影を投げかける。プラトンの描写にせよ現代のフィルムにせよ、ともかく譬えの言わんとするところは明らかである。〈囚人たる人間は影を見ているが、本物は見ていない〉ということだ。換言すれば、「目に見えないものこそ存在する」となる。

「目に見えないものこそ存在する」とは突拍子もない主張であって、現代人にとってはナンセンスとしか思えないかもしれない。しかし、それがプラトンの教えである。市井の人の思いつきではなく、哲学者中の哲学者であるプラトンの断言なのだ。しかも、『洞窟の譬え』に思い巡らすことは、哲学の出発点として昔から認められてきている。「目に見えないものこそ存在する」という原理を認めれば、科学的な研究には限界がある事象について、超越的なリアリティーによる探求が優勢を占めることも分かるのである。

「目に見えないものこそ存在する」という世界観に立脚すれば、何かが存在するかどうかを決める規準は、そのものを〝見た〟〝触った〟と言う体験ではなく、人間の理性による判断であるということになる。あるいは、「存在」という概念は、三次元に置かれた物事を指すのでなく、時間と空間を超えるリアリティーを示しているといえる。

「超越的リアリティー」に至る道

ところで、プラトンは「人間の見ている映像は本物ではない」と言うが、純然たる錯覚だとは言わない。映像は本物の投影（＝影）である。プラトンは本物と影を比較して「目に見えない本物の方が実存性を持つ」と主張し、「影は本物の影であるから、その意味で本物に与り、その本質をある程度『啓示』する」と教える。そこにはプラトンの「教育に対する執意」が表われている。すなわちプラトンは、「人間は見える影から出発して、見えない本物に辿り着くよう努力しなければならない」と教えているのである。それが難しい努力であることをプラトンは承知している。「洞窟に閉じ込められていた囚人が、無理やり光で照らされている本物の前に引きずり出されて本物を見ようとしても、目が眩んでそれを見定めることはできない」とプラトンは指摘する。『前に見た影の方に、より真実味がある』と囚人は思うだろう。

プラトンは教育学を展開するため『洞窟の譬え』を創り出した。彼にとって、教育とは「日常の知識から超越的なリアリティーに到達する道」である。現代に置き換えて考えてみるち、我々の周りにも「目に見えない優れた理念」はたくさんある。たとえば「世界の存在理由」「人権の根拠」「人間の良心」「生命の神秘」「幸福の在り処《あか》」など。現代においてもなお、肉眼で見える世界の在りようから見えないリアリティーを把握するに至る道へと導くのが教育の果たすべき役割そのものではないか、「目に見えないものこそが存在する」ことを示すために。

「真」を信じ「偽」を捨てる

自由な決断を支えるもの

ところで、私にとって「信じる」とは、キリストを信じることを意味する。そしてキリストを「信じる」とは、キリスト教のさまざまな教えを確信するというよりも、キリスト自身を全面的に信用することである。

では、なぜキリストを信じるか。その信仰が証明されているからか？　そうではない。信仰である以上、証明され得ない。信じる行為は「自由な決断」による成果である。神学的に考えれば、信仰は結局「神を愛すること」なのだが、もし何らかの強制力が働き〝強制された愛〟であるならそれは最早、神への愛ではない。繰り返して言う、信じるのはあくまでも自由な決断である。それは不条理な行為ではなく、気ままな選択でもない。

とすれば、その決断には理由があるはずだ。まず、信じることは自分にとってどういうメリットがあるのだろうか。信仰は難病を治さない。出世を約束しない。楽な生活を保証しない。それは誰にでも分かる。信仰は精神的な力だからである。パウロは信者でない人を描いて『彼には善をなそうという意志があるが、それを実行できないでいる』と述べる。その観点から言えば、「信仰は『実行させる力』である」ということになる。実行力を持つ信者は、周囲から優れた人物と看做《みな》されている。

が、果たして実際そうなのだろうか。世の中には、キリストを知らなくても他人のためにベストを尽くし生命を捧げる人がいる、中田厚仁さんのような人物は稀ではあるが。結局、そういった実行力を持つ人のモチーフは〝人道主義〟〝博愛精神〟にとどまり、何がそれを生んでいるかを辿ることは難しい。

歴史に見るキリスト教会の功罪

ここでキリスト教が歴史に記してきた足跡を一瞥《いちべつ》してみよう。十字軍、宗教戦争、奴隷売買、権力者との癒着や迎合……　それらはキリスト教の恥であると認めざるを得ない。反面、ローマ帝国における〝剣闘士の殺し合いや、囚人を獣に食わせるという残酷な見世物〟を止めさせたのはキリスト教である。南アメリカ・アステカ民族では〝人の心臓を抉《えぐ》り出し、それを太陽に捧げる〟という儀式が長く行われていた。その恐ろしい慣習を止めさせたのもキリスト教だった。爽《さわ》やかな例も挙げてみよう。「赤十字運動」は全世界から尊敬されているが、その精神はキリスト教に由来する。それを意識したイスラム諸国は、『赤十字』の代わりに『赤新月』とした。

以上はほんの一例に過ぎないが、要するに、キリスト教の過失を考慮に入れても、キリスト教が人類にすばらしい貢献をしたと認めることができる。ただしその評価はこれまでのところ、人々を信仰まで導くまでのものではなかった。

そのようなキリスト教における「信仰の対象」とは何か。その対象は教義体系や典礼儀式などではなく、イエス・キリスト自身である。それを核心とする信仰はキリストと信者とを強い絆で結ぶ。信者はキリストに愛され、キリストを愛する。

考えてみれば、「自由意思による決断を経て信じる」という行為は、いわば恋愛に打ち込むことに似ているかもしれない。カミュの『ペスト』に登場する新聞記者はこう言う。「僕は報道記事を書くためにこの世へ生まれてきたんじゃない。そうじゃなくて、ある女といっしょに生きるために生まれてきたのだと思う」。そのとおり。半導体を売ることよりも恋愛する方が生き甲斐をもたらす。

だが、信じることは恋愛にとどまるものではない。信者は、キリストによって真に生まれ、キリストにおいて自己を完結する。換言すれば、キリストを知ることと、自分がまともな人間になることは同じ歩みである。キリスト自身を愛することが信者の活動の原動力である。2000年の間に、全世界で殉教した人の数は星の数より多いが、彼らはキリストへの愛によって殉教する勇気を汲み取っていた。マザー・テレサのように見事な慈善事業を営む人の力もまた、キリスト自身への愛から湧き出ているのである。

何のために信じるか

右に、私は「キリスト自身を信じる」と宣言した。そんな私に「信じることは益になるか」と問う人がいる。信仰はプラスかマイナスか――そういうふうに訊かれると、私は困る。信じることは「精神的に豊かな生活に入ることだから、信仰は絶対的なプラスである」と私は確信する。また、そう断言したい。この種の断言は当節あまり説得力を持たぬようにみえるから、しないだけの話である。

ただ、もし信仰がそれほど決定的なプラスならば、信者は〝群を抜いて優れた人物〟と人の目にも映るだろう。が、実際、信者は秀でているだろうか。意志が強く、自主性を持ち、自由を享受し、喜びに輝く人――それが信者の「通常の姿」であろうか。疑問である。

とくと事実を凝視すれば、キリスト教の影響のもとに立派な人物が輩出していることは認めざるを得ないだろうが、ただの一例だけをもってそれがすべての信者の評価となるわけではないことを、私は認める。従って、信仰が絶対的なプラスであることを確信していても、そう断言することは憚《はばか》られるのである。

考えてみれば、「信じるのは益になるか」という質問自体、誤りではないだろうか。〝何かの益のために信じる〟などということがあり得るのか。信仰以外の目的を狙うのは、信仰を曲げることである。信仰はノイローゼを治す薬でもなく、意志を強くする秘訣でもなく、頭をよくする道でもない。「信じる」とは〈本当のことを本当のこととして認めること〉である。

そこに横たわる唯一の問題は、「教えが本当であるかどうか」である。「真」か「偽」か——問題はそれしかない。すなわち、益になるかどうかという利害関係の世界に属する性質のものではないのである。「真」は害をもたらさないから、それを受け入れることは得になるだろうが、「信じること」は損得の度外視を前提とする。「真」を受け入れるのは、それが「真」だからである。それ以外に理由はない。従って信仰は打算的・利己的な行為とは正反対なものである。苦か楽か、禍か福か……　結果がどう出ようと、「真」を「真」として認めることである。

キリスト自身を信じ、キリストに生き甲斐を見出す信者なら、「真」を「真」と言わなければならない。本当であることを知りながら「本当でない」という人は、ウソつきである。本当であることを知りながらそれを隠す人も、ウソつきの類であろう。それは良心にかかわるものであるからである。

「根本は真偽の問題である」とはっきり言ったときに初めて、信じる者は「より善きものを追い求めている」と言うこともできる。「真」に近づく者は当然、「より善き人になる」という意識を持つ。「真」を探して、それを身につけようとする。それは決して利己主義ではない。物を自分のものにするのではないのだ。「真」という抽象的な存在に与《あずか》ることなのである。盗品を握る手ではなく賜物を戴く手、それが信じる者の手である。

我々の裡《うち》には真偽を確かめる能力――良心――がある。そして、良心の〝判決〟に従わなければならないと我々は知っている。信仰とて別なものではない。真偽を確かめる必要がある。真の生き甲斐を手にしたい貴君もまた、その二者択一に迫られる。

洗礼への誘い

信仰告白

昔――場合によっては現代でも――、洗礼を受ける人は、全身を水に浸していた。そのため洗礼堂の中央に小さい池が作られていた。そして受洗者は水につかったまま信仰を告白する。

洗礼といっても何かを洗うわけではないので、「洗礼」という語自体、厳密にいえば誤訳である。「浸礼」と言うべきかもしれない。しかし「洗礼」は耳に慣れた言葉なので、今さら変えるわけにはいかない。

ところで、全身を水に浸けるにしろ、頭や額に水を掛けるにしろ、水が洗礼式の一部分となるが、水はそれほど重要な要素ではない。重要なのはあくまでも「信仰告白」（最近、「信仰宣言」という同義語も耳に馴染んできた）なのである。

昔から洗礼式は変わっていない。洗礼を授ける人が、受ける人に向かって「神を信じますか」

「キリストを信じますか」「教会を信じますか」と三つの問いを発する。洗礼を受ける人は「信じます」と3回、答える。この三つの問いの中では、2番目の「キリストを信じますか」がいちばん肝心である。なぜなら、第1の問いの「超越的な存在として神」を認めるのはさほど難しくないし、第3の問いの「教会を信じること」も、キリストへの信仰の延長線上にある。つまり「キリストを信じる」と宣言することが、洗礼の核心になるのである。

キリストとの合体

キリストに従うのは信者にとって当然の態度だと言えよう。しかし、「キリストに従う」とはキリストの教えを守ることだけでなく「キリスト自身と一致する」ことを意味する。生きるキリストは時間と空間を超えた存在なので、信者は目には見えない形で、キリストと真に合体する。水の中に全身を浸すのはその象徴である。すなわち、キリストという超越的な世界の中に飛び込むということを表現している。

またパウロは、洗礼を説明するために「キリストを着る」と、一見、奇異な表現を用いている。それは、新しい服を着ること――新社会人の新調の背広を思い浮かべてほしい――が「新しい生活を始めること」「新しい人間になること」を意味するように、「キリストを着る者」はキリストと合体した新しい人間になることを示す。

さらに、信者の団体である教会が「キリストを中心とする共同体」であることを説明するために、パウロは教会を「キリストの体」になぞらえる。その体のメンバーである信者はキリストと合体するというわけである。「生きているのは、もはや私ではない。キリストが私の内に生きておられるのだ」とパウロは大胆に書く。

決断

洗礼を受けるのは決断である。決断であるが約束ではない。これから信者として、しかも模範的な信者として生活することを約束するのではない。現在の信仰を表わすだけである。もし、洗礼が約束ならば、それはキリストから受ける恵みや、キリストへの信頼を軽視することになる。「聖霊によらなければ、誰も『イエスは主だ』とは言えない」とパウロは書いている。洗礼を受ける人はただ「信じます」と言う。その「信じます」は自分の将来をキリストの力に委ねることを含んでいるのである。

洗礼を受けるのはまた、自由な行為である。その決断と自由を含む行為は、結婚に似ている。相手を選ぶのは自由だ。挙式時点ではまだ、相手の性格や過去の生活を全面的に知っているわけではない。にもかかわらず、相手自身を信用し、愛している。同様に、洗礼を受ける人もキリストの全てを知っているのではないが、キリスト自身を信用し、自分の全生涯をキリストに懸ける。

マタイ福音書は次のようなイエスの言葉で結ばれている。「(弟子たちに向かって）あなたがたは、すぐに出かけて行って、すべての民族をわたしの弟子にしなさい。そして、彼らに父と子と聖霊の名によって洗礼を授けなさい」。キリストに生き甲斐を頂いた人は洗礼式に臨んで三度「信じます」と宣言し、信者となる。

絶対者が存在するから

憧れと実在――虚実皮膜の間

「進化」や「良心」の方向性

既に見てきたように、自然界における「進化」、人間における「進歩」のあることは、誰も否定しない。そして、進化や進歩があるという事実を認めることは、『或る方向性』『或る順序』を認めている態度を採ることである。

しかし、人間にできるのは、進化や進歩の航跡をたどり発見したり検証したりすることだけであり、進化・進歩の方向性を定めることは、人間の能力をはるかに超える『指揮者』である。自然界に内在するにせよ、自然を超越するにせよ、その指揮者は存在する。その存在を仮に「絶対者」と呼ぶことにする。

人間が「良心」を持つこともまた、我々が既に考察した結果、「真実」と認められた。「良心」とは、私が私を裁くのではなく、私が〈法や道徳以外の『何か』〉によって裁かれるという、直感である。

であるならば、私を裁く者が私以外に存在しなければならない。その存在を前述の『指揮者』同様、仮に「絶対者」と呼ぶことにする。

幸福の在《あ》り処《か》

ところで、人間は幸福を求める。しかし自分でそれをつくりだすことはできない。これだと思う幸福を得ても、それに満足できない日が来て、さらなる幸福を探し始めるからだ。その探索には限りがなく、結局、人間は「完全な幸福か」に到達できずに人生を終える。それが分かっていてもあきらめられずに、いつも悩んでいる。そして、人間以外のものに幸福の提供を願い出て叶えられたら、幸福を手にする可能性はあると思うに至る。その提供者を人間は「絶対者」と呼ぶのである。

人間は絶対者になれない

かくて、人間は絶対者に憧れる。どのように向上を果たそうとも、さらなる高みを目指そうと、常に志向しているからだ。その欲求には限度がない。権力者が力を持ちたいと思うとき、その力は〝あらゆる力に勝る力〟を意味する。いわば『絶対者』になりたいのである。

けれども人間は「絶対者」になり得ない。いかに有能な人物でもその才能を超える人物の登場を阻止することはできず、いかに長命であってもいずれは死ぬ。

死を運命づけられた人間が「絶対者」を僭称《せんしょう》するなら、それは人類の歴史に対する冒瀆《ぼうとく》であり、思い上がりである。

だからこそ、人間は「絶対者」に憧れる。その憧れは人間性の本質に根差しているのでり、いつの時代も人類は、「絶対者」の定義を共有して今日に至る。すなわち絶対者とは、「唯一」「完全」「善そのもの」「すべてのものの創造者」「真理の保護者」――と定義づけられる存在である。

完全であることは『二つとないこと』と同義だ。「善」の欠落は〝悪〟であり、「真理」の裏返しは〝偽〟である。

「美」の対極に〝醜〟があることも、これまでの考察によって我々は既に知った。「真理」や「善」や「美」の概念を創造したのも、それらに欠落や裏面を与えたのも、絶対者である。すなわち、絶対者はすべてのものの創り主なのである。

キリスト教の見方

キリスト教ではこの絶対者を「神」と名付ける。誤解のないように言っておくが、「神」と、日本で古来信心されてきた〝八百万《やおよろず》の神〟とは、まったくの別物だ。神道の〝神〟が〝何者であるかは分からないが、人知を超える能力の持ち主〟を指すことは事実だし、人々が〝そこはかとなく感じられるありがたい力〟を拝んできた歴史には、絶対者の存在を肌で実感している宗教性と謙虚さがある。

しかし〝火の神〟〝水の神〟は自然災害への畏怖が生んだ願望であるし、〝商売繁盛の神〟〝無病息災を約束する神〟は人間の欲求の請託先でしかない。なにより、そこで信心の対象となっているのは〝分業制の神〟であり、「絶対者」とはまったく異質のものだ。

世界中どの民族の精神世界にも、分業制の〝神〟に寄り頼む信心はある。その一方、「絶対者」への憧れが存在してきたことも事実である。

「憧れは憧れにすぎず、『あってほしいから実在する』という意見は詭弁である」という指摘もあるが、もしも神（＝絶対者）が、人間の思惑とはまったく別に存在しているとすれば、創造者である神と人間の関係はどのようなものだろうか。

絶対者は何のために人間や自然界を創造したのか。人間の存在に必然性がないことを認めても、その立場からは何の結論も出てこないのではないか――　その疑問を解くカギもまた、絶対者の手中にあるのだろうか。

塾友らは、人生観を考察しているうちに、絶対者の存否を論じ合っていることに気づいた。もしも貴君が右の議論に加わるとすれば、どのような意見を展開するか、簡潔に述べなさい。

■塾長からのアドバイス

私は神に「あなた」と呼びかける

にもかかわらず、神は存在する

私は神が存在することを知っている。疑い得ない事実だ。しかし、神を見たことはないし、神の実在を体験したこともない。神には形もなく、声もなく、住む場所もない。時間という次元に置かれているこの世では見出すことができない。にもかかわらず、神は存在する。

およそ何かが存在すると言うとき、それは、〈ある経験によって感じ得たので、『事実』と認識した〉ということを意味する。だが、神の存在は感じ得ない。だから神は、普通の意味では存在しない。「物質的な意味の存在しか考えられなければ、神は存在しない」と言った方がいいかもしれない。しかし「存在」という語をもっと広く考えるなら、「神が存在する」という言い方は大きな意味を持ってくる。

神とは何か――　そういう問いに私は答えない。神の定義はあり得ないからだ。〝神とは何々である〟と言えばその定義に限定されてしまうし、そこに定義されたものは神ではなく〝偶像〟に過ぎない。神はあらゆる概念を超える存在である、とだけ言っておこう。

自分自身の奥底にある力、自分を生かす力の本源を〝神〟と呼ぶ人がある。しかし私の捉える「神」はそんなものではない。あるいは、〝全世界を見渡しながらそこの全てを含み、かつその全てを動かす力。それが神だ〟と叫ぶ者がいるかもしれない。が、私にとってそれは「神」ではない。

評価できる「神」認識の深化・純化

昔の人々は、多くの神々を信じていた。しかし現代人はその〝神々〟など存在しないことを理解して、無神論者となった。私も神々を信じない。現代人は無神論者と自称しながら、実際には、神についての認識を深化し、純化しているのだと私は思う。幼稚な〝神のイメージ〟を拒否することは、むしろ健全である。

私は人間であるから、神を見ることはできない。それは、神が隠れているからではなく、私の──人間の──視力が及ばないからである。人間の立場からは、神はいつまでも『未知なるもの』であり続けるだろう。しかし神は、キリストを通してご自分を示されたのだ、と私は信じる。神の姿は、私が捉え得る限りにおいて、キリストの姿なのである。キリストのみが神を表わしている。キリストは神の表われそれ自体である。私の理解し得る限り、キリストは神の存在、神の姿、神の本質を知らせ尽くした。神は〝物〟ではなく「者」である。〝概念〟ではなく「相手」である。神は私自身の人生の行く手に立ち、ご自分の許《もと》に召してくださるのだ。私は、身近に実在するこの方に語りかけることができる。私は神に向かって、「あなた」と言う。

イエスは生きている

ここで、歴史上の人物、イエス・キリストの最期に目を向けてみたい。西暦30年4月7日(金)午後3時頃、イエスは息を引き取った。ところが、2日後の日曜日、「イエスは復活して、生きている」という噂が伝わり始めた。初め、それを信じた人は少なく、十二使徒と他の弟子くらいだった。使徒言行録は120人という数字を挙げる。たびたび数字を水増ししている聖書の著者の傾向を考えると、120人以上だったとは思われない。とりあえずスタートは121人だったとしよう。それから2000年が経過した現在、世界人口の3分の1――統計によれば28%――の人は、「イエス・キリストが生きている」と信じているのである。

キリストは生きている――それはイエスが生前の姿に戻ったという意味ではない。「イエスは死んだ後、復活して神のもとへ移り、神と共に生きている」という意味なのである。したがって、生きているキリストは時間と空間という次元に置かれていない。生きているが、それは目に見えない形で、なのだ。神と共に、すなわち永遠に、また普遍的に生きているからこそ、キリストはいつの時代にもどんな時にも我々の近くにいて、我々に呼びかけることができる、ということになる。

イエスの死は史実である。が、イエスが死んでから永遠の生命《いのち》に移ったという「復活」は史実なのか。『史実とは三次元に起こる歴史の出来事』だとすれば、イエスの復活は史実とは言えない。キリストの復活はむしろ、「歴史からの脱出」と言うべきである。

けだし、史実というものは普通、証人の証言によって成り立つ。その観点からみると、「キリストが生きている」と証言する人は極めて多い。しかもその中には、証言をするため生命を犠牲にした人、すなわち殉教者が無数にいる。日本だけでも、その数は一万人に及ぶのである。パスカルは「証人がそのために死をも辞さない断言を、私は信じようと思う」と言った。証言として十分な数ではなかろうか。

教会と福音書というしるし

生きているキリストは目に見えないが、その存在は教会と福音書というしるしを通して示されている。教会は信者の集まりであるだけでなく、キリストを内在する場である。「二人または三人がわたしの名によって集まるところには、わたしもその中にいる」というキリストの言葉は、教会において実現する。福音書は地上のイエスの言動を伝えるばかりではなく、その読者に語りかけるキリストの声でもある。「わたしは世の終わりまで、いつもあなたがたと共にいる」とキリストは言った。しるしがあっても、キリストはその姿が人々の目に見えないので、「生きているとは信じ難い」と疑う人がいるかもしれない。信じ難いかどうかはさておき、キリストが生きていることは信仰の対象であり、確実に証明されるものではない。換言すれば、〈キリストは人間の自由を尊重して、自由な決断である信仰へ誘うという段階にとどまっている〉といえる。しるしを見抜くことのできる人は幸いであるといえよう。

ところで、しるしは、超越的なリアリティーに通じる唯一の道である。例えばベートーベンの作品『交響曲第五番』を聴くとする。聴いているとき、人々はその曲の「美」に感動するが、その美しさはどこにあるか。演奏者が楽器を奏でて創る音の中に美しさがあると言っても、それは物質的現象である音の波そのものではない。やはり、超越的なものである「美」が、音というしるしを通して伝えられるのである。同様に我々は、キリストの超越的な存在を、しるしを通してのみ把握できる。

もう一つ、音楽の世界に譬えようか。キリストが生きているということは、ちょうど〝モーツァルトが生きている〟というのと同じ、と考える人もいる。すなわち、〝モーツァルトがその作品によって今もなお生きているのと同様に、キリストはその福音によって今も生きている〟という見方である。

しかしその比較は間違っている。私たちはモーツァルト自身に向かって祈りはしない。一方、キリストは祈りの対象なのである。

創造主と創造者を結ぶ信頼の絆

話は変わるが、先史時代の原人を研究する学者たちは「石器を残したのは人間」という見方で一致しているという。当然の見解だと思われる。そしてそれは、「創造」が人間性の特徴の一つであることを意味している。人間は本来、創造者なのである。もちろん、創造するのは道具や機械ばかりではない。芸術品も創る。

約1万5000年前、アルタミラの洞穴で人は絵を描いていたし、80年前にはアウシュビッツで死に向かい合っていた人が詩を書いている。非人間的な状況下にあってもなお、人は創造する。人間は創造者であると考える所以《ゆえん》だ。

一方、神は創造主である。聖書は神の人間創造を説くために、神が陶工のように粘土を捏《こ》ねて人の形を造り、それに命の息を吹き込んだと書く。陶工に擬せられる神が人を創るとき、当然、自分自身にかたどって人の形とした。ゆえに、人間は神の似姿になったのである。

神学者は聖書のこのような比喩とは別に、次のように言う。すなわち、「神は絶対存在であって、人間は相対存在である。相対的に存在する人間が、絶対的に存在する神に依存すること自体が創造である」と。

とすれば、創造主と創造された者との間にある繋《つな》がりは〈超時間的関係〉となる。創造はある一時の神の行為なのではなく、「すべての人間に神の力が生命《いのち》を与える」ということである。時間の流れの中に生きる人間が、永遠に生きる神との繋がりによって存在すること自体、「創造」そのものなのだ。時間と永遠との関係を示すために聖書は、「千年といえども、神の目には、昨日が今日へ移る夜の一刻《いっとき》に過ぎない」と言う。このように、神の働きは人間を通して続いているのである。

私たちは人間が創造した世界に生きている。そして今、この世界はかけがえのない貴重な環境下にある。突然、水道やガス、電気が止まるとどんな惨めな状態に陥るかを、大震災は教える。この種のありがたい文明は、発明者の創造力と人間の日常の働きによるものである。ニュートンはリンゴの実が木から落ちるのを見て、万有引力の法則を発見した。大昔から人間は空を飛びたいと願っていて、その願いが飛行機を生んだ。現代の文明は当然のことながら発明家だけの産物ではない。学者や技術者、労働者らが協力し合って、よりよい世界を造ろうと夢見、努力している。その努力全体を創造と呼びたいと思う。そう考えると「人類の発展は創造力による」というより「想像力による」と言い換えた方がよいくらいだ。

文明の進歩のために働くことはすばらしい。熱情をかきたて興奮を覚えさせる務めだ。一方で、『自分の仕事は不幸にして創造性とは縁のない、平凡で単調な繰り返しに過ぎない』と思う人がいるかもしれなし。そういう人には次のように言おう。「神は創造主であり人間は創造者である。すなわち、人間の務めは『神の働きに参加すること』である。ペンであれ、つるはしであれ、コンピュータであれ、それを用いる者は神の創造性に参与し、神とともに創造している。そのとき『創造』の業《わざ》は、陶工たる神の手からあなたの手へと移されているのである。今や、神はあなたに創造の業を託した。それに勝る信頼があるだろうか！」。

「来世」は存在するか

そんなアホな、と嗤《わら》うのもいいが

「来世」についてどう思う？

はじめに、次の問いに答えなさい。ただしここでは「来世」の語を、広い意味に採る。すなわち「人間は死後も、全面的に『無』に帰すことなく、何らかの形でなお実在する。もちろん、家族や親しい友人の記憶に残るだけなら、それは『来世』とは言わない。肉体が火葬場で骨となってもなお、霊魂としてのみ残り存在し続ける」――そのような意味内容を『来世』に与えて考えてみよう。

（一）　まず貴君の個人的な願望を尋ねる。来世があってほしいか、それとも、ないほうがよいか。
次のうちから選択しなさい。
①あってほしい　②ないほうがよい　③どちらでもよい

（二）「来世の有無は、人間の望みによって決まるわけではない」とする。貴君は来世が実際にあると思うか、それとも、ないと思うか。

①ある　②ありそうだ　③なさそうだ　④ない　⑤全然分からない

（三）右の2設問に対する答えは、貴君の日ごろの行動にどのように影響しているか、簡潔に述べなさい。

■塾生の意見

〔ミニ鼎談〕あったほうがいい？ なくても構わない？「来世」

「死後の世界」を巡る3見解

ネラン　ところで、皆さんは「来世」はあった方がいいですかね、それとも、なくても構わない？

Aさん　来世に幸せがあるなら、あった方がいいですね。

Bさん　来世がなければ不公平だと思います。貧富の差に関係なく、名誉や地位にも関係なく訪れるものがないと……

Cさん　来世の定義がないとどうもよく分からないですが、人間の社会の良い部分だけなら、あった方がいいかな。

ネラン　皆さんは『来世において罰を受ける』――そういう考え方はないですか。もう一つ尋ねますが、何も知らずにポンと死にたいか、それとも死の準備ができたほうが良いか……

Aさん　ぼくは、予定日があった方がいいですね。というのは、その日まで一日一日を、精いっぱい生きる努力をするだろうから。

Cさん　私は看護師なのですが、その人、その時によって、考えが違う気がします。たまに死の宣告を下される患者さんの中には、半狂乱になってしまう方もあります。そういう方を見ていると、『ああ、私も同じようになってしまうだろうな』と思います。でも理想としては、ちゃんと準備をしたいです。

ネラン　もう間もなく死ぬのなら、その準備期間があった方が良いという考え方ね。それは「来世待望論」かな。

Cさん　まあ、それがあると信じて準備するよりほかないかなあ。（笑）

Bさん　ゼロになってしまうのなら、ポンと死にたいですね。でなければ、死は苦痛そのものでしょう。

ネラン　とすると、葬式に意味はあるかな。残された人が墓参りするのはなぜだろうか。

Aさん　葬式は、この世に残っている人のためのものではありませんかねえ、故人の冥福を祈るというか、『今まで、ご苦労さま』と故人に声を掛けるというか……

Cさん　ゼロになるなら、冥福を祈る必要もないし、声を掛ける相手も、もはやいないのか！

ネラン　例えば仏教には「輪廻」という考え方があるが、どう思いますか？

Aさん　常々、輪廻はおかしいと思っています、前世はネコで、現世がネズミだなんて。（笑）

ネラン　同じような考え方は西洋にもあった。プラトンは「肉体は消えてしまうが、魂は永遠に残る」と主張した。輪廻とプラトンはよく似ているんです。

Bさん　でも人間か動物かは大きな違いですね。

ネラン　来世を意識するのは人間だけで、動物にとっては関係ないようだ。来世がなければ、人間も動物も同じように〝他の物質〟の一部に還り、それは無に代えることと理解される。ところが全世界で昔から今に至るまで、人々は葬式をし、墓を造ってきた。「来世がある」という普遍的な信念があるんじゃないか。ソ連でさえ、宇宙で死んだ人をクレムリンの中で弔い、荘厳な葬式をやっている。唯物論に忠実なら、人は死んで単なる有機物になるのだから、葬式はやらないだろう。

ただ、キリスト教は哲学説にもプラトンのヴィジョンにも頼らない。あくまでもキリスト自身――生きているキリスト――を信じている。「信じる」という表現では弱いな。全面的に信頼し、堅く結ばれ、キリストの生命に与っている。合体していると言ってもいい。そのキリストが復活したのだから、合体している信者も生きるわけです。つまり、キリストが死を乗り越えたので、共に生きる信者も永遠に生きるわけですね。

■塾長からのアドバイス

「わかる」とは何か

さまざまな〝わかり方〟

日本語の「わかる」にはさまざまな意味がある。かつてはその意味内容に応じて「解る（理解できる）」「判る（不明であった事象が明確になる・AとBの区別が判然とする）」「分かる（AとBとを分かつ・分かれる）」などと漢字を使い分けた。しかし現代国語の教師によれば、今ではそれらをすべて「分かる」と書いて済ませるそうだ。しかしここでは、「わかる」という語をより深く理解するため、かつての用法に従って漢字を使い分けてみよう（本書中にある他の項では原則として「分かる」を使っていることをお断わりしておく）。

さて、人間はものが解る。難しく言えば「真理を理解し把握するための道具として、人間は『理性』を持っており、理性を駆使して理解している」のである。その「理性」は真理を究めるための唯一の道である。

ただ、理性（の働きは、論理的な三段論法ばかりでなく、直観をも含む。よく、「見ればわかる」と言う人がいるが、それは大抵の場合、理性でなく感覚に拠《よ》っており、〝わかる〟は未分化のままでである。

病気になったとき誰でも経験することだが、医者の診断により病名が判る。それは患者にとって、医者を信用して得られる〝解り方〟である。また「研究すれば解る」と言う場合、その学問の適当な方法に従って真実を理解できるという意味であり、AがBとCのどちらに属するか不明のときそれが研究によって解明されれば、「判った」ことになる。

ところで、〝信じる〟ことと〝わかる〟ことの間にはどんな関係があるのだろうか。そしてそれを考察する場合、「わかる」にどの漢字を充てるべきか。第一、〝わかる〟ためには、根拠ないし証明が必要であるが、信仰の場合はどうであろうか。信仰――ここでは、キリストを信仰することに限って論じる――は、感覚による把握でもなく、三段論法による結論でもない。それにもかかわらず、信じる理由は十分にある。

物理科学の場合は原則として実験による証明がモノをいうが、実際には証明されていない仮説が大いに用いられるし、場合によっては仮説の証明がないまま「真実」「定理」と認められるケースもある。進化論はその好例である。それは、時間という次元が現象の中に入ってくると実験が不可能になるからである。同様に、学問として存在する歴史では、歴史固有の方法によってのみ説を立てられる。その方法は主として、証人の証拠を検証することである。証人の信憑性によって史実か否かが決まる。

信仰の対象もまた、歴史上の出来事、すなわち「キリストの復活」である。キリストの復活が史実であるかどうかが、信仰の存否を決する。信仰についても「研究すれば、解る」と言わなければならないが、歴史の問題だから証人の信憑性を問う必要がある。現代の信者はウソつきではないし、昔の信者もまたウソつきではなかった。遡《さかのぼ》れば、新約聖書という文献集の中にある「証言」に達するから、それを検討することになる。

その結果として、キリストの直弟子たちがウソつきではなかったことが歴史家の目には明らかである。その直弟子たちは、キリストの復活を「史実である」と証言している。なぜきっぱりとした断言口調でそのような証言がなされたのか、歴史家は解りたいと思う。弟子たちの証言が史実でないとすれば、なぜ、どこで、どのように間違えたのか――　結局、今のところそれは判らない。解っていることは「キリストの復活が史実だとすれば、キリスト教の誕生とその発展が解る。史実でないとすれば、キリスト教の誕生もその発展も解らない」ままである。私は史実に軍配を挙げる歴史研究者たちを信頼し、歴史が証明する〈2000年前に生まれて、宣教し、死んで、復活したキリスト〉を解りたいと思う。

「キリストの復活」の真の意味

ところが、「キリストの復活」という言葉を聞くだけで疑いを抱く人がいる。それには理由がある。

もちろん、キリストが復活したというのは、キリストがその生前の生活に戻ったという意味ではない。そうした誤解を解いてでもなお疑問は残る。

キリストの復活は2000年も前に起こったことだから、歴史の出来事の一つと言えるかどうか疑わしい。目撃者はいなかったし「復活」それ自体がこの世の現象ではなかった、キリストの復活とは「キリストが神のもとに行く」という意味なのだから。キリストの復活は史実であるが、それは、はるか昔に過ぎ去った事実であることも間違いない。

では、現代社会にキリストの復活を宣言することは、〈西暦30年の春、十字架上で死んだイエスが遺したメッセージを宣べ伝えること〉にとどまるだろうか。例えば今、モーツァルトの曲を聴くクラシック音楽ファンは「ああ、モーツァルトが生きている」と言う。同じように、「遺されたメッセージがあるからイエスは生きている」と言っているのか。

そうではない。キリストは、目に見えない形ではあるが本当に生きているのである。生きているキリストに向かって信者は話したり、祈ったりしている。キリストが復活しなかったなら、キリスト教はナンセンスなものに過ぎない。パウロ自身がそう断言しているし、それは現代に生きる信者の立場でもある。

そもそもキリストがキリスト教の教祖であることは間違いない。が、生前のイエスが、教団を設立するための憲章や指令などを発することはなかった。だから地上のイエスの言行と初代教会の信仰との間にはずれがある。両者を繋ぐもの、そしてその後の教会を築く基礎は「キリストの復活」に他ならない。

キリスト教を成立させるのはキリストの教えだと考えられている。そしてその教えは「隣人を愛せよ」という教訓でまとめられる。しかし「愛」を説く教説はキリスト教固有のものではなく、人類史上に登場する他の多くの宗教にも出てくる。キリスト教特有のものというならそれは、「わたしに従いなさい」というイエスの命令である。従うべき「わたし」は抽象的な理念ではなく、イエス自身なのだ。したがってキリスト教の核心は「生きているキリスト」なのである。今も昔もキリスト信者とは、「生きているキリストに属する者」である。その「生きているキリスト」とは「十字架で死んだキリスト」以外の誰でもない。

「復活」を抜きにしてイエスの姿を描き出そうとする歴史家もいる。結果はさまざまだ。ある人によれば〝イエスは政治に身を投じた反体制運動のリーダー〟であった。また他の人は、〝博愛を説いた柔弱な夢想家であった〟と言う。そのようなイエス像は、キリスト教の核心であるキリストとはまったく縁のない空想である。

「キリストが生きている」と信じるのは「キリストが復活した」ことを前提とする。キリスト教に関して興味を持つ人は当然、復活への信仰の要点とその範囲を調べることになるだろう。その延長上でさらに、信仰の根拠である当時の証言を吟味し、検討する必要に迫られるかもしれない。

結論を出そう。調査や吟味や検討をあてにせず、トマスのように「わが主よ、わが神よ」と叫べる人は、幸いである。

呼び掛けからの逃避

傍目には幸福な青年の、人知れぬ悩み

たとえ理屈ではわかっていても、現代人にとって、トマスのように「無条件に信じる」ことは意外に難しいようである。それを物語るエピソードを、以下に紹介する。——

謙一という青年が東京に住んでいた。一流の大学を出て、丸の内にある一流の貿易会社に勤めていた。月給の他にも、大阪で手広く商売を営む父親から送金してもらっていて、懐《ふところ》はいつも暖かだった。都心の一等地に高級マンションを借り、高級スポーツカーを乗り回していた。嗜《たしな》むスポーツはもちろんゴルフだ。絵に描いたような贅沢三昧。

謙一は愛想のいい青年だったので、会社でも友達の間でも評判がよかった。全く幸福な青年だ、と誰もが思っていた。ところが謙一には、人知れず抱える悩みがあった。楽な生活の快適さの中でいつも、原因不明の空しさを感じていたのである。

謙一はしばしばこう考えた。『いったい、僕は何のために生きているのか。確かに僕は会社の

ために働いている、とても真面目に。しかし、仕事は僕を活かしてくれはしない。たとえこの先、重役になっても、空しさは変わらないだろう。僕の努力によって会社が日本一になったとしても、僕に何の益があろうか。今、経済的には恵まれている。現に週末にはスポーツカーを駆って友だちと遊び回っている。しかし、それも結局は時間を潰《つぶ》しているだけではないのか。なんとも空虚な生活だ。何をしても生き甲斐というものを感じられない、本当に生きている充実感を得たいのに。僕の打ち込めるものはいったいどこにあるのだろう。そんなものはどこにもなさそうだ』。

「私の弟子になりなさい」

ある日、謙一は友だちに誘われて、下町のある会堂へ足を運び、イエスというオピニオン・リーダーの講演を聴いた。謙一はその話の内容がよく分からなかったばかりか、彼の常識はずれな断言の数々に不快感さえ覚えた。イエスは「貧しい人は幸いだ。悲しんでいる人は幸いだ、飢えている人は幸いだ。私のために苦しむ人は幸いだ」と言っていた。『そんなパラドックスのどこが納得できるだろう。ともあれ、僕は貧乏人でもないし飢えてもいない。彼が言っていることは他人事に過ぎない』と謙一は考えた。

しかし、イエス自身には不思議な魅力があった。雄弁に語るイエスに謙一が圧倒されたのは事実である。イエスは自信たっぷりに断言したが、同時に、抽象的な言葉を避けて、詩的な比喩を使っていた。「野の百合」「風にそよぐ葦」「夕焼けの空」といった美しい言葉に謙一は感動を覚えた。イエスの目つきも魅力的で、会衆人一人ひとりの心の奥底を見抜くような強い眼差しが聴衆を引き付けた。

謙一は、もっと詳しくイエスの話を聴きたいという衝動を抑えきれなかった。講演の終わるのを待ち、謙一はイエスに近づき、問い掛けた。「先生、生き甲斐を感じながら日々を送るには、どうすればいいのでしょうか」。イエスは、「君にもよく分かっているはずだ。会社では良心的に働きなさい。取引の際、相手を騙《だま》してはいけない。親孝行をしなさい。友人を大切にしなさい」と、一息に答えた。

このありふれた訓話に、謙一はいささか失望した。そこで続けて言った。「僕はそういうことは全部やっているつもりです。けれども、それだけでは生きている気がしないのです」。さらに力を入れて、「どうか先生、僕に生き甲斐を与えてください。打ち込めるものを教えてください」と叫んだ。

それを聞いてイエスは、生き甲斐を追求する姿勢に感心し、この青年を見直した。そしていつもの唐突な口調で告げた、「君、私の弟子になりなさい」。「それは難しいことですか」と謙一は尋ねた。イエスは答えた、「私の弟子になるのは冒険だ。私は狙われている。いつ暗殺されるかわからない。私の弟子も同じ危険にさらされる。君が私の弟子になれば、君は出世の可能性、身分、財産をことごとく失うかもしれない。しかし君に言う。わたしに打ち込みなさい。それこそが君の生き甲斐となる」。

謙一は恐ろしくなった。高級スポーツカー、快適なマンション……楽な生活を棄《す》てなければならないのか。父に「血迷ったのか」と非難され、同僚からは「バカなヤツ」と軽蔑され、謙一をカネヅルと看做してきた友だちには見捨てられるかもしれない――そんなイメージが一瞬、頭に浮かんだ。『それは困る、耐えられない』『イエスを偉大な師だとは思うが、彼のために全部を棄てることはできない』。謙一は、絶好の機会を失ったこと、また自分が卑怯者であることを意識しながら、しょんぼりとイエスの許《もと》を離れた。彼は人生を懸けなかったから、人生をフイにした。

――この話は、マルコ福音書10・17～22を下敷きにしている。（G・ネラン）

そっぽを向いているあなたへ

右に描いたエピソードの主人公・謙一のような若者は、どうやら少なくないようである。もしあなたが謙一流の考え方の持ち主なら、次のように言っておこう、「だからといって、貴君は安易にキリストから目を逸らすのか」と。

「〝キリスト教〟と聞くと十字軍、宗教裁判、ガリレオ事件を連想して、好きになれない」と、あなたは言う。なるほど。私はその指摘に弁解するつもりはない。それらに免罪符を売ること、黒人奴隷売買を肯定したこと、政教分離を長いこと拒否していたこと――などの罪状を付け加えても結構。そうした不名誉な事実は現実にあったし、すべて、教会が犯した大きな罪である。

しかし教会の罪は、キリスト教の一面に過ぎない。生きているキリスト自身と、その教えを伝えてきた信者の組織である教会は、別の存在である。教会は「キリストの教えを奉じるが、『弱く有限な人間』によって構成される組織」であり、その組織構成員も指導者もその有限性と弱さゆえに過ちを犯し得る。かつて指導者が権力欲や金銭欲の虜《とりこ》になったことがあるのは事実である。その過ちはいつの時代もキリストの教えに照らして断罪され、償いが果たされなければならない。歴史的に見ると、組織としての教会が判断を誤った場合、遅かれ早かれ指導者は責任を取らされ、教会の言動は是正されてきた。教会組織は今後も判断を誤り得るし、その度に是正を迫られることになるだろう。キリストの共同体であることを理由に、過誤に目を瞑ることは許されないのである。キリスト信者の共同体には常に、「キリストの教え」という規範に立ち返る自浄能力が求められている。

キリストこそが生き甲斐をもたらす

従って、ここであなたには、教会とキリスト教自身とを区別してもらいたい。キリスト教そのものは教会とは違うことを理解してほしいのだ。キリスト教の核心はキリスト自身である。キリスト教という運動の基礎は、「生きているキリスト」をおいて他にない。

言い換えれば、キリスト教会はキリストの教えを伝えるというより、「キリスト自身へ導く案内所」である。キリスト教の本務はキリストと人々との間に『コミュニケーションの場』を設けることである。教会はキリストとの見合いを取り計らう仲人のようなもの、と言ってもよかろう。最も肝心なのは、教会を通じてあなたとキリストとが出会うことなのである。

「宗教は要らない」とあなたは言う。「宗教という曖昧なカテゴリーにキリスト教を含めるのには大いに疑問がある」とだけ言っておこう。キリスト教の中心はキリストに愛着を覚えることであるから、現世利益と直接の関係はない。日本の宗教は歴史的に〝現世御利益〟や〝政治権力の後ろ盾〟として生き延びてきた。その事実を考えれば、「キリスト教は宗教ではない」と考えた方が分かりやすい。

それでも「キリストを知る必要はない」とあなたは言い返す。では尋ねよう、「あなたは何のために生きているか」「あなたの生き甲斐は何なのか」。キリストこそが生き甲斐をもたらす、と私は答えよう。

「人生は一喜一憂の連続に過ぎない」とあなたは言う。そんな投げやりな諦観《ていかん》は今すぐに捨てなさい。人間は考える。あなたも考えてみるといい。私たちを取り囲む質問は無数にある。例えば

・「存在する」とはどういうことか。プラトンは「本当に存在するものは目に見えるものだ」と主張する。
・「人々の間の貧富の差は必然的なのか」という問いにある「必然」とは何だろうか。
・世界平和はユートピアにすぎないのか。
・人間の自由とは何なのか。
・人類の歴史には目標があるのか。

これらの問いにあなたが答えられるなら、キリストは要らないと言ってもいい。答えられないなら、キリストがこれらの疑問を解き明かす世界観をもたらすことを知りなさい。

そう勧めても、「キリスト教を勉強する暇はない」とあなたは言う、それはキリスト教を重要だと思わないからに違いない。宝くじを買った人はどんなに忙しくても、当たったかどうかを調べる暇を作るではないか。これは決して珍奇な比喩などではない。聖書の中で、キリストとの出会いは宝の発見に譬《たと》えられる。キリストは無尽蔵の宝なのだ。

最後に、キリストがあなたを招いている短い言葉を引用しよう、「疲れた者、重荷を負う者、誰でもわたしのもとに来なさい。休ませてあげよう」。

宗教は必要か

キリスト教は、宗教ではない!?

前項で、絶対者の存在の有無を論じた我々は、絶対者の存在を確信するキリスト教の影を踏んだ。もちろんキリスト教は、人類の間に膾炙《かいしゃ》する宗教の一つである。しかし宗教のすべてが絶対者の存否を教義にしているかと言えば、そうでもない。前条に観た〝現世ご利益信心〟は絶対者の存否に触れないし、この世の生き方を説くだけに終始する宗教も少なくない。

実際、「宗教」を定義することは極めてむずかしい。過去に宗教の定義を問われた塾友らの意見として多かったのは、次のような見方である。

・人間はその宗教心を向ける対象として〝神〟を設定する。従って、そのように設定される神が存在するかどうかは、本質的な問題ではない。

・宗教はあくまでも心の問題を取り扱う。現世利益を謳うとしても、それは利益を得たいという人間の欲求に応えたものにすぎない。何かを信じたり、何かに頼ったりするのは、本人の問題である。だから、『本当の宗教』『偽物の宗教』などと言う区別は、本来無意味だ。本人が信じさえすれば、それで十分なのである。

・宗教には必ず〝儀式〟が伴う。それを好む人もあれば、好まぬ人もいる。ともかく、どんなに深遠な意味があろうと、儀式は、進歩を知らない保守的な仕草にすぎない。

こうした見方に対して、次の反論が出た。

「もし宗教が、そのようなものであるなら、キリスト教は宗教ではない。キリスト教は史実に依拠しており、目に見える現象であり、客観的な普遍性を有するからである」

なるほど、キリストの教えを誤りなく十全に伝えるキリスト教の組織（＝教会）は、信者の共同体であるが、人間が個々の自由意思だけで集まる集いとは趣を異にする。また自由意思の入り込む余地のない集団――例えば、係累や国籍などによる区別される集まり――でもない。

すなわち、教会という名の信仰共同体は、神が人々に呼びかけているもの（ロマ書1・1〜7）であり、教会の基礎は、キリスト自身が定めたものである。そして人々は信仰を宣言することによって自由にメンバーとなる。

教会の基礎は不動であるが、具体的な形態は信者が自分で作り上げる。そのような共同体であるから、宗教の在りようを見るとき、「それなら、キリスト教は宗教ではない」という見方には、十分な根拠があると言えるだろう。

以上の見方と「キリスト教は宗教ではない」という反論について、貴君の意見を述べなさい。

多様な定義があり得る「宗教」

塾友の間には、次のような宗教観がある。（一）～（三）に示すそれぞれ二つの宗教観について、どちらの見方に与《くみ》するかを選択し、併せて、貴君の考えを述べなさい。

（一）A　神が存在しなくても、宗教は存在し得る。宗教とは、主観的な信念の塊であって、その信念には「真実」と関係がない。人をたぶらかす道具にすぎず、いわば〝阿片〟である。

B　「信じる」という行為は、客観的な証拠なしに真理を掴むということである。それこそが宗教の特徴であって、人間の理性の特別な働きでもある。よって、「信じること」は必ずしも毒ではない。

（二）

A　宗教と呼ばれるものの価値は、（その宗教の）「伝える真理が人間にとって納得できるものかどうか」という点にある。その真偽を判断するのは人間の理性であって、十分な検証を経た理性の尺度が、宗教にも適用されるべきだ。したがって、宗教という漠然とした概念を捨て、「仏教の中に真理があるか」「キリスト教の中に真理があるか」という形で問われなければならない。

B　宗教の価値は、その宗教が提示する「真理」そのものの中にあって、科学的な証明の有無は問題とならない。それに気づくか見過ごすかは、人間の直観力と経験による。したがって、信じるかどうかは、本人の意思に任せるのが最善である。

（三）

A　キリスト教について言うなら、２０００年前のキリストの存在、および歴史上に現われるキリスト教という現象は、科学的な研究対象となり得る。その検証の結論は、概ね次のようなものとなる。

① 現代人の持つヒューマニズムは、キリスト教に基づく信念である。

② 初代教会から現代に至るまで、キリスト教の核心は、キリストの復活を史実とみることである。

③ キリストの復活を史実と認めない歴史家は、キリスト教の誕生とその存続を説明できない。

B

キリスト教は「自分の命を失うこと」と「自分を捨てること」を、キリストに従って生きる条件としている（マルコによる福音8章・44〜45節、マタイ10・38〜39、ルカ9・23）。これでは自暴自棄に近く、人生に絶望しない限り信仰への道は開けないことになる。

【宿題】

宗教であるか否かを定義するために、次の事項が論議の的となっている。それぞれの事項について、貴君の賛否と、その理由を簡明に記しなさい。

事項	賛・否	その理由
神の実在	賛・否	
教義（キリスト教）	賛・否	
（小乗仏教）	賛・否	
（大乗仏教）	賛・否	
（神社神道）	賛・否	
（その他の宗教）	賛・否	
儀式	賛・否	
祈り賛・否、その他		
貴君が宗教の本質と思う事項		

■塾長からのアドバイス

「時間」に関する素朴な質問

科学が答えに窮する難問

意外だと思われるかもしれないが、時間という次元はキリスト教の文化において発見された。キリスト教以外、たとえばインド哲学の「サムサラ（輪廻）」も仏教の「無常」も、時間の流れとは関係ない。西洋のギリシャ哲学についても同じことが言える。キリスト教以外の思想家は〝永劫回帰〟しか念頭にないと言っていい。

ところが、キリスト教――そこにはユダヤ教の遺産もあるが――は、全てが神の計画の実現であることを教える。従って、人間の世界を含む宇宙万物一には歴史がある。

その起点はキリストの誕生である（〝キリスト前〟または〝キリスト後〟と、時間を数えることになった）。

時間がキリスト教によって発見されたといっても、キリスト教なしには発見され得なかったという意味ではない。キリスト教の存在は「発見の機会」に過ぎなかったかもしれない。

ともかく、キリスト教が見出した「時間」という次元は、その後の人類の歴史の中で、キリスト教とは関係なしに大きな役割を果たしている。一口にいうなら、「万物には時間を軸とする歴史がある」ことを否定する人間は過去に一人もいなかった。この先、未来にもいないだろう。すなわち人類は、〈存在するものそれ自体の中に、時間というファクターがある〉ことを認めているのである。

昔から人は、ものの本質を追究して「それが何であるか」という問いに答えようとしたが、時間が発見されてからは「どういう風になったか」という問題を取り扱うようになった。つまり、哲学者や科学者は歴史家になったのである。これは、時間の発見以前との大きな違いである。

本質を探ることは「現象の変化」を描き出すことになった。

例えば、宇宙には歴史がある。それは、宇宙に「始まり」があり、時間を追ってその後の「変化」がある――ということだ。現代の天文学者の間に『ビッグバン説』の人気は高いが、説自体は正しくても、しょせん〝起こった現象〟の描写に過ぎない。「なぜビッグバンが起こったか」という問いは学者の考察領域を越えるところで、この問いが消えるわけではなく、学者は答えに窮したままである。

また、生命にも時間軸に支えられた歴史がある。生物の「進化」がそれだ。研究者たちは生物の歴史を描き出すが、進化の理由を教えてはくれない。いったい、生物を進化させた原動力は何であるか。この分野でも疑問は残ったままである。

人類の歴史の終わりを描けるか

人類の歴史も、俎上《そじょう》に上れば事情は同じだ。先史時代は差し置くとしても、５０００年前――メソポタミア、エジプト、中国で同時に文化が発展した時代――と現代を比べれば、その間の進歩には感嘆せざるを得ない。とりわけ直近１００年間のいくつもの優れた発見・発明は、質量ともに他の時代を凌駕《りょうが》しており、いまや人類の歴史は暴走気味とさえ言える。

しかし、あらゆる分野において人類が進歩しているかは疑問である。哲学は進歩しているか？美術作品は進歩したか？　人間同士における博愛は進歩しているか？……

歴史上に顕著な〝経済的発展〟は本当に進歩であるだろうか。アフリカの発展途上国がますます貧困になっているのは事実である。「それは資本主義がもたらす当然の結果である」という指摘が正しいとして、それでは、貧困国を真の発展に導く〝資本主義の代わりとなる経済原理〟は何か。

人類の歴史を振り返ると、諸々の帝国の興亡、輝かしい文化の栄華とその破壊の繰り返しであり、それが今なお続いていることを認めざるを得ない。そのような歴史の流れにどんな意味があるだろうか。歴史が物語る栄枯盛衰を通して、人間は何かを目指しているのか。目標があるのか。「時間」を軸とした人類の歴史は確かにある。とすれば、「始め」があったように、「終わり」も必ずある。聞かせてほしい、貴君は人類の歴史にどんな終末が来ると思っているか。

敢えて言う、キリスト教は宗教ではない

宗教が「個人の自由な選択対象」なら……

私はここで、宗教の是非を論じるつもりはない。またキリスト教と他の宗教とを比較し、〈前者は『真』であり後者は『偽』である〉などという結論を引き出そうとも思わない。ただ「宗教」という概念がある以上、「その概念にキリスト教が該当するかどうか」を考えてみたい。

「キリスト教は宗教である」と一般には言われているが、「キリスト教とは何か」、そして「宗教とは何か」を知っているなら、〈キリスト教は宗教ではない〉という結論が出る、と私は思っている。

「キリスト教とは何か」という問いに対してなら、私は自信をもって答えられるが、「宗教とは何か」と問われると、答えを躊躇せずにはいられない。現代において〝宗教〟の概念は、人によって異なるからである。とは言っても、大多数の人の捉え方には共通点があるので、それを掴むことはできると思う。

あらかじめ断わっておくが、「『宗教』はReligionの訳語」と思い込んでいる人には、「それは誤訳だ」と明確に答えたい。現代の日本社会で「宗教は心の問題である」と定義すれば、大方の賛意を受けるに違いない。宗教が心の問題だというのは、〝宗教は各個人が自由な選択によって決めること〟

であり、〝宗教はプライバシーの範囲をいささかも出るものではない〟という意味である。
そのような認識に立てば、ある特定の宗教に属するのは主観的な選択なのだから、各人が異なった宗教の信徒になるのはごく当たり前のことである。だから各宗教が共存するということこそ宗教本来の在り方、本然の姿だということになる。『私は私なりにこう信じる』と言ってしまえば、問題はそれで終わる。

「キリストは生きている」という断言の当否

ところがキリスト教は、そういった意味の〝宗教〟には類しない。キリスト教は事実を、客観的な事実のみを伝えようとする。キリスト教は〝心の持ち方〟を教えるのが目的ではないし、〝神がかった思想〟でもない。その本質は、「キリストという歴史上の人物が今も――目に見えない在り方としてだが――生きている」という事実を知ることにある。２０００年前に死んだ人を「今もなお生きている」とするのは、考えようによっては何とも不思議な断言には違いない。しかしそれを取り去れば、キリスト教はその根底から崩れてしまう。キリスト教全体が無意味な残骸になり果ててしまうのだ。

従って、問題の核心は「キリスト自身が現に生きているかどうか」――それしかない。個人の印象、個人の気持ちなどは、全く関係のない雑音に過ぎないのである。断言に与《くみ》する者の為《な》すべきことはただ、キリストが生きているという証拠（証拠があることだけは確かである）が十分であるかどうかを証明することだけである。十分な証拠がなければ、〝クリスチャンとは、2000年も前から人類を騙《だま》し続けてきた、世にも怪しからぬ山師〟ということになるから、直ぐにも社会から抹殺してしまった方がよい。また彼らの教科書――それは日本を含めどこの国でも『永遠のベストセラー』と呼ばれている――である「聖書」を、早速発売禁止にしなければならない。

しかし、キリスト教に価値があるとするなら、それは取りも直さず、キリスト教が客観的な事実を教えているということである。キリストを信じる者は、その信仰の対象であるキリストを〝心の中に形づくる〟のではなく、「現実を知っている」のである。認められていようがいまいが、事実は事実だ。信者が多かろうと少なかろうと、高邁な精神を保持していようと堕落していようと、また教会が成功しようと失敗しようと、そんなことはキリストが生きている事実をいささかも揺るがすものではない。さらに、キリスト教的なムードを好むと好まざるとにかかわらず、キリスト教の客観性は歴史の客観性と同質のものである。「Religion」の真偽を問うとすれば、その問いは〝教え〟にではなく、史実にかかるのである。

科学を支える理性と、信仰の間の葛藤

ところで、一般的な常識に従うなら、宗教の基調は信仰である。そしてその信仰は非合理なも

のだ。宗教はあくまでも〝証明できないものの世界〟にとどまる。科学と宗教、理性と信仰は対立しているようである。

多くの人は『科学の分野』と『宗教の分野』とをはっきり区別する。前者は物質的なものを扱い、後者は精神的なものを扱う。それぞれの対象と方法は異なっており、異なった次元に存在しているのである。「だから科学と宗教は矛盾しない」と彼らは言う。科学の進歩と宗教の沈滞ぶりを見れば、科学が我々の原動力であり、宗教は〝無用の長物〟であると考えられがちだが、ともかく両者は並立し得る。

他の人は、『理性の敗北の上に宗教の優先をたてたい』と願っている。理性に限界を感じるとき、宗教に頼るのだ。理性の価値を一応認めはするが、人間の誤りや人間の罪、人間の脆《もろ》さを正面に押し出し、限界ある理性を信仰によって救うべきだと説くのである。彼にとって、絶望した人間の叫びが信仰の産声となる。

キリスト教を価値づける「三つの真実」

ところでキリスト教は、いずれの態度をも拒否する。キリスト教はまず、理性の価値を全面的に認める。人間に無理なことを信じさせようなどと思わないばかりでなく、たとえ誤りであろうと、「自ら正しいと信じる道を行け」と教えている。そのように理性を重んじるキリスト教は、科学の不完全さにつけ込もうとはしない。むしろ科学の進歩を歓迎する。〈科学的真理をも含め、真理を把握することは、「真理そのものである神」に近づくことになる〉とキリスト教は常に考えている。

またキリスト教は、理性の分野から追い出されることをきっぱりと拒絶し、理性を具《そな》えた人間全体を神のもとに導く。キリストの受肉が史実であるゆえに、人間の働きのすべてはキリストの光に照らされる。それは理性を尽くしてこそ得られる信仰の果実である。信仰の基礎を固めようとして理性を破壊するなら、それは自ら墓穴を掘るに等しい。

キリスト教も「信仰」という言葉を使っている。それか適正であるかどうかは別にして、キリスト教の言う「信仰」は、決して〝盲目の信仰〟を指すわけではない。信仰に科学的証拠はないし、あり得ない。しかし信者は、信じる理由があるから信じているのである。その理由はおよそ次の三つの真実にある。

第一に、キリスト教の教え自体には矛盾がない。

第二に、世界の存在とその進歩、人類の目標、人間の生き甲斐という問題に関して、キリスト教は最も適切な仮説を立てている。

第三に、キリスト教の現実性と歴史性の証言者は、十分信用のおける人々である。

このような「理性にかなう信仰」を、世間の常識と混同されがちな〝信仰〟と言うべきかどうかは諸君の好みに任せるが、ともかくキリスト教の立場は、一般的に考えられる〝宗教〟観とは遥かに違うのではないか。「キリスト教は宗教ではない」と断言する所以《ゆえん》である。最後にもう一つ証拠を挙げておこうか。『マルキシズムは宗教ではない』と一般に認められている。しかしそれはキリスト教に最も近い主張をしている。むしろ「キリスト教の異端」とさえ言えるほどに。

「核心はキリスト自身」という確信

道徳の面から――「私があなた方を愛したように」

「殺すなかれ」「盗むなかれ」などの訓戒句で知られる旧約聖書の「十戒」は、大人なら誰でも覚えているのではないか。改めて言われずとも殺害や姦通、盗みが禁じられるのは当然だ、と誰もが思っている。だからといって、キリスト教がその道徳観を示すとき、十戒を少しずつ詳細・緻密に具体化する作業を繰り返すだけでよいのだろうか。

「隣人を愛せよ」とキリストは命じる。しかしそれに似た愛の掟は旧約聖書にもあるし、仏教の慈悲にも近い教えがある。それならキリスト教は〝ありふれた道徳観〟を掲げているに過ぎないのだろうか。ところが、両者は同じことを言っているようで、実は大きく違うのである。キリストは「私があなた方を愛したように、互いに愛し合いなさい」と言った。この「私があなた方を愛したように」という言葉を重視しなければならない。これこそがキリスト教の愛の特徴であるからだ。信者はキリストを知り、キリストに倣い、キリストを通して、隣人を愛する。つまり「隣人をキリストとみて愛する」ことを求められているのである。目に見える隣人を愛することが、目に見えないキリストを愛するかどうかの試金石になるのだ。

　このように、人のために生命《いのち》を献げたキリストの愛が、現代を生きる信者の態度の基礎となる。「キリストが人を愛したように、心を尽くして隣人を愛する」ことは、〝すべき・すべからず〟という道徳律をはるかに超えたものである。

儀式の面から――ミサの本質

　宗教として見るなら、キリスト教も冠婚葬祭に力を入れるはずである。現代もなお、あちこちでそういうケースが散見されるが、儀式それ自体がそれほど重視されているわけではない。そもそも、儀式に関するキリストの言葉など一言も伝えられていないのである。

　とはいえ、キリスト教にはミサという儀式がある。それはキリストの死と復活を記念する祭儀であり、そこに集う信者たちに、生きているキリストの存在を現わし示す。歴史を見れば、ある時代には長時間のミサを行ない、賛美歌を添え、豪華な祭服やイコンなど珍しいシンボルを使う――つまり〝壮厳な儀式〟にする傾向があった。また逆に、ミサに要する時間を短くし、飾りのない質素な儀式が好まれる時代もあった。いずれにせよ、信者がミサに参加するのは装飾や音楽などによって表現される芸術的な美を享受するためではなく、キリスト自身に出会うためである。イギリスの小説家、グレアム・グリーンは「そこにキリストが存在することを信じなかったら、ミサに参加しない」と正直に告白している。

歴史の面から――最も優れた人物を知る

現代人の中には、科学がまだ進歩の途中にあることを忘れて、「科学の力を借りれば何でも解明できる」と思い込んでいる人がある。そのような人は、『三次元の現象以外には何も存在しない』と考えるわけだ。反面、古今を問わず「精神的存在」を追求する人も多くいる。その例はプラトン、仏教、新興宗教……枚挙にいとまがない。

キリスト教はもちろん精神的な存在を追求する。しかも信仰の対象は、実在しながら目に見えないキリスト自身である。キリストの実在には十分に根拠があるが、科学的には証明できないことを先に述べた。科学は優れた分野だが、精神の研究とは方法を異にする。科学的に言えば「現在生きているキリストは目に見えない」が、２０００年前にパレスチナの荒れ野を歩いていたキリストは真の人間であり、彼の姿は誰の目にも見えたから、証言者は多い。その地上のキリストを正しく記録したものがある。それが福音書である。

キリストがどういう人であったかを考えるのは、現代人にとって教養の一面である。信じるかどうかは別として、歴史上で最も優れた人物の言動に接することは、興味のあることではなかろうか。

そして今、キリストは待っている

最後に、「キリスト教」という言葉について考えておきたい。キリスト教は、その言葉が示すとおり「キリストの教え」だろうか。端的に答えれば、そうとは限らない。キリスト教はキリストの教えであるよりは、〈キリストに関する教え〉なのである。つまり、キリストが何を教えたかということより「キリストはどういう方であるか」という問題の方がはるかに重要なのだ。

前述したように、「2000年前に生きていたキリストが今もなお、神の子として生きている」という信仰がキリスト教の土台である。言い換えれば、「十字架上で死んだキリストは、今でも生きている」ということであり、これこそがキリスト教の中心なのである。

繰り返しになるが、キリスト教は歴史と結びついている。キリスト自身の存在とその活動が、歴史上の出来事であるからだ。そして他の歴史上の出来事と同様、それは目撃者の証言によって我々に伝えられている。キリストへの信仰は、哲学的な理論の結論によるのではなく、伝えられた史実によるものだと、念を押しておこう。

２０００年前に生きていたキリストの言動は、その当時からマス・メディアによって報道されてきた。キリストのことを伝える代表的なメディアは『福音書』である。福音書はキリストの姿を描き出したメディアなので、読者にとっては「キリストとの出会いの場」ともなる。福音書を読み研究することによってキリストに近づこうと思う人は、『キリストはどういう方であるか』を理解することができる。またキリストを信じる人がその信仰を深めることもできる。

福音書には、キリストの権威を物語っている場面がある。「私よりも父や母を愛する者は、私の弟子に値しない」とキリストは言う。キリストを信じることは、「キリストが絶対であることを認める」ことを意味するのだ。パウロも言っているように、「どんなにすばらしいものも、キリストと比べれば、塵芥《ちりあくた》に過ぎない」のである。

それでは、キリストに近づくのは難しいことだろうか。「疲れている人や重荷を負っている人は誰でも、私のもとに来なさい」とキリストは言った。貴君もどうか、このキリストの言葉を覚えておいてほしい。

終章　世界へと羽ばたく貴君を見送る

かけがえのない唯一の存在──それが貴君である

あなた自身を掘れ、私が道具を提供する！

掘れば宝は現われる

君は何という会社のサラリーマンであるか、と私は尋ね、君はそれに答えた上で年齢や出身地なども教えてくれたのですが、実は、失礼ながら、そういったものは君の本当の姿を紹介してくれたことにはなりません。

背広を着、ネクタイを結んだ紳士姿にしろ、きちんとした学生服姿にしろ、あるいはそれらのミックスにしろ、私は君の姿を覚えました。顔と名前とを合わせることはできます。しかしそれが果たして、君を知ることになるでしょうか。君に背番号はありません。それは番号を付けなくても間に合うからではありません。人間を品物のように1個、2個と数えるのは極めていやなことだから、私は君に背番号を付けないのです。

君はサラリーマン群の中の1人ではなく、「かけがえのない、唯一の存在」です。私はその意味で君を知りたいと思うのです。私が知りたいのは君の具体的な生活でもなく、精神的な環境でもない。知りたいのは、意味のない年功序列や出世などへのこだわりを捨てた、かけがえのない君自身なのです。

君は自分の裡《うち》に宝を蔵しています。自分の手で十分に掘れば宝は現われます。深く丹念に掘ってみてください。環境が与える先入観や世間の定説、既成の見方という硬い皮を破り、「真の自我」を見出しなさい。そこに君の持つ宝があり、湧き出る泉があります。君の裡に隠れている勇気と生命力を私は信じ、いや、知っています。

「真の自由」に至る道

君が蔵している宝を白日の下に晒《さら》すのは、君自身の仕事です。誰も、君の代わりはできません。私にしても「掘ってみなさい」と奨めてはいますが、私の働きはその奨励に止まります。私は君に宝をあげることもできないし、君の代わりに宝を見つけることもできません。

私はただ、掘るための道具を多少提供しようと思います。君の手に合う適当な道具であるかどうか分かりませんが、私は質の良い道具を提供するつもりです。君は満足できないでしょうが、まず手許に届ける道具を使ってみてください。そうして殻を脱ぎなさい。私は君を縛るつもりではありません。私の弟子にしようなどとは少しも考えていません。君に「真の自由に至る道」を示したいと思うだけです。

社会の圧迫によって大勢《たいせい》に流される人間になるのではなく、自由を味わい、豊かに生き、また真剣に社会づくりを担える、そういう人間になってほしい。君というかけがえのない存在が栄えるように、君が幸福を獲得するようにと祈ります。

「真」か「偽」かの二者択一

信じるとは、真実を真実と認めること

信じることは益になるか。信仰はプラスかマイナスか。そういうふうに、聞かれると、私は困る。信者になるのは、豊かな生活に入ることであり、信仰は絶対的なプラスであると私は確信する。また、そう断言したい。断言はあまり説得力を持たぬようにみえるから、しないだけの話である。もし信仰がそれほど決定的なプラスならば、信者は群を抜いて優れた人物と、ひとの眼にも映るだろう。実際、信者は秀でているだろうか。意志が強く、自主性を持ち、自由を享受し、喜びに輝く人、それか信者の通常の姿であろうか。疑問であろう。

とくと事実を凝視すれば、キリスト教の影響のもとに立派な人物が輩出することは認めざるを得ないだろうが、ただの一例だけでそれと知られるものではないことをも、私は認める。従って、

信仰が絶対的なプラスであることを確信していても、断言することはできないのである。

賜物を戴く手の持ち主

ところで、信じることは益になるかという質問は、それ自体誤りではないか。何かの益のために信じるなどということはあり得るのか。信仰以外の目的を狙うことは信仰を曲げることである。信仰はノイローゼを治す薬でもなく、意志を強くする秘訣でもなく、頭をよくする道でもない。信じることは、本当のことを本当のこととして認めることである。唯一の問題は、教えが本当であるかどうかである。

「真」か「偽」か、問題はそれしかない。すなわち、益になるかどうかという利害関係の世界に属する性質のものではないのである。真は害をもたらさないから、真を受け入れるのは得になるだろうが、信じることは損得の度外視を前提とする。真を受け入れるのは、それが真だからである。それ以外に理由はない。従って信仰はエゴイストの行為とは正反対である。苦か楽か、禍か福か——結果がどう出ようと、真を真として認めることである。

真なら真と言わなければならない。本当であることを知りながら「本当でない」と言う人は、嘘つきである。そして本当であることを知りながら、それを隠す人も嘘つきの部類であろう。それは良心にかかわるものである。根本は真偽の問題である、とはっきり言ったときに初めて、「信じる者はより善きものを追い求めている」と言うこともできるのである。真に近づく者は、当然、よりよき人になる、という意識はある。そこで真を探して、それを身につけようとする。それは決して利己主義ではない。〝物〟を自分のものにするのではないから。

「信じる」とは、真という抽象的な存在に与ることなのである。盗品を握る手ではなく、賜物《たまもの》を裁く手――　それが信じる者の手である。

我々の裡《うち》には、真偽を確かめる能力がある。そして〈その良心の判決に従わなければならない〉と我々は知っている。信仰とて別なものではない。そこでも真偽を確かめる必要がある。二者択一なのである。

私について来なさい

命がけの冒険

プチ・ブルの生活を、つまり〝無難な道〟を理想とする人がいる。彼らはキリストに聞く耳をもたない。しかし一方に、いかなる危険を冒しても豊かな生活を望む者がいる。キリストの言葉は彼らのためにこそある。

ある日、一人の富裕な青年がキリストに近づいた。彼は立派な人になりたかった。その時まで、自分の義務はすべて果たしているという自信はあったが、『それでもなお、何か一つ欠けていると感じないわけにはいかない』とキリストに漏らした。

その青年の心は我々にもよく分かる、モラルを守ることだけが生きる目的ではないのだから。青年はほかでもない、生き甲斐を求めていたのである。そこでキリストは言った、「私に従って来なさい」。しかしそれには二つ条件があった。まず「家に帰り、持っているものは全部売って、その金を貧乏人に施しなさい」とキリストは命じた。キリストに従うことは命がけの冒険でなければならないのである。

またある日、父に死なれた人に向かって、キリストは言った、「私について来なさい」。彼は当然「その前に、父の葬式を出させてください」と頼んだが、キリストは「死んだ者の葬式は死んだ者に任せるがいい。私について来なさい」と命じた。

英雄への招待

キリストは人々に呼びかけはするが、決して財産、娯楽、名誉などを提供しはしない。むしろそれらを捨てさせ、困難と迫害を予告する。「疲れている者、重荷を負っている者は誰でも私の所に来なさい。休ませてあげよう」という言葉は福音書に一度出てくるだけであるが、同じキリストが「自分の十字架を担って私の後に従わない者は、私の弟子たるに適しない」と繰り返し述べている。

そういう危険・困難の予告にもかかわらず、キリストの許に集う人々がある。キリストに従うためにペトロは漁業を、ヨハネは父母を棄《す》てた。さらに夥《おびただ》しい数のクリスチャンが、キリストの呼びかけに応えている。いや、むしろ、苦痛が予告されているからこそ、キリストの呼びかけには力があるのだ。それは畢竟《ひっきょう》、英雄への招きなのである。

貴君は生涯の友を得た！

キリスト信者も失敗する

クリスチャンになっても、それだけで、知識を深め、身分を高めることにはならない。クリスチャンも世の中で成功したり失敗したりするのである。

また彼は、必ずしも〝徳の高い人〟とは言えないだろう。君子とも英雄とも違うのである。そう、クリスチャンとは「キリストに出合った者」の謂《い》である。キリストを知り、キリストの姿がわかる者なのだ。子供は小さい頃から、母の姿を事細かに描き出すことができないにしても、母の顔を、他の人と違う母を知っている。クリスチャンもまた、キリストの姿をうまく説明することはできないにしても、間違いなくキリストを知っているのである。

「恐れるな、私がいる」

キリストに出合ったこと――それはつまり、生涯を共にできる友人に出会ったということだ。思想とか知識とか感情とかを身に付けたのではなく、一人の友人を得たのである。もはや孤独ではなくなったのである。

今後、孤独感が襲って来ないとは言えないが、そのようなとき、孤独のドン底からあの親しい人が惜しみなく注ぐ友情が湧き上がってくる。親しい友人よりもさらに親しく、信頼する者よりもさらに信頼できる者。揺るぎない依り処《どころ》。しかも〝気を使わねばならない友人〟というわけではない。我々が腹を割って話し合える相手なのだ。

その友人がいさえすれば、自分に確固たる自信が持てる。問題は全て氷解する。だから、いつも友人の力に寄り掛かっていたいと思う。しかし不思議なことに、この場合、その友人の力に頼るのでなく、自分自身の力に寄り掛かることになるのである。

自分の中に友人を見出すことのできる、そんな友人に出合ったことは、結局、自分自身を見つけたことに他ならない。私の心を開いた友愛の鍵は自分のものでありながら、しかし賜《たまわ》ったものである。もう、絶望などあり得ない。孤独の時に「助けてくれ」と叫ぶならば友人はきっと、「恐れるな、私がいる。私は道であり、喜びである……」と答えるに違いない。クリスチャンは、キリストに出合い、キリストと語り続ける者なのである。

「絶対的な価値」を求め続けなさい

【編集註】 ネラン塾を閉じてから20年後、「エポペ」開店10周年を迎えた記念ミサの説教を、ネランさんは次の呼びかけで結んだ。

絶対的な価値を探している人は、それを見つけるやいなや、それを手に入れたいと思うのではないでしょうか、その絶対的なものに対して強い憧れがあるはずですから。どうぞ皆さん、絶対的な価値を求め続けてください。

参列した常連客の中には、多数のネラン塾出身者がいた。その人々に向けて、ネランさんは強い口調で励ましの言葉を贈ったのだった。それは、ネラン塾で過ごした春秋に討論し、教えられた人生のテーマをその後の人生に生かしているかという問いかけであり、さらに『塾で学んだ生き方を貫きなさい』という励ましでもあることを、元・塾生らは肝に銘じている。

そしてそれは、本書を手に、次代を担って実社会で活躍を始めている貴君に対する、ネランさんの「置き土産」でもある。その日のミサ説教の〝締めのひとこと〟を、ネラン塾OBから、次代を担う貴君への応援歌として捧げ、共有したい。どうか繰り返し味わってほしい。

（ネラン塾OB・OG一同）

あとがきに代えて

1970年3月、ネランさんは「ネラン塾」を閉じた。閉塾にあたり、東京・御茶ノ水の雑居ビル5階に置かれた塾の事務室で、壁に掛かった小さな十字架の前に跪き、ネランさんは独り、次の祈りをゆっくりと、つぶやくように唱えた。その「祈り」は後に、「塾生OB通信」紙上に公開された。全文を収載して本書のあとがきに代える。（編者）

ネラン塾閉鎖の祈り

主よ、あなたの前でこの重い荷をおろします。重い荷といっても、この5年間の塾は喜びに溢れた業であって、それを与えていただいたあなたに感謝します。

キリストよ、あなたを塾生各位に紹介しようとして、時には直接にあなたの言葉を宣べ伝え、時には、間接に真理の追求を勧めました。いずれも、あなたに近づく道です。あなたは真理そのものなのですから。

その間、この塾は何回も暗礁に乗り上げ、その度に『思し召しに適うように』と、心から祈りました。辛い時も無数にありましたが、塾生と私の胸には常に喜びが溢れていました。学生世代の正直さ、その若いエネルギー、その労を厭《いと》わぬ心、その鋭い視線を、見たり感じたり、味わったりしました。それらはあなたからいただいた、すばらしい賜物でした。人間の良さのすばらしい再発見でした。

人間の良さを知ることは、あなたを知ることです。この塾であなたを知り、信じて洗礼を受けた若者を見守ってください。また、この塾であなたに近づいた人を、真の出合いまで、導いてください。さらに、そっぽを向いて遠ざかった人を赦し、いつか彼らにもう一度呼び掛けてください。

私は貴方の使いに過ぎません。ある時は手厳し過ぎ、またある時はなまぬる過ぎました。どうか、私の欠点のためにあなたから遠ざかる若者が出ませんように。

この先老いていく私は次第に、塾に集《つど》った学生たちの顔を忘れていくでしょう。あなたは私よりも、彼らを愛し、彼らを憶えておられます。学生も私のことを忘れるでしょう。しかし、せめてあなたのことを忘れないように、見守ってください。

これまで私は、塾での学生との付き合いを通し、喜んであなたに仕えてきました。これからは彼らと離れ、孤独のうちに、あなたに仕え続けることになります。耐えがたい寂しさに襲われるとき、私を支えてください。

キリストよ、ありがとうございました。

絶対者が存在するから

終章　世界へと羽ばたく貴君を見送る

かけがえのない唯一の存在――それが貴君である

あとがきに代えて

【本書中に引用した元原稿　一覧】

凡例　元原稿の出所名：

- P　ネラン塾討論資料プリント（年一期）
- M　「お茶の実」→ネラン塾生通信（前期）
- K　「お茶の木」→同上(後期)
- O　「塾生ＯＢ通信」
- S　「真生会館通信講座」への執筆原稿
- EN「エポペニュース」(季刊)
- N　ネラン師所蔵原稿のうち、元塾生に公表を託していた発表済みの原稿
- 寄　雑誌・冊子類への寄稿文、講演、説教
- 未　未発表稿→塾生ＯＢらにネラン師が公表を託していた未発表の原稿
- 『われら…』単行本『われら人生を論ず』

■ネラン塾OB・OG会　本書制作スタッフ紹介（50音順）

安部毅一（あべ・きいち）1967年、中央大学卒。中小企業経営研究会入社。編集部門の分離独立に伴い㈱中経出版設立に参画。同社書籍編集長を経て代表取締役。2009年角川グループＨＤのグループ会社・取締役をへて10年、代表取締役に（〜12）。ネラン塾3期生。

宮地國男（みやち・くにお）1965年、明治大学卒。長野県教職員として、県立軽井沢高校を振り出しに40年間、教員生活を全うした。ネラン塾1期生。

山内継祐（やまうち・けいすけ）1965年、中央大学卒。主婦の友社編集局を経て講談社、文藝春秋社などでフリーランス記者。ネラン師のスナック「エポペ」では初代社長を務めた。ネラン塾共同創設者。

米田友義（よねだ・ともよし）1965年、明治大学卒。北日本新聞社広告部を経て63年、聖母の騎士社「カトリックグラフ」編集部。同誌休刊に伴い㈱雅叙園に転じ社長室長を務めた。ネラン塾1期生。

ネラン塾へようこそ　定価（本体2,500円＋税）

発行日　2023年３月31日（初版）

編　者　ネラン塾OB・OG会　編集部会
編集人　安部　毅一
編集所　ネラン神父遺稿集編集事務局
〒350-0805　川越市広谷新町5-4　米田方
発行人　山内継祐
発行所　株式会社フリープレス
〒355-0065　東松山市岩殿　1103-51
電話0493-77-1905　fax0493-77-4583
info@freepress.co.jp
印刷所　㈱モリモト印刷
発売所　㈱星雲社（共同出版社・流通責任出版社）
ISBN 978-4-434-32002-6